Een nacht in een vijzel

Femke van Zeijl

Een nacht in een vijzel

Artemis & co

ISBN 978 90 472 0025 3
© 2007 Femke van Zeijl
Omslagontwerp Nanja Toebak
Omslagillustratie Sven Torfinn/Hollandse Hoogte

Verspreiding voor België:
Veen Bosch & Keuning uitgevers n.v., Wommelgem

Voor Mayke

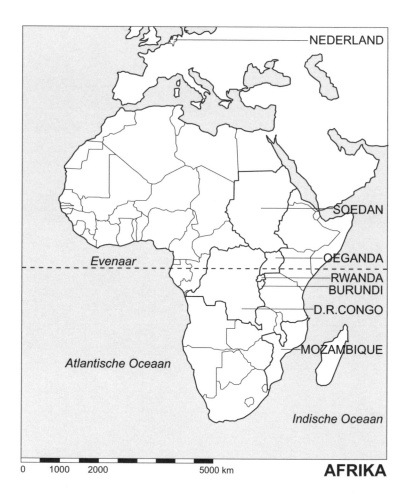

NEDERLAND

SOEDAN

Evenaar

OEGANDA

RWANDA
BURUNDI

D.R.CONGO

MOZAMBIQUE

Atlantische Oceaan

Indische Oceaan

0   1000   2000   5000 km

AFRIKA

Inhoud

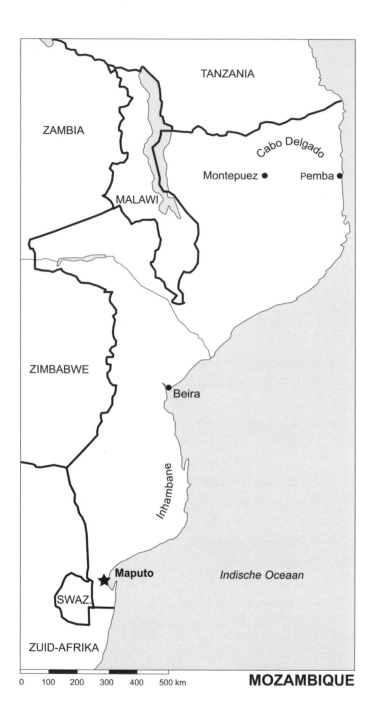

TANZANIA

ZAMBIA

Cabo Delgado

Montepuez ● Pemba ●

MALAWI

ZIMBABWE

Beira ●

Inhambane

Maputo ●

SWAZ.

ZUID-AFRIKA

Indische Oceaan

0 100 200 300 400 500 km

MOZAMBIQUE

1

Twintig kilometer in een kruiwagen

KRAAMSTERFTE IN MOZAMBIQUE

Als twee in elkaar gedraaide komma's liggen de baby's op de brancard, gewikkeld in een rode doek met Coca-Cola-print. De tweeling is nog bleek. Het stel, niet veel groter dan een mannenhand, is nog geen vijf minuten oud. Zojuist met de keizersnee ter wereld gekomen in het provinciale ziekenhuis van Cabo Delgado, de meest noordelijke provincie van Mozambique. Ze liggen in een opslagkamer waar langs de wanden de medicijndozen hoog staan opgestapeld. Een peertje van honderd watt in een ouderwetse bureaulamp moet het jongetje en het meisje warm houden. Onder precies zo'n lamp met een knikarm maakte ik vroeger mijn huiswerk. De eenvoudige verlichting en de overbekende witte colaletters op de rode stof accentueren de kwetsbaarheid van de twee oppervlakkig ademende, rimpelige kindjes. Ik staar een hele tijd naar de zwarte brancard voordat ik weer de lichtblauw betegelde ziekenhuisgang op loop.

Op uitnodiging van Unicef ben ik voor *Opzij* naar Mozambique gereisd voor een reportage over kraamsterfte. De vn-organisatie wil meer aandacht voor dit wereldwijde probleem. Bevallen is de gewoonste zaak van de wereld, maar voor veel vrouwen in arme landen is het ook een levensgevaarlijke gebeurtenis.

Voor mij betekent de reportage de eerste keer dat ik naar het continent kan reizen dat me altijd heeft gefascineerd. Reportages op kraamafdelingen, gesprekken met familieleden van overleden moeders, interviews, alles heeft Unicef geregeld om me een beeld te geven van de ontberingen van vrouwen rond het kraambed. Binnen achtenveertig uur na aankomst in het land aan de Indische Oceaan loop ik rond in Afrikaanse ziekenhuizen, op zich al genoeg voor een stevige cultuurschok.

De kraamafdeling van het ziekenhuis van Pemba, de hoofdstad van Cabo Delgado, telt één gang en veel te weinig bedden. Af en toe blaast de tocht de zwarte doek omhoog die aan het begin van de gang hangt om zand van buiten tegen te houden. Dan waait meteen een vlaag stank mee uit de latrine om de hoek. Er zijn te veel patiënten, dus slapen vrouwen op matrassen op de vloer, soms half onder een stalen bed geschoven om ruimte te besparen. In een van die overvolle ruimtes, tegenover de kamer waar ik net uitkom, komt Alima bij. Ze is de moeder van de pasgeboren tweeling. Krap zeventien is ze, maar ze is haar leven lang zoveel eten tekortgekomen dat ze het lijf heeft van een westers kind van veertien. De ruwe grijze paardendeken heeft ze ondanks de hitte opgetrokken tot aan haar kin. Ze kan maar nauwelijks geloven dat ze net moeder is geworden van twee kinderen.

Haar eigen moeder staat handenwringend bij haar bed. Om één uur die nacht braken de vliezen, vertelt ze voor haar dochter, die nauwelijks kracht heeft om haar stem te gebruiken. 'Het kind kwam maar niet, terwijl Alima helse pijnen had,' zegt ze, hoofdschuddend bij de herinnering. 's Ochtends vroeg besloten de vrouwen in het dorp dat Alima naar het ziekenhuis in de stad moest. Samen met haar moeder en tante was Alima uren onderweg vanaf haar dorpje Chiúre, een kleine honderd kilometer landinwaarts. Af en toe kregen ze een lift van passerende auto's, maar evengoed moest het meisje vele kilometers lopen, terwijl de weeën al waren begonnen.

Die avond schrijf ik in mijn aantekeningenschrift een brief aan mijn moeder. Bij de brancard met de twee hoopjes baby moest ik erg aan haar denken en aan het onvoorstelbare verschil tussen kinderen krijgen hier en in het rijke Nederland. Mijn moeder zette na mij ook een tweeling op de wereld, een meisje en een jongen. Maar wel op haar zesentwintigste, met een volgroeid, gezond lichaam, na een medisch goed gecontroleerde zwangerschap en in een westers ziekenhuis. Dat was geen makkie, maar in levensgevaar is ze geen moment geweest. Dat de Mozambikaanse Alima met haar onvolgroeide lijf de bevalling van háár tweeling overleefde, was veel minder vanzelfsprekend. In de derde wereld is een kind krijgen een van de gevaarlijkste gebeurtenissen in een vrouwenleven. De kans die een vrouw in een ontwikkelingsland tijdens haar leven loopt om te overlijden aan de gevolgen van een zwangerschap, is één op dertien. Ter vergelijking: in de geïndustrialiseerde landen is dat één op 4100.

Alima haalde het ziekenhuis, maar veel vrouwen in haar positie zijn niet zo gelukkig. Vaak is de dichtstbijzijnde medische voorziening honderden kilometers ver weg. De weg erheen is in de regentijd onbegaanbaar en in het droge seizoen niet veel beter. Daarbij helpt het ook niet dat de paar ambulances die er in de regio zijn, vaker stilstaan dan rijden, omdat ze nodig moeten worden gerepareerd. Of ze zijn net weg om brandhout te halen voor de keuken van het ziekenhuis. Iedere dag sterven er in Cabo Delgado twee vrouwen in het kraambed, in veel gevallen meisjes van nog geen achttien. Daarmee heeft het gebied een van de hoogste kraamsterftecijfers ter wereld.

Voor de gezinnen die achterblijven, wordt het leven er ook niet beter op: de kinderen moeten verder zonder moeder, terwijl zij ervoor zorgde dat ze naar school gingen en te eten kregen. Structurele problemen zoals analfabetisme en een lage levensverwachting blijven zo voortbestaan. Vooral in zuidelijk Afrika is het kraamsterftecijfer hoog.

Voorlichting, betere hygiëne, begeleiding bij de zwangerschap en medische hulp als er complicaties optreden zijn manieren om dit sterftecijfer omlaag te brengen. Ondanks vele programma's op dit gebied is er echter geen verbetering. De afgelopen tien jaar is het aantal moeders dat sterft aan de gevolgen van zwangerschap niet afgenomen, en nog steeds is zwangerschap in de derde wereld een levensbedreigende situatie.

Niet voor niets gaven de wereldleiders toen zij in 2000 de belangrijkste mondiale problemen op een rij zetten de gezondheid van moeders een belangrijke plaats. Het werd een van de acht Millenniumdoelen: voor 2015 moet de kraamsterfte met driekwart omlaag, spraken zij af. Het ziet er overigens niet naar uit dat dit streven wordt gehaald.

De eerste keer dat ik Elsa Jacinto ontmoet, ziet ze eruit als een slager na een dag hard werken. Als ze uit de operatiekamer van het provinciale ziekenhuis komt, is haar witte ziekenhuisuniform van voren donkerrood van het bloed. Voordat ze me begroet, trekt ze de bebloede chirurgenhandschoenen uit en gooit ze in een stalen po die op de grond tegen de muur staat bij wijze van vuilnisbak.

Elsa is hoofd van de lokale kraamafdeling en de enige gynaecologe in een provincie die zo groot is als Nederland. Zojuist heeft ze de keizersnee uitgevoerd waarmee ze de tweeling haalde en het leven redde van hun frêle moeder Alima. Het meisje ging tijdens de zwangerschap drie keer naar het gezondheidscentrum bij het dorp, een stenen gebouw waar een elementair opgeleide verpleegster werkt met als enige gereedschap een weegschaal en een stethoscoop, maar deze vrouw heeft niet opgemerkt dat de zeventienjarige een tweeling verwachtte. 'Je moet al erg goed getraind zijn, wil je dat zonder echo herkennen,' legt Elsa uit. 'Bij de meeste medische posten mag je al blij zijn als de verpleging elke dag komt opdagen.'

Elsa's werkdag begint om zeven uur 's ochtends en gaat door tot het donker wordt, om een uur of zes. Daarna heeft ze oproepdienst, wat inhoudt dat ze vijf, zes keer in de week 's nachts haar bed uit komt voor een spoedgeval. Met haar krulspelden nog in haar haar – Elsa's kapsel is overdag een glanzende krullenhelm omdat ze mooi wil zijn voor haar patiënten, die het al moeilijk genoeg hebben – stapt ze dan in de jeep en rijdt naar de kraamafdeling.

Die week zal ik veel met haar optrekken. We spreken geen gemeenschappelijke taal, maar met gebaren, mijn krukkige zelfbedachte Portugees en de hulp van haar nichtje dat in de vakantie bij haar logeert en Engels spreekt, komen we een heel eind. Door haar terloopse opmerkingen kom ik veel te weten over vrouwenlevens in het noorden van Mozambique. Voor het eerst ervaar ik waar ik op latere reizen door Afrika veel gebruik van zal maken: wil je weten hoe het vrouwen vergaat, ga dan op de kraamafdeling van het plaatselijke ziekenhuis op zoek naar de verloskundige of gynaecoloog. Zij weten als geen ander met welke problemen vrouwen te maken hebben. Bovendien zijn zij de taboes voorbij. Vrouwenartsen vertellen vaak openhartig en betrokken over zaken die verder onbespreekbaar zijn in de maatschappij.

Meteen na onze kennismaking telt de Mozambikaanse gynaecologe op haar vingers af tegen welke problemen aanstaande moeders in haar regio aanlopen. Ze knikt naar de deur waarachter Alima weggedoken onder de dekens ligt. Het meisje werd op haar vijftiende uitgehuwelijkt. Veel te vroeg getrouwd, veel te jong zwanger: 'Bij de eerste zwangerschap is de moeder gemiddeld zestien jaar. Als ze nog zo jong zijn, is de kans op complicaties bij de bevalling groot. Sommige meisjes zijn op hun veertiende al zwanger en ook nog eens ondervoed. Het is geen wonder dat zoveel moeders de bevalling niet overleven. Hun lijf is er simpelweg nog niet klaar voor. Het zou veel schelen als ze een paar jaar konden wachten.'

De medische complicaties leiden vaak tot veel ellende voor zo'n meisje. Ze kunnen geen kinderen meer krijgen of zijn zo beschadigd dat ontlasting en urine naar buiten sijpelen zonder dat ze er iets aan kunnen doen. Miljoenen jonge vrouwen lopen fistels op tijdens moeilijke bevallingen zonder professionele zorg, wat vaak levensbedreigende infecties veroorzaakt. Overleven ze dat, dan wacht sociale uitsluiting. Een vrouw die niet baren kan is niets waard – en een vrouw die altijd stinkt naar plas en poep wordt door haar dorpsgenoten gemeden.

Alima blijft dit lot bespaard, tot opluchting van haar moeder, die zelfs even bang was dat Alima haar zusje achterna zou gaan. Die stierf een paar jaar geleden toen ze haar eerste kind kreeg. Samen met de gynaecologe gaat Alima's moeder voor de eerste keer naar haar kleinkinderen kijken. In de opslagkamer buigt ze zich over de piepkleine pakketjes op de brancard en prevelt iets in het Macua, de lokale taal. Ze dankt God – Allah in dit geval, het noorden van Mozambique is voornamelijk islamitisch – voor de twee kinderen die Hij de familie schonk. Maar ze maakt zich toch zorgen over haar dochter: heeft Alima wel genoeg melk om twee baby's te voeden?

Als ik in de namiddag het zanderige erf van het ziekenhuis afloop, bespreken Alima's moeder en tante op het bordes van het vervallen koloniale ziekenhuis de situatie. Omstanders bemoeien zich met het gesprek van de twee vrouwen tussen de vierkante pilaren en zelfs de grote zwarte kraaien op de rand van het golfplaten dak schijnen de discussie gade te slaan. Ik denk dat het nog gaat over de borstvoeding voor de twee zuigelingen, maar het gezelschap blijkt een veel zwaarwegender probleem te bespreken: hoe gaan de twee pasgeboren kinderen heten?

Het is in Cabo Delgado de gewoonte dat de vader zijn kinderen een naam geeft, maar Alima's echtgenoot Bernardo overleed aan malaria toen zij vijf maanden zwanger was. De enige andere man in het huishouden, Alima's vader, stierf al eerder aan cholera. Gezeten onder de grote mangoboom met het getsjirp van de krekels op de achtergrond bespreken de vrouwen het probleem tot diep in de nacht.

De volgende ochtend vertrek ik naar Montepuez in het binnenland, weg van de provinciehoofdstad aan de Indische Oceaan. Voordat ik in de auto stap, schiet ik de twee vrouwen onder de mangoboom nog even aan, nieuwsgierig of ze eruit zijn gekomen. Maar ze hebben nog geen oplossing gevonden voor het namenprobleem. Alima's tweeling zal de eerste levensdagen naamloos doorbrengen.

De weg naar Montepuez is verrassend goed: tweehonderd kilometer nagenoeg kuilenvrij asfalt. De chauffeur zet er dan ook flink de sokken in. Met honderdtwintig kilometer per uur raast hij langs de rieten nederzettinkjes die aan weerszijden van de weg zijn opgetrokken. Zijn remmen gebruikt hij bij voorkeur niet. Getoeter doet dorpsbewoners op de fiets, vrouwen met sprokkelhout op het hoofd, spelende kinderen en kuddes geiten wegspringen. De borden langs de weg met 80 of 50 negeert de man volkomen.

Als we een kwartier onderweg zijn, moet de *morotista* remmen. Op de weg liggen twee hoopjes doek. Drie agenten staan erbij, iets verderop een grote groep zwijgende mensen. Onder de doeken liggen twee lijkjes, kleuters die zijn doodgereden door een langsjakkerende auto. De slachtoffers zijn een meisje en een jongen. Net als de pasgeboren tweeling van Alima. Zo kort na elkaar met leven en dood te worden geconfronteerd schokt niet alleen mij; ook de Unicef-medewerkster die mee op pad ging en al in de oorlogsjaren hulp verleende in Mozambique, is er stil van. Het tafereel lijkt een stilleven, niemand beweegt of onderneemt iets. Het wachten is op een lijkwagen die de twee dode kinderen komt ophalen, maar er is er nog geen gevonden die geen panne heeft.

Hoe gevaarlijk de doorgaande weg ook is, de mensen hebben weinig andere keus dan zich daarover te verplaatsen. Op de onontgonnen stukken land tussen de dorpen, waar geen gebaande paden zijn, loop je nog steeds het risico op een landmijn te stuiten.

Hardnekkige dingen, landmijnen. Sinds 1992 is het vrede in Mozambique, na een burgeroorlog van zeventien jaar waarvoor een tiende van de bevolking het land uit vluchtte. De gewapende strijd in de voormalige Portugese kolonie is al meer dan een decennium voorbij, maar de twee miljoen landmijnen die de strijdende partijen Frelimo en Renamo achterlieten, zijn nog lang niet allemaal opgeruimd. En hoewel cynici erop wijzen dat het landmijnenprobleem wordt overdreven om subsidies op te strijken bij goedgelovige donoren, komt er eens in de zoveel tijd een tot ontploffing. Dus geven de Mozambikanen de voorkeur aan de weg. Daar kunnen ze het gevaar tenminste zien aankomen.

Vijf uur later dan gepland komen we aan in Montepuez, een stadje ten westen van Pemba. De dorpsoudsten van de streek zitten sinds die ochtend al op me te wachten. Ik heb geen zin in hotemetoten, het liefst zou ik meteen doorstomen naar de dorpjes op het platteland waar de echte verhalen te vinden zijn. Ik wil aan de slag en kan mijn ergernis nauwelijks onderdrukken. Behalve dat ik de afgelopen paar uur bij iedere in doodsangst voor onze jeep vluchtende peuter zelf het hart in de keel had zitten, moest ik me ook nog eens verbijten bij tientallen onaangekondigde stops. De chauffeur hield halt bij elk hoopje tomaten dat langs de weg te koop stond. Voor 'de beste en goedkoopste maïs van het land' maakte hij ongevraagd een omrit over zo'n pittoreske rode zandweg die mooie foto's oplevert maar beroerd rijdt: weer twee uur verloren. Ik realiseerde me toen nog niet dat autotochten vanuit de stad overal in Afrika al snel foerageritten worden, omdat het eten op het platteland goedkoper is. Iedereen slaat aan het hamsteren en op de terugweg zakt de wagen in veel gevallen haast door zijn wielen onder de vracht bananentrossen, cassave, sinaasappels en suikerriet.

De traditionele leiders zitten al uren op me te wachten en er is geen sprake van dat ik meteen verder kan. Eerst moet ik de stamhoofden, onder wie drie vrouwen met houten knopen in hun bovenlip, te woord staan. Later zal ik hieraan wennen en blijkt het een handige binnenkomer: waar je ook komt in Afrika, ga eerst even langs bij de traditionele chef voor een beleefdheidspraatje. Je hoort nog eens wat en het scheelt veel gedonder achteraf. Dit is de eerste keer dat ik zoiets meemaak en ik voel me er behoorlijk ongemakkelijk onder. De zon schijnt op het metalen dak van de school en maakt het klaslokaal ondraaglijk warm. De zware ijzeren stoelpoten schrapen zo krijsend over de tegelvloer dat ik na een paar pogingen om gemakkelijker te gaan zitten besluit te berusten in de oncomfortabele houding. Tien paar ogen kijken me aan en ik vertel wat over mijn plannen, dat ik in Montepuez ben om een verhaal te maken over kraamsterfte en dat ik graag wil weten hoe het met de gezondheidszorg gesteld is. De drie knopenvrouwen zitten helemaal in een hoekje achteraf. Hoewel ik me af en toe bewust tot hen richt, zeggen zij niets. Niet dat er veel anderen het woord nemen, alleen het hoofd van de school staat uitgebreid te oreren. Erbij zijn lijkt het belangrijkst: de oude man die later is komen binnenschuifelen, legt meteen na aankomst zijn hoofd met gerafeld kalotje van gebreide katoen op zijn armen en valt zo op de lessenaar in slaap.

Als dan toch nog onverwachts iedereen opstaat en de zitting voorbij is – ik schrik daar net zo van als de laatkomer die zo vredig ligt te soezen – kunnen we verder. We rijden door naar een dorpje op vijf kilometer van de stad, nog net te behapstukken voordat het donker wordt. Tegen de muur van een vierkant stenen huisje tussen de strohutten zit Christina Antomane er op een rieten mat. In haar armen houdt ze een baby, een jongetje van tweeënhalve maand oud. De kleine Justine sabbelt op haar tepel. Niet dat daar melk uitkomt, maar het houdt het ondervoede kind wel rustig. Borstvoeding krijgt het niet meer: zijn moeder Awage, Christina's zus, stierf een week na zijn geboorte. Sindsdien zorgt Christina voor Justine en de twee andere kinderen die Awage achterliet. De zuigeling moet het doen met de poedermelk die de missiezusters uitdelen voor weeskinderen.

Zestig procent van de Mozambikaanse bevolking heeft geen toegang tot de meest basale vormen van gezondheidszorg. De meeste bevallingen gebeuren dan ook gewoon thuis, met hulp van een moeder of een zus. Dat gaat nogal eens mis door de beroerde hygiëne. Bij complicaties staan de vrouwen met hun traditionele kennis vaak met lege handen.

Van Awages dood keken de dorpelingen nauwelijks op. Aan deze bevalling kwam geen ziekenhuis te pas. De geboorte van Justine verliep soepel, herinnert Awages oudere zus Fatima zich. Ze komt net aanlopen nadat ze van een dorpsgenoot heeft gehoord dat een journaliste vroeg naar haar overleden zus. In haar kielzog drentelen drie kleuters met grijs bestofte beentjes. Zij was het die Awage bijstond, vertelt Fatima. Ze trekt haar vuile gele T-shirt met gaten onder haar billen en gaat naast Christina op de grond zitten, vlak bij de deur. Meteen nestelt een van de kinderen zich op haar schoot.

Awage riep haar midden in de nacht en zei dat de weeën waren begonnen. Tijd om naar een ziekenhuis te gaan was er niet meer, dus heeft haar zus bij de bevalling geholpen. Fatima duwt de rieten deur open en wijst naar binnen. Het is pikdonker in het huisje en er hangt een doorrookte lucht. Een bed van henneptouw neemt de hele ruimte in beslag. Hier is Awage bevallen bij het licht van een petroleumlamp, want elektriciteit is er niet in het dorp. Fatima sneed de navelstreng af met een scheermes. Hoe ze dat had schoongemaakt? Ze haalt ter illustratie haar hand met een snelle beweging langs haar rok: het niet al te scherpe mes veegde ze schoon aan de stof van haar veel gedragen *capulana*. Kennis over hygiëne is er nauwelijks in de grotendeels analfabete gemeenschap, laat staan dat ze weet hebben van het steriliseren van instrumenten.

Al vrij snel was de moeder weer op de been, gaat jongere zus Christina verder: 'Ze kookte weer en was aan het schoonmaken.'

Ze wist zelfs de *machamba*, haar stukje land, weer te bewerken. Na een week ging het mis. Awage ging steeds slechter zien en klaagde over pijn in haar benen. De zusjes zetten haar op een van de weinige rijwielen die het dorp rijk is, en duwden haar naar het ziekenhuis in Montepuez, een uur lopen verwijderd. Maar de bloedtransfusies en antibiotica mochten niet meer baten. Na twee dagen stierf Awage in het ziekenhuis aan een post-partuminfectie die ze opliep door de onhygiënische omstandigheden. Sindsdien zorgen de twee achtergebleven zusjes voor Awages drie kinderen.

Nadat we een uur hebben gesproken, komt er een jongeman aanwandelen met glanzend gepoetste schoenen. De eerste dorpeling die ik op schoeisel zie. Het blijkt Cornelio, de echtgenoot van de overleden moeder. Het nieuwtje van mijn bezoek verspreidt zich snel in de omgeving en heeft ook het verderop gelegen dorp bereikt waar Cornelio woont met zijn nieuwe vrouw. Hij trok zijn beste schoenen aan om mij te ontmoeten. Als hij mij de hand schudt, trekt hij een vroom gezicht. Allemaal heel erg van zijn vorige vrouw, ja.

Een paar maanden na de dood van Awage is hij hertrouwd, vertelden de twee zussen me eerder, en zijn aandacht gaat uitsluitend naar zijn nieuwe gezin. Cornelio's nieuwe echtgenote is hoogzwanger. Naar zijn drie eerdere kinderen heeft hij de afgelopen maanden niet omgekeken.

De zusjes verwijten het de afwezige vader niet eens. In de matrilineaire samenleving in het noorden van Mozambique zijn kinderen maar al te vaak uitsluitend de verantwoordelijkheid van de vrouw. In een matrilineair systeem geeft de moeder de familienaam door aan haar kinderen. Dit verwantschapssysteem vind je wel meer in zuidelijk Afrika, en ik ging ervan uit dat dat positief zou uitpakken voor de vrouwen. In Pemba hielp gynaecologe Elsa me al uit de droom: in de praktijk wordt het vooral vertaald met 'de kinderen zijn het pakkie-an van de vrouw, dus ze zoekt het maar uit'.

Nu er een journalist op bezoek is, komt pa opdagen en ineens draait alles om hem. Hij verhaalt over armoede en honger. Hij telt uit hoeveel hij en zijn gezin per dag te besteden hebben (nog geen halve dollar) en wat zijn kinderen dagelijks te eten krijgen (een maïskolf en een bord rijst met bonen). Er blijft niets over voor schoolgeld voor zijn kroost. Of ik niet een flinke som geld kan achterlaten als dank voor de interviews? De tolk vertaalt zijn vraag in het Engels maar adviseert me meteen mijn portemonnee dicht te laten. Van dat geld zouden zijn kinderen geen cent zien, voegt ze er droog aan toe. Als Cornelio doorheeft dat er weinig te halen valt, druipt hij af. Omdat het al laat begint te worden en we niet overvallen willen worden door de schemering die in dit deel van de wereld altijd korter duurt dan je denkt, stappen we weer in de jeep en rijden terug naar Montepuez.

Eén verticale tl-buis in de hoek op de grond verlicht het enige restaurant in Montepuez waar de keuken nog open is. De lichtval van onderaf geeft iedereen in het etablissement een naargeestig uiterlijk, als in een goedkope horrorfilm. Druk is het niet. In Montepuez kruipen de mensen vroeg in bed: de elektriciteit is op rantsoen en om tien uur gaat het licht uit. Wel staan ze op zodra de zon opgaat, van gratis licht moet je zo veel mogelijk profiteren. Bij restaurant Lusitano staat achter in de zaak een generator, waardoor ze niet afhankelijk zijn van de algemene elektriciteitsvoorziening. Alleen maakt het apparaat zodra het aanslaat iedere conversatie onmogelijk – vooral in combinatie met de Braziliaanse soap op tv die tegen de kale muren schettert.

De eettent heeft veel weg van een voetbalkantine: een kale zaal met alleen het hoogstnodige meubilair waar een blind paard geen kwaad kan doen. De klanten drinken er vooral en de schappen achter de bar staan vol drankflessen, van Jack Daniel's tot lokaal gebrouwen bocht. Daarnaast een grote doos condooms.

Naast me zit Ausenda, het hoofd van het lokale ziekenhuis. Ze is halverwege de dertig, iets ouder dan ik. De hoogopgeleide jonge vrouw groeide op in de hoofdstad. Ze woont nu in haar uppie in een koloniale villa met antiek parket in het doodsaaie Montepuez en is verantwoordelijk voor de gezondheidszorg in de streek. Een intelligente, goedlachse vrouw die zich suf ergert aan de in haar ogen onnodige problemen waar ze in het binnenland tegenaan loopt. Het is een veel voorkomend verschijnsel in Afrika: zonen en dochters die naar de grote stad trekken en daar hun opleiding volgen en zo vervreemden van de traditionele dorpscultuur. De kloof tussen hen en de dorpelingen lijkt soms even groot als die tussen westerlingen en traditionele Afrikanen. Zo heeft Ausenda weinig begrip voor allerlei vormen van bijgeloof die haar het werken moeilijk maken. Het lijkt soms of ze zich schaamt voor haar landgenoten.

Vooral bloedtransfusies liggen gevoelig. 'Vrouwen willen alleen bloed van moederskant, omdat de familielijn zo wordt voortgezet. Maar soms is niemand geschikt en moeten we andere familieleden overtuigen bloed te geven. Echtgenoten weigeren dit vaak. "Als we ooit gaan scheiden, ben ik mijn bloed kwijt," redeneert zo'n man. We hebben al vrouwen verloren omdat hun echtgenoot geen bloeddonor voor haar wilde zijn,' vertelt ze zonder haar verontwaardiging te verbergen. Het wantrouwen jegens de westerse gezondheidszorg zit al even diep: 'Daarom komen vrouwen veel te laat hier aan en kunnen wij ze ook niet meer redden.'

Net als Elsa in Pemba houdt Ausenda een vurig pleidooi voor meer scholing voor meisjes. Negentig procent van de vrouwen in het gebied is analfabeet, en ruim tweederde van hen ging nooit naar school. Dit leidt ertoe dat bijgeloof en wantrouwen jegens de westerse geneeskunde hoogtij vieren. Vaak gaan de Mozambikanen liever naar een *curandeiro*, een traditionele genezer, dan naar het ziekenhuis. De *parteira's*, vroedvrouwen die vrouwen traditiegetrouw bijstaan tijdens een bevalling, hebben ook niet veel op met de moderne medische wetenschap. Al het geld voor betere gezondheidszorg is weggegooid als niet ook structureel wordt geïnvesteerd in onderwijs aan vrouwen, zei Elsa al voordat ik het binnenland in trok: 'Je moet patiënten en hun familie met argumenten kunnen overtuigen van de noodzaak van behandeling. Maar ze begrijpen die argumenten vaak niet en houden vast aan de tradities die ze kennen. Dit soort onwetendheid is alleen te bestrijden met onderwijs. Zolang mensen niet begrijpen dat een vrouw bij een moeilijke bevalling zo snel mogelijk naar het ziekenhuis moet, blijven hier onnodig vrouwen sterven.'

Hotels die die naam verdienen zijn er niet in de stad, dus logeer ik in Casa Lomuco, een onderkomen van de heersende politieke partij Frelimo waar politici en hulpverleners kunnen overnachten. Het is een onooglijk huis dat uitkijkt op een grasveld waar op een ronde betonnen plaat de helden van de revolutie worden herdacht. Spartaans is een nog te luxe omschrijving voor de inrichting, de kamers zijn nagenoeg leeg. Niets valt hier te halen. Ik vraag me af waarom er dan toch twee woest uitziende wachters voor het bordes staan, met een automatisch geweer over hun schouder. Het opgewekte antwoord krijg ik van de beheerder. De dag ervoor is een vergelijkbaar Frelimo-huis in de regio in de fik gestoken door aanhangers van oppositiepartij Renamo die het niet eens waren met de nieuwe presidentskandidaat. De soldaten voor de deur moeten voorkomen dat zoiets ook hier gebeurt. Dat ik uitgerekend vlak na dit voorval in zo'n onderkomen kwartier moet maken! Ik troost me met de wetenschap dat dit soort politiek geweld inmiddels zeldzaam is in Mozambique. Eerlijk gezegd maak ik me meer zorgen over mijn bewakers, die continu een nieuwe fles bier aan de lippen zetten. Samen met het wapen over hun schouder acht ik dit geen ideale combinatie.

Het is een maanloze nacht. In het Afrikaanse binnenland is het woord aardedonker dan nog een understatement, en ik heb de beginnersfout gemaakt geen rekening te houden met gebrek aan elektriciteit. Later reizen in mijn bagage standaard een knijpkat, lucifers en een waxinelichtje mee, maar deze nacht in Casa Lumoco zit ik zonder licht. Dat maakt de gang naar de wc een ingewikkelde onderneming. Op de tast schuifel ik naar de badkamer, de gedachte onderdrukkend aan de kakkerlakken die ik bij daglicht heb gezien. 'Ik ben het,' zeg ik voor de zekerheid tegen de duisternis, zo mijn medegasten verzekerend dat er geen overvallers met snode bedoelingen het huis binnensluipen.

Deze keer vind ik het niet zo heel erg dat de zon zo vroeg al opkomt. Zodra er genoeg licht is, sta ik op om de indrukken van de laatste dagen op te schrijven.

Ausenda komt me al vroeg halen. Door ons gesprek in het restaurant de vorige avond over de traditionele vroedvrouwen wil ik meer over hen weten. We hebben afgesproken dat we vandaag op bezoek gaan bij zo'n parteira. Ausenda en ik zoeken zo iemand op in Linde, een dorp ten zuiden van Montepuez. Elena Feta is parteira sinds 1975, net als haar moeder vóór haar. In dat jaar wees het hoofd van de wijk haar aan als vroedvrouw. Zelf heeft ze vier kinderen en vijf kleinkinderen. Ze doet gemiddeld veertien bevallingen per maand en leerde het vak door te kijken naar andere vroedvrouwen en bevallingen in de familie. De kennis hiervoor dragen vrouwen sinds mensenheugenis op elkaar over en Elena is trots op haar vak: 'Meestal vinden bevallingen plaats met hulp van de familie, maar als het moeilijk wordt, komen ze mij halen. Vaak moet ik midden in de nacht kilometers door de distels lopen om bij de bevalling te kunnen zijn.'

De laatste jaren traint de Mozambikaanse overheid de traditionele vroedvrouwen om hygiënischer te werken. Ook probeert zij hun basale medische kennis bij te brengen, zodat ze eerder zien wanneer het misgaat. Ook Elena volgde zo'n basistraining en sindsdien werkt ze inderdaad anders. Ze duikt haar hut in en komt naar buiten met een roestvrijstalen kistje waarin een pakje gaas, twee scharen met een knik, een afbindtang en een rol touw zitten. 'Eerst bond ik de navelstreng gewoon af met een draad uit mijn capulana,' verduidelijkt ze, waarbij ze wijst op de doek om haar benen. Nu gebruikt ze het klosje nylonkoord dat ze kreeg bij de training en dat ze apart bewaart, stukken hygiënischer dan een draad uit een vuil, gedragen kledingstuk.

Toch lijken bepaalde opvattingen moeilijk te veranderen, training of niet. Elena is ervan overtuigd dat een moeilijke bevalling te wijten is aan het gedrag van de vrouw. 'Als je slaapt met andere mannen, dan meng je het bloed en gaat het mis als de baby moet komen,' beweert ze stellig. Een wijdverbreide overtuiging die tot gruwelijke taferelen leidt. Niet zelden roept een parteira het hele dorp erbij als het kind niet komen wil, waarna de vrouw met barensweeën wordt gedwongen te 'bekennen' met wie zij is vreemdgegaan. Pas daarna zet de vroedvrouw haar werkzaamheden voort.

Er is veel waardering voor de parteira's. Dat blijkt wel als ik met Elena naar de medische post in Linde wandel – niet nadat ik uit een zanderig voorraadmandje een hand ongedopte pinda's heb meegekregen 'voor thuis'. Op de grond zitten vrouwen met hun kinderen te wachten tot deze aan de beurt zijn om gewogen te worden. Respectvol spreken ze Elena aan met 'mama'; bij de meesten heeft ze al eens geassisteerd bij een geboorte. Ook vooraf staat ze zwangeren bij. Zo gaan vroedvrouwen langs bij vrouwen die voor het eerst moeten bevallen, om uit te leggen hoe ze moeten ademen en te laten zien hoe ze het best kunnen gaan liggen. Een soort zwangerschapsgym, begrijp ik. Ook helpen ze met opgerolde gemberbladeren alvast de vagina te verwijden voordat de weeën beginnen. Daardoor scheuren vrouwen niet zo snel in en zijn hechtingen achteraf, met alle infectierisico's vandien, minder vaak nodig. Daarnaast hameren de vroedvrouwen erop dat jonge moeders niet mogen vrijen totdat hun zuigeling kan lopen, een eenvoudige manier van geboortebeperking die moet voorkomen dat vrouwen om de haverklap een zwangerschap moeten voldragen. Als ik de wachtenden bij de medische post vraag of de mannen zich in die periode ook van seks onthouden, barst het hele gezelschap, inclusief Ausenda, in lachen uit. 'Homens seram sempre homens,' reageert ze. Mannen blijven mannen.

Als we terugkomen in Montepuez neemt Ausenda me mee naar de kraamafdeling. Daar ligt Arminda, vijftien jaar oud. Toen ze twee dagen geleden in een kruiwagen het ziekenhuis werd binnengereden, lag het meisje in coma. Haar baby werd na achtenveertig uur weeën dood geboren en daarna bleef Arminda bloeden. Met zestien vrouwen uit het dorp, buren en familie, brachten ze haar naar het streekhospitaal, een hobbeltocht van twintig kilometer.

Ze verkeert in zorgelijke toestand, zegt Ausenda. Door de miskraam is de wand tussen vagina, blaas en rectum gescheurd en de infecties die dat veroorzaakte werden haar bijna fataal. Gynaecologe Elsa is een van de weinigen in de hele provincie die haar beschadigde lijf kan repareren. Al twee dagen ligt Arminda te wachten op vervoer naar het grote ziekenhuis in Pemba, maar de ambulance rijdt al een tijd niet meer omdat er geen reserveonderdelen zijn om het voertuig te repareren.

We besluiten het meisje mee te nemen naar de provinciehoofdstad. Ze is te zwak om rechtop te zitten, dus leggen de verpleegsters haar in de achterbak van de pick-up, tussen de trossen groene bananen. Haar moeder zit naast haar en houdt de stapel bananen tegen die constant voorover dreigt te kukelen. Met Arminda achterin voelt ieder hobbeltje in de weg twee keer zo hoog en lijkt de terugtocht nog langer te duren.

'Zoveel vrouwen sterven in het kraambed, maar de gemeenschap ziet het nauwelijks als een probleem,' verzuchtte Marie-Pierre Poirer in Maputo al. De vertegenwoordigster van Unicef in Mozambique waarschuwde me voor vertrek naar het noorden voor de berusting waarmee families en dorpsgenootschappen het lot van jonge moeders accepteren. 'Iedereen denkt dat het gewoon is bij een bevalling te sterven. Maar het hoeft niet. Het is niet normaal dat zoveel vrouwen doodgaan aan zoiets alledaags als een zwangerschap. Ieder geval zou moeten worden onderzocht.' Volgens de Unicef-vertegenwoordigster kan medisch ingrijpen in bijna alle gevallen levens redden, als de vrouwen überhaupt naar een ziekenhuis of medische post zouden gaan.

Natuurlijk moet het transportprobleem worden aangepakt en vanzelfsprekend zouden technische verbeteringen helpen, maar het is vooral de mentaliteit die wat Poirer betreft moet veranderen: 'Die berustende houding heeft veel te maken met de plaats van vrouwen in deze samenleving. Een vrouw meer of minder, daar wordt niet om gemaald. Juist daarom moeten we investeren in vrouwen. Als alle meisjes een opleiding krijgen, zullen er meer moeders en kinderen overleven.'

Kraamsterfte is een ingewikkeld probleem dat vraagt om een strijd op meerdere fronten. Dat schrikt organisaties en overheden af. Een school neerzetten of een ziekenhuis bouwen is gemakkelijker dan de kraamsterfte terugdringen, en beter zichtbaar. Met de steeds luidere roep om meetbaarheid van de ontwikkelingshulp is de kans groot dat dit soort complexe problematiek nog vaker blijft liggen. Hoe bewijs je dat jouw investering in het wegennet, in de telecommunicatie of in cursussen hygiëne het aantal doden na een zwangerschap omlaag heeft gebracht?

Met Arminda loopt het goed af. Gynaecologe Elsa buigt zich aanvankelijk zorgelijk over het doodzieke meisje als het op de kraamafdeling is gebracht, maar ze blijkt goed te opereren. De volgende ochtend om tien voor acht zet de matrone-achtige verpleegster haar weinig zachtzinnig in een rolstoel om haar over het zanderige terrein naar de operatiekamer te brengen. Verplegend personeel is hier niet van het kleinzerige type, maar Arminda lijkt dit gewend. Haar gezicht vertrekt niet eens. Sinds we haar uit het provincieziekenhuisje meenamen, heeft ze dezelfde uitdrukkingsloze blik. Pas als Elsa haar na de operatie vertelt dat ze ondanks alles toch nog kinderen kan krijgen, lacht ze voor het eerst van oor tot oor.

Alima, die eerder die week beviel van de tweeling, wandelt vijf dagen na haar keizersnee weer over de binnenplaats met op iedere arm een zuigeling. Voor de net bevallen moeders Alima en Arminda koop ik op de markt twee fleurige capulana's, de stof die vrouwen als rok om hun middel knopen. De lappen dienen ook als babydraagzak, boodschappentas en visnet. Het is het touw dat de bos hout bij elkaar houdt die vrouwen meesjouwen op hun rug, in een ring gedraaid ligt de lap op hun hoofden onder een waterkruik en tussen twee bamboetakken gespannen geeft de stof doodzieke patiënten in de overbevolkte ziekenhuizen enige privacy. Overal in Afrika is zo'n stuk textiel onmisbaar vrouwengereedschap, vaak een van de weinige dingen die een vrouw tot haar eigendom mag rekenen, samen met haar potten en pannen. Ik kies voor een uitzinnige groen-oranje-gouden print van de opkomende zon om de twee meiden op te vrolijken.

Als ik na het bezoek het ziekenhuisterrein afloop, komt een grijzende man met een gerimpeld gezicht op me af hollen. Ik heb geen idee wie hij is, maar hij lacht geheimzinnig en gebaart dat ik mee moet komen. Alima's moeder en tante zitten onder de grote mangoboom en willen me het grote nieuws zelf vertellen. De namenkwestie van de tweeling is naar ieders tevredenheid opgelost en de twee vrouwen zijn zichtbaar trots op hun inventiviteit: ter nagedachtenis aan hun vader Bernardo, Alima's echtgenoot die tijdens haar zwangerschap stierf, zullen de twee kinderen Bernardo en Bernarda heten.

Het verhaal is rond: in vijf dagen tijd ben ik in hoog tempo langs alle mogelijke aspecten van kraamsterfte gesleept, ziekenhuis in, ziekenhuis uit, en ik heb medici geïnterviewd en slachtoffers en hun familie gesproken; alle ingrediënten voor een aangrijpende reportage heb ik in mijn aantekeningenschrift staan.

Toch heb ik een onvoldaan gevoel, alsof ik iets heb gemist. Ik peins erover op mijn laatste ochtendwandeling langs het witte strand in Pemba. De vissers peddelen in hun prauws de Indische Oceaan op, Arabische dhows met zwarte zeilen varen langs. Nu de zon nog laag staat is het strand een ontmoetingsplaats. Groepen mannen in het zand praten op rustige toon, kinderen doen schaterend handstandjes overslag in de branding en twee meisjes verkopen stokjes van het witte hout dat de Macuavrouwen in poedervorm op hun gezicht smeren. Op de veranda van een huis dat uitkijkt op het water, zingen vrouwen in een kring een klapliedje.

Steeds sterker krijg ik het gevoel dat ik slechts één dimensie heb vastgelegd van een samenleving die veel meer diepte heeft. Dat is het effect van ingevlogen worden in een land dat je niet kent, om vervolgens met een journalistieke tunnelvisie achter een 'verhaal' aan te gaan. Ik neem me voor zo snel mogelijk in mijn eentje terug te gaan naar zuidelijk Afrika, om uit te zoeken wat ik heb gemist. Om de mensen te leren kennen, te zien wat hen drijft en te horen over hun verleden en hun toekomstdromen.

Een maand later keer ik terug in Mozambique, nu om op eigen houtje reportages te maken. Via een Zimbabwaanse radiocollega ontmoet ik de Mozambikaanse Ana, even oud als ik en het type vrouw naar wie alle mannen omkijken: benen tot in de nek, een mooi gezicht en weelderig zachte zwarte krullen, het resultaat van een Portugese vader en een Mozambikaanse moeder. Ze heeft een kamer over waar ik kan logeren. Ana was nog geen twintig toen ze trouwde met een westerse ontwikkelingswerker. Veel te jong, zegt ze achteraf. Het huwelijk hield dan ook geen stand, maar na de scheiding bleef de Mozambikaanse financieel redelijk verzorgd achter.

Ana komt pas in de avonduren tot leven. Met haar ga ik bijna iedere avond stappen, we dansen tot diep in de nacht. We dansen op donderdagavond bij de Africa Bar – gratis entree – of drinken 2M-bier tot we niet meer kunnen bij een van de kioskbarretjes op het oude kermisterrein, een Portugese nalatenschap waar de botsautootjes stapvoets rijden maar waar eten en drinken in overvloed zijn. We vermaken ons tussen de prostituees en bierbedelaars in de bars aan de Rua da Bagamoio waar de zeelieden uitgingen toen de stad nog Lourenço Marques heette en een belangrijke koloniale haven was. Onze katers zitten we uit aan het strand van Catembe aan de overkant van de baai, als onze magen tenminste de overtocht in de kleine veerbootjes aankunnen.

Ana neemt me ook mee naar haar geboortedorp in Inhambane, een kustprovincie boven Maputo. We logeren bij haar moeder. Pas daar vertelt ze over de oorlog die ze als kind meemaakte. Hoe ze met haar broer en moeder in overvolle bootjes de zee op vluchtte als Renamo het dorp weer eens binnenviel. Dat geen van haar schoolmeesters de strijd overleefde omdat gestudeerden het eerste doelwit waren van de kogels. In zijn schouder heeft haar broer nog een afgeketste granaatscherf zitten van de keer dat hij niet snel genoeg wegholde.

Ana droomt af en toe over haar dorp in de duinen, ze loopt er in haar dromen rond en ziet overal afgerukte ledematen liggen. Nu pas begrijp ik waarom ze thuis in Maputo soms dagenlang depressief op de bank ligt, futloos zappend langs de Braziliaanse *telenovelas*, de soapseries. Ana en haar generatie, die in de oorlog is opgegroeid, worstelen nog steeds met de bloedige taferelen waarvan ze als kind getuige waren.

In 1975 werd Mozambique onafhankelijk. Portugal was een van de laatste westerse landen die zijn kolonies opgaf en deed dat zonder al te veel plichtplegingen. Frelimo, het Mozambikaanse Bevrijdingsfront dat tegen de Portugese kolonisator had gestreden, kreeg het ineens voor het zeggen in het land. De partij bestuurde Mozambique volgens een economisch niet bijster succesvolle socialistische ideologie.

Dat stond de buurlanden niet aan. Ook was Frelimo's steun aan de zwarte vrijheidsstrijd tegen het toen nog door blanken bestuurde Rhodesië en tegen het Zuid-Afrikaanse apartheidsregime deze landen een doorn in het oog. Vanuit Rhodesië – het latere Zimbabwe – werd een tegenpartij opgericht, bestaand uit huurlingen.

Zonder duidelijker programma dan enkel de strategie zo veel mogelijk schade aan te richten, trok Renamo Mozambique in. De strijders hadden het gemunt op iedereen met enige opleiding. Bruggen gingen de lucht in, ziekenhuizen werden platgebombardeerd, het wegennet werd kapotgeschoten. Een tocht zoals ik in het noorden maakte van Pemba naar Montepuez, was in oorlogstijd alleen mogelijk geweest met militaire escorte, en dan nog was het risico op een fatale hinderlaag niet uit te sluiten. Zeventien jaar duurde de oorlog. In 1992 sloten de strijdende partijen Frelimo en Renamo vrede en sindsdien heeft het land opmerkelijke resultaten geboekt. In de jaren negentig zag het zelfs verschillende jaren zijn economie groeien met 10 procent.

Ondertussen blijft Mozambique een van de armste landen ter wereld, waar 70 procent van de bevolking onder de armoedegrens leeft en de gemiddelde levensverwachting 45 jaar is. Het bruto nationaal product per inwoner is er 250 euro – in Nederland is dit bijna 29.000 euro. Analfabetisme is eerder regel dan uitzondering, vooral bij vrouwen. In 2003 was 67 procent van hen analfabeet, tegenover 36 procent van de mannen. Op het platteland zijn deze cijfers nog hoger.

Mozambique zette begin jaren negentig, zonder waarheidscommissies en verzoeningsprogramma's, een punt achter jaren van geweld. Dat dit lukte heeft de internationale gemeenschap verrast. De strijd in voorgaande jaren was zo hevig en het geweld zo afschuwelijk, dat niemand durfde te hopen dat een vredesakkoord zo succesvol zou zijn. Tel daarbij de relatieve economische bloei en je begrijpt waarom donorlanden de criminaliteit en corruptie in Mozambique voor lief nemen: het land heeft heel wat moeten overwinnen om überhaupt zo ver te komen. Aan de witte bountystranden waar het langgerekte kustland overvloedig mee is gezegd, zie je de oorlog niet meer af, maar als je met Mozambikanen in gesprek raakt, blijken de herinneringen nooit ver weg.

In het kleine vissersdorp waar Ana werd geboren, ontmoet ik haar jeugdvriendin, een jonge vrouw die Miséria heet, Verdriet. Miséria werkt in een van de weinige lokale restaurants, waar de zachte krabbetjes in tomatensaus goddelijk smaken en het bier altijd koud is. Vaak halen we haar op als haar dienst erop zit. Urenlang praten we in het donker op de veranda bij een enkele olielamp. Miséria wil fotomodel worden in Parijs en leert daarom Frans van een cassettebandje. Ze praat over haar toekomstdromen, maar ook over haar verleden. Op zo'n avond vertelt ze me hoe ze aan haar naam komt. Haar vader, een rijk man, huwde vele vrouwen en had moeite namen te verzinnen voor zijn sloot nakomelingen. Dus liet hij zich inspireren door de omstandigheden. Die waren toen zij geboren werd weinig florissant: Renamo had al zijn bezittingen geplunderd en de oogst van het afgelopen jaar ingepikt. Zo kreeg zijn pasgeboren dochter de naam Verdriet mee. Haar jongere zus kwam ter wereld in een iets hoopvollere periode en werd 'Paciência' gedoopt, Geduld. Toen zijn laatste kind werd geboren, was het vrede. Dat werd dus 'Felicidade', Geluk. Dat was ook nog eens een jongen.

Na een paar weken in het dorp in de duinen gaan we op in het gewone leven. De dorpelingen lopen niet meer massaal uit als de blanke vrouw een ei bakt op het houtskoolvuur. De vissersjongens onder hun afdakjes van palmbladeren groeten me alsof we al jaren buren zijn. 's Nachts lopen Ana en ik tussen de hutten door naar huis, en mijn ogen raken zo gewend aan het donker dat een zaklamp overbodig is. De zilverwitte zandpaadjes in het maanlicht wijzen de weg. Bij de grote oude boom maken we wel steevast een omweg, omdat Ana ervan overtuigd is dat er geesten in huizen.

Door Ana besef ik de bron van mijn ontevredenheid over de reportage die ik maakte over kraamsterfte. Het Afrika dat ik nu heb leren kennen, komt er niet in voor. Het rustige ritme van het vissersbestaan zonder westerse hulpverleners, daar waar de rijpe mango's de boomtakken doorbuigen zodat je erbij kunt zonder op je tenen te hoeven staan. Het is een Afrika dat voortkabbelt – als je maar niet ziek wordt, als de zee genoeg vis blijft geven en als er geen onverlaten met machinegeweren rondsjouwen. Ik wil dit simpele bestaan beslist niet romantiseren en zal nooit beweren dat arme mensen gelukkiger zijn. Onzin. Maar Afrika is niet alléén honger, ziekte en oorlog en er leven niet enkel slachtoffers. Dat ontdek je als je de tijd neemt om naar de mensen te luisteren.

Wat ging er mis op mijn eerste reportagereis in Mozambique? De grootste fout was het westers gejaagde schema: in een paar dagen door zo'n complexe problematiek jagen, leidt onherroepelijk tot eendimensionale portretten en verhalen. Europa heeft de klokken, Afrika heeft de tijd, wil het cliché, en dat heb ik niet gelogenstraft. Achteraf schaam ik me voor mijn ongedurigheid bij de ontmoeting met de dorpshoofden in Montepuez. De beste verhalen komen pas in tweede instantie, als je de mensen leert kennen en ze je vertrouwen. Geïnterviewden die aanvankelijk geneigd zijn je te vertellen wat je wilt horen, komen pas later los en zeggen dan wat ze echt denken.

Ik overpeins dit alles, zittend op de rand van het houten bootje van een van de vissersvriendjes van Ana's broer. Als we ver genoeg uit de kust zijn, zet hij zijn buitenboordmotor uit en maakt het gezelschap zich klaar voor een gezamenlijke plons. Binnen tien seconden spartelt iedereen die net nog in de boot zat in het lauwe, heldere zeewater, maar ik blijf zitten waar ik zit, onder de indruk van de aanblik van de aquamarijnblauwe oceaan en verder niets. Voortaan, besluit ik, zal ik in Afrika de tijd nemen. Dat de omstandigheden op mijn volgende reis me meer tijd verschaffen dan me lief is, kan ik dan nog niet vermoeden.

LIBIË   EGYPTE

                                              Nijl   *Rode Zee*

TSJAAD

                        Khartoem ★   ERITREA

                                              Blauwe Nijl

              Duma
              ● Nyala
        Darfur   *Witte Nijl*

CENTRAAL   ETHIOPIË
AFRIKAANSE
REPUBLIEK

                        Juba ●

D.R.CONGO   OEGANDA   KENIA

0 100 200 300 400 500 km   **SOEDAN**

2

'Wie wil er nu nog met haar trouwen?'

VERKRACHTING ALS OORLOGSWAPEN IN DARFUR

Een plastic zak met het veiligheidsprotocol, een rood plastic fluitje om op te blazen als ik in de penarie zit en een lichtgrijs sjaaltje bedoeld als hoofddoek. Het eerste dat ik in mijn handen krijg gepropt nadat we landen op het vliegveld van Nyala in Zuid-Darfur, drukt me met mijn neus op de feiten: Darfur is geen speeltuin.

In de Soedanese hoofdstad Khartoem voelde ik me op mijn gemak. Als ik door de zandstraatjes rondom de kashba wandelde, viel niemand me lastig. Integendeel, de reacties waren altijd positief. Ogen die oplichtten en mensen die lachend riepen: 'Welcome in Sudan!' Terwijl ik had gedacht dat ze me om mijn onbedekte hoofd op zijn best afstandelijk en op zijn slechtst vijandig zouden bejegenen.

Stichting Vluchteling heeft mij en een aantal collega-journalisten meegenomen naar Soedan om te zien hoe het ervoor staat in Darfur. Ik aarzel aanvankelijk of ik wel op de uitnodiging van de niet-gouvernementele organisatie (ngo) wil ingaan. Voor mij geen voorgekookte reizen meer, heb ik na Mozambique immers besloten. Ik wilde niet meer in het kielzog van een hulporganisatie op reportage. Maar Soedan is zo'n lastig land om überhaupt binnen te komen, laat staan je journalistieke werk ongestoord te doen, dat ik voor deze keer een uitzondering maak.

Zo beland ik met drie collega's en twee medewerkers van

Stichting Vluchteling in de hoofdstad. Voordat alle visa rond zijn om naar de door geweld overspoelde provincie in het westen van het land te gaan, hebben we een dag vrij die we gebruiken om de hoofdstad te verkennen.

Met Hans, de fotograaf, slenter ik op een snikhete middag de stad in, op zoek naar een plek in de schaduw. Met gebarentaal en soms door honderden meters mee te lopen naar de volgende hoek, wijzen voorbijgangers ons de weg naar wat ooit een dierentuin moet zijn geweest. Op een zielige uil en een ondefinieerbaar knaagdier achter kippengaas na zijn er weinig dieren. Mensen zijn er op de geelgroene grasvelden des te meer. Jonge stelletjes praten zachtjes op gepaste afstand van elkaar op bankjes, gezinnen picknicken op kleedjes in het gras. Rondom een paar tafeltjes becommentariëren mannen met de armen op de rug het schaakspel dat er aan de gang is.

We bestellen bij een karretje twee cola en terwijl we daarop staan te wachten raakt Hans meteen in gesprek met de schakers. Als blijkt dat hij kan schaken, wordt hij achter een van de borden geduwd voor een potje. Ik sta er als schaaknitwit wat verloren bij. Een jongeman maakt zich los uit de kluwen schaakfanaten en komt met uitgestoken hand op me af. Terwijl Hans in drie zetten wordt ingemaakt – de schakers blijken de heersende landskampioenen – raken we aan de praat.

Zijn bruine ogen staan vriendelijk genoeg, maar ik ben een beetje paranoïde: collega's waarschuwden voor de alomtegenwoordige Soedanese veiligheidsdienst. Ik houd me op de vlakte en vertel nauwelijks iets over mezelf. Dat is ook helemaal niet nodig, mijn gesprekspartner wil zijn Engels op me oefenen en praat honderduit. Over zijn studie aan de universiteit van Khartoem, hoe hij probeert ergens in Europa te promoveren en over de geringe kansen op een baan in zijn geboorteland, ondanks zijn academische opleiding.

Vanzelf komt het gesprek op zijn zuster die begin twintig is. Ik vertel dat we in het westen te doen hebben met Arabische vrouwen die niets mogen. 'Je moet mijn zus eens ontmoeten,' reageert hij, 'dan praat je wel anders.' Zij studeert ook aan de universiteit, een vanzelfsprekendheid voor de vrouwen in zijn familie . 'Denk maar niet dat mijn vader haar de wet kan voorschrijven. Jullie westerlingen denken veel te negatief over onze vrouwen.' Ze zit nu natuurlijk wel thuis met de vrouwen, terwijl hij zich net als andere mannen op straat vermaakt met het schaakspel.

Pas aan het eind van het gesprek vertel ik hem dat ik naar Darfur ga. Hij kijkt zorgelijk. 'Wie daarheen gaat, komt niet meer terug.' Ik zeg geruststellend dat dat best meevalt, als je maar voorzichtig bent. Maar de vriendelijke jongeman, die zelf nog nooit in Darfur is geweest, komt met verschillende voorbeelden op de proppen. Allemaal van kennissen die hij nooit meer terugzag nadat ze op de trein stapten voor de reis van drie dagen naar Nyala. Pas als ik beloof dat ik langs zal komen op het schaakveldje als ik veilig ben teruggekeerd in de hoofdstad, is hij enigszins gerustgesteld. Vermoedelijk ben ik uiteindelijk ook in 's mans rijtje verdwijningen beland, want ik heb nooit de kans gehad die belofte na te komen.

Soedan, het grootste land van Afrika, ligt op de scheidslijn van de Arabische en de Afrikaanse wereld. Het wordt bestuurd vanuit Khartoem, de stad waar de Witte en de Blauwe Nijl elkaar ontmoeten. Daar concentreert zich de macht en daar concentreert zich ook de aandacht van de politiek. De regio rondom de hoofdstad profiteert het meest van het beleid, de andere provincies hebben veelal het nakijken. Dat geeft onvrede en leidde de afgelopen jaren in verschillende regio's tot opstand tegen het regime.

De eerste rebellie vlamde op in het zuiden. In tegenstelling tot de rest van Soedan is dat deel niet islamitisch, maar christelijk. De christenen waren het er niet mee eens dat het regime in 1983 de sharia invoerde, de islamitische wetgeving. Gevoegd bij de structurele achterstelling van het zuiden was dit de goede voedingsbodem voor een hardnekkige opstand. Een opstand die het regime met grof geweld probeerde neer te slaan, wat de bevolking kwam te staan op een jarenlange lijdensweg van honger en geweld. De adem van de opstandelingen bleek echter langer, dat heeft Khartoem na dik twintig jaar ook moeten erkennen. Door een vredesakkoord tussen de rebellen en de regering kreeg het zuiden onlangs een vorm van zelfbestuur. Na 2010 mogen de zuiderlingen beslissen of ze onafhankelijk willen worden.

Langzaam keren de ontheemden uit het zuiden terug naar huis, na jaren in vluchtelingenkampen. Om meteen te worden afgelost door een nieuwe lichting vluchtelingen: die uit Darfur. Geïnspireerd door het zuidelijke voorbeeld begonnen rebellen in Darfur in februari 2003 met hun strijd. Religie speelt in dit conflict geen rol, alle Darfuri zijn moslims. Toch heeft de toestand in Darfur veel overeenkomsten met de opstand in het zuiden. Ook hier gaat het om een provincie in de periferie die in opstand komt tegen haar consequente benadeling.

Het conflict in Darfur wordt weleens voorgesteld als een strijd tussen Arabische nomadenstammen en Afrikaanse boeren. Feit is dat het Soedanese regime Arabische milities bewapende om de opstand neer te slaan. Deze mannen op paarden en kamelen houden sindsdien huis in de provincie, geholpen door het leger. Ze vallen dorpen aan, branden ze uit en verkrachten en vermoorden de bevolking die niet op tijd weet weg te komen. De gevreesde milities kregen van de bevolking namen als *Janjaweed* (duivels op paarden) en *Tora Bora* (naar de grot waar Osama bin Laden zich in Afghanistan schuilhield). Ook de rebellen, een samenraapsel van groepen die onderling ook nog eens bekvechten, maken zich – in mindere mate – schuldig aan geweld.

's Werelds grootste humanitaire crisis, zo noemden de Verenigde Naties de situatie in Darfur eind 2004. Sindsdien is het gebied er nog beroerder aan toe. Ruim twee miljoen Darfuri zijn op de vlucht voor het geweld in de barre, droge streek. Hoeveel er exact omkwamen, is moeilijk te zeggen, omdat hulpverleners en journalisten in grote delen van de regio nauwelijks kunnen komen. Het tijdschrift *Science* sprak in het najaar van 2006 over minimaal tweehonderdduizend slachtoffers.

Mayo lijkt meer op een gewoon dorp dan op een vluchtelingenkamp. Het kamp ten zuidoosten van Khartoem bestaat dan ook al meer dan twintig jaar. De vierkante lemen huisjes van de ontheemden hebben gebladderde mintgroene luiken voor de ramen. Iedere ochtend zie je vrouwen in hun beste kleding naar Khartoem trekken om daar te werken als huishoudster of schoonmaakster. Aan de rand van het kamp ligt een begraafplaats, waar geiten knabbelen aan weggewaaide plastic zakjes die achter de platte grafstenen zijn blijven haken. De dertigduizend vluchtelingen komen grotendeels uit het zuiden, maar er belanden hier steeds meer Darfuri die op de vlucht zijn. Hen zoeken we op voordat we naar Darfur afreizen.

Op de binnenplaats van een lokale hulporganisatie die een crèche biedt voor de vrouwen met een baantje in de stad, treffen we de dertigjarige Aisha die haar kind de borst geeft. Met haar man en twee kinderen ontvluchtte ze haar dorp Tonnuk in West-Darfur. Ze laat haar handen zien en opent ze om te tonen dat ze met niets hier aankwamen: 'Terwijl we voorheen ezels hadden en geiten en schapen.' Haar gezin verbouwde genoeg bonen en graan om een deel te verkopen op de markt in Tonoko. Van dat geld kocht Aisha zout, olie en kleding. De dorpelingen hadden *sorgo* te over. Sorgo, een graansoort die goed tegen de droogte kan, is het belangrijkste bestanddeel van het plaatselijke dieet. Van hulpverleners hadden ze in Tonnuk nog nooit gehoord.

Alles veranderde toen Aisha de eerste keer vliegtuigen laag zag overvliegen: de Antonovs van het regeringsleger die bommen dropten op de dorpen. Het patroon zou ze leren kennen. Eerst de vliegtuigen, even later de overvallers op paarden, op ezels en in jeeps. 'Toen de vliegtuigen kwamen, was het oogsttijd. De bommen die ze gooiden ontploften niet allemaal, omdat het zo zanderig is. Ze liggen er nog. De Arabieren verbrandden de sorgo op het land en doodden het vee. In één middag waren we arm.'

Aisha zit tussen twee vriendinnen die ze leerde kennen in het kamp. Ook zij zijn Darfur ontvlucht. Ze knikken steeds instemmend terwijl Aisha aan het woord is. Ze vertellen een precies eender verhaal, dat ik de komende dagen in allerlei varianten uit tientallen monden zal optekenen. De drie vriendinnen dragen doeken in levendige tinten: perzik, knalrood en lila. Soedanese vrouwen hebben een voorliefde voor diepe, contrasterende kleuren. Dat tekent prachtig af tegen de ijsblauwe hemel en het gouden zand, een misleidend mooi decor voor zoveel leed.

Als we terugkomen in Khartoem, blijken we eindelijk toestemming te hebben van het Soedanese ministerie voor Media: we mogen naar Darfur. In het vliegtuig zit ik naast een Amerikaan met een leren cowboyhoed op zijn verweerde kop. Hij is op weg naar Jebel Marra, de bergen in het centrum van Darfur waar tienduizenden ontheemden hun toevlucht hebben gezocht. Voor hem geen georganiseerde vluchtelingenoorden waar iedereen op een kluitje zit, hij is cynisch over de overbevolkte kampen. Cholerakwekerijen noemt hij ze, en gevangenissen. De hulporganisaties die er de nood lenigen, betitelt hij als handlangers van het regime.

Feit is dat je in Soedan geen stap kunt zetten zonder dat de overheid daarmee heeft ingestemd. Het land kom je niet zomaar binnen en oorlogsgebied al helemaal niet. Dat geldt voor hulpverleners en zeker voor de pers, waarmee de Soedanese autoriteiten weinig op hebben. Menig collega-journalist bracht meer tijd door in kantoren van ambtenaren in Khartoem, bedelend om toestemming om door te reizen, dan in het oorlogsgebied zelf. Vaste correspondenten in Afrika hebben vaak al tientallen weigeringen voor visa om überhaupt het land in te komen in de knip. Dat was een belangrijke reden om in te gaan op de uitnodiging van Stichting Vluchteling: als mediaconsultant konden we meereizen zonder het gebruikelijke gelazer, was de redenering.

Van de cynische Amerikaan krijg ik een gouden tip. Als hij hoort dat ik schrijf over vrouwen, legt hij uit hoe hij het aanpakt om vrouwen alleen te spreken, zonder echtgenoten, broers of vaders als stoorzenders: 'Gewoon zeggen dat je alles wilt weten over de kinderen.' Hij werkt oeverloze vragenlijsten af over het aantal kinderen, hun leeftijd, de inentingen die ze kregen en de ziektes, hun schoolgaan en wat hij al niet kan verzinnen, totdat de mannen verveeld afdruipen. 'Werkt altijd,' zegt hij grinnikend.

In Nyala aangekomen, de hoofdstad van Zuid-Darfur van waaruit we zullen werken, dreigen mijn journalistieke plannen echter in rook op te gaan. Er zijn alleen mannelijke tolken Arabisch. Het is uitgesloten dat ik in gezelschap van een man aan de slag kan, simpelweg omdat vrouwen dan hun mond niet opendoen. Ik kondig aan dat ik net zo goed meteen op het vliegtuig terug kan stappen, maar er blijkt een mouw aan te passen. Via via wordt er een vrouw opgetrommeld die mijn tolk zal worden.

Eva's ronde, glanzend zwarte gezicht glundert. Ze is de dochter van een van de notabelen en stond op het moment van het telefoontje in de keuken het middagmaal voor de hele familie te bereiden. Haar man is aan het werk in de hoofdstad, zij woont met haar kinderen bij haar vader. Omdat ze geen betaald werk heeft, draait ze op voor het huishouden en de zorg voor de omvangrijke kinderschaar van haar zuster. Niet echt een uitdaging voor een academisch geschoolde arabiste van eind dertig. 'Ik word soms ziek van verveling,' bekent ze me als we elkaar wat beter kennen. Dit baantje als tolk kwam voor haar als een geschenk uit de hemel.

Eva zal op haar beurt mijn redding blijken. Ze spreekt gebrekkig Engels, maar begrijpt zonder woorden waar ik heen wil. Ze gaat zo fijngevoelig om met pijnlijke onderwerpen als verkrachting en geweld, dat ik haar soms minutenlang haar gang laat gaan

41

aan het begin van een gesprek omdat ik zie hoe ze de geïnterviewden op hun gemak stelt. De mollige vrouw boezemt enorm veel vertrouwen in bij de vluchtelingen, die in haar een lotgenoot zien. Eva ontvluchtte jaren geleden met haar familie het geweld in het zuiden en weet wat het is om huis en haard te moeten opgeven. Als christen kan ze zichtbaar nog steeds niet wennen aan haar hoofddoek: ze is voortdurend in de weer om de lap stof te herschikken.

Ze waakt over me als een moeder, haalt 's ochtends bij de bakker pitabroodjes met falafel die knarst tussen mijn tanden van het verdwaalde woestijnzand – ze vindt dat ik te weinig eet – en ze herinnert me eraan water te drinken, veel water. De droge hitte is een aanslag op mijn lijf. Binnen twee dagen heb ik spontane bloedneuzen omdat mijn slijmvliezen zijn uitgedroogd. De volgende morgen stopt ze me een potje vaseline toe.

Urenlang praten we met vrouwen, zittend op de grond in hutjes van takken en zeil. Haar geduld kent geen grenzen en alles wat ik heb kunnen opschrijven is net zozeer haar werk als het mijne. Maar haar echte naam zal ik niet noemen, omdat dat haar in gevaar zou brengen en haar persoonlijk bedanken kan ook niet, omdat de geheime dienst later al mijn aantekeningen, inclusief het enige telefoonnummer dat ik van haar had, in beslag nam. Maar laat ik niet op de zaken vooruitlopen.

De eerste dag in kamp Kalma, een van de grootste vluchtelingenkampen in Darfur dat op een paar kilometer van Nyala ligt, is een regelrechte ramp. Als een mediakaravaan toetert ons clubje door de tot opvangplek omgebouwde woestijn. Het is onmogelijk dat het die dag iemand in het meer dan honderdduizend zielen tellende kamp is ontgaan dat wij er zijn. We stuiven door het kamp in een witte terreinwagen van het soort waar hulpverleners in arme landen patent op hebben, beplakt met stickers van machinegeweren in een rode cirkel met een streep erdoor, ten teken dat zich in het vehikel geen wapentuig bevindt. Bij het openen spuugt de achterklep een half medialeger uit: naast mij een radiojournalist, een fotograaf, een cameravrouw, twee mensen van Stichting Vluchteling en een aantal tolken. We stampen rond tussen de met wit plastic van de Amerikaanse hulporganisatie USAID bedekte hutjes, gelijk olifanten in een porseleinkast. In ons kielzog tientallen kinderen en andere bewoners die niets beters te doen hebben – en dat zijn er een hoop.

Ik geneer me en vraag me licht wanhopig af hoe ik in zo'n situatie mijn werk kan doen. Hoe kom ik ooit met vrouwen aan de praat over dat ene onderwerp dat voor geen enkele vrouw waar dan ook ter wereld gemakkelijk bespreekbaar is? Want toen hoofdredacteur Cisca Dresselhuys vroeg of ik voor *Opzij* naar Darfur wilde, wist ik meteen wat het onderwerp zou moeten zijn. Seksueel geweld tegen vrouwen komt op grote schaal voor in Darfur. Een rapport van Amnesty International noemt de massale verkrachtingen een oorlogswapen. Verkrachting en oorlog zijn door de hele geschiedenis heen met elkaar verbonden, maar nog niet zo heel lang is hiervoor structureel aandacht. Ik wil van dichtbij zien wat dat doet met vrouwen, hun echtgenoten, kinderen en de gemeenschap, en ik wil praten met de vrouwen en meisjes die slachtoffer werden van deze wijdverbreide oorlogspraktijk. Dat vereist rust en privacy, iets wat die eerste middag in het vluchtelingenkamp ver te zoeken is. Bovendien wil ik gewoon een tijd rondlopen in het kamp, om een idee te krijgen van het vluchtelingenbestaan, voordat ik inzoom op mijn moeilijke onderwerp. Verder hoop ik dat de mensen zo zullen wennen aan mijn gezicht en wat gemakkelijker gaan praten. Maar in zo'n stoet van westerlingen zal dat nooit lukken.

Deze dag in kamp Kalma zou volledig verspild zijn geweest als ik niet in een van de noodhospitaals het Soedanese hoofd van de vrouwenkliniek had ontmoet. Mariam werkt in het ziekenhuis dat is opgetrokken van hout en rieten muurtjes tot borsthoogte, zodat de wind de hitte onder het rieten dak kan wegblazen. Haar doortastende optreden, haar vriendelijkheid tegenover de vrouwen in de wachtruimte en haar open blik doen me denken aan Elsa. De gynaecologe die ik ontmoette in het noorden van Mozambique en Mariam lijken qua persoonlijkheid erg op elkaar. Mariam kan soms dingen zeggen die ook uit Elsa's mond hadden kunnen komen. Meteen is mij duidelijk dat deze Soedanese vrouwenarts iemand is met wie ik kan praten.

Ze stemt toe in een gesprek als ze klaar is met de dagelijkse ronde, dus ik dwaal in afwachting daarvan wat met Eva door het ziekenhuis. Bij binnenkomst leiden twee gespannen touwtjes iedere bezoeker langs een grote blauwe ton met een kraantje, een stuk zeep en een teiltje eronder: eerst handen wassen. De patiënten wachten op een tien meter lange bank geduldig op hun beurt. Iedere keer als iemand wordt geroepen en opstaat, schuiven alle billen een plaatsje op.

Voorlopig leg ik aan Mariam alleen uit wat ik de komende dagen wil gaan doen, een uitgebreid interview met haar komt nog wel. Krap vijf minuten praat ik met haar, gezeten op een van de rieten matten op de grond, als de Nederlandse cameravrouw zich erin mengt. Ze vraagt of ze de gynaecologe zo meteen ook voor de camera kan krijgen. Gelijk heeft ze, zij moet ook haar items filmen. Maar Mariam is meteen afgeleid en kapt het gesprek af met de mededeling dat ze nog veel te doen heeft. Op dat moment neem ik een besluit: ik moet zo snel mogelijk in mijn eentje op stap, anders wordt het niets.

De volgende ochtend komt het clubje maar traag op gang en zie ik een kans. We logeren op de compound van een westerse ngo in de stad en er staat een witte jeep van de organisatie klaar om Kalma in te gaan. Ik schiet de veiligheidsmedewerker aan met de vraag of mijn tolk en ik mee kunnen. Een minuut later ben ik met Eva op weg naar het kamp, grinnikend om onze ontsnapping. We zitten in de auto bij een bejaarde Amerikaanse chirurg die onbezoldigd zijn werk doet. '*Dear, I am rich enough as it is,*' zegt hij. Op het moment dat we bij het ziekenhuisje aankomen, springt hij uit de wagen en snelt naar binnen. Te druk om zich om ons te bekommeren, en dat vind ik prima. Voor het eerst kunnen Eva en ik met zijn tweetjes aan de gang.

We wandelen de hele dag door het kamp, ik wil eerst voelen hoe het leven hier loopt. Iedereen groet vriendelijk en soms worden we binnen uitgenodigd. Dan krijgen we altijd een kommetje water aangeboden – deze mensen houden de gastvrijheid hoog in het vaandel, ook al hebben ze niets. Eva speelt het handig: ze zorgt ervoor dat zij eerst drinkt en klokt dan fluks de kom leeg, waarna ik voor de vorm doe alsof ik de laatste slok neem. Haar maag is dit water wel gewend, maar die van mij zou er op zijn minst wiebelig van worden. Geen aanrader in een omgeving waar het sanitair bestaat uit latrines, uitgegraven in het zand.

Kamp Kalma is dan wel niet zo'n volgroeide stad als het kamp dat we bezochten bij de hoofdstad Khartoem, het is evengoed een rudimentair stadje. Aan de staat van de tenten is de duur van het verblijf af te lezen. De vluchtelingen uit het dorp tachtig kilometer verderop, vorige week geplunderd door regeringstroepen nadat ze al waren overvallen door de rebellen van een afsplintering van het Soedanese Bevrijdingsleger SLA, schuilen onder niet meer dan iglo's van gebogen takken met opengescheurde plastic zakken eroverheen getrokken. De vluchtelingen die al een paar maanden in Kalma wonen, hebben rieten hutten gebouwd. De oudste inwoners boetseerden muren van leem.

Kalma is berekend op twintigduizend vluchtelingen, maar telt inmiddels meer dan honderdduizend mensen. Er staan rijen hutjes zover het oog reikt, en de straatjes die ze vormen lijken zo op elkaar dat ik de weg alleen kan vinden met de onderkomens van de noodhulporganisaties als herkenningspunt. Hun bebouwing is weggedoken achter rieten omheiningen, dus er is op zich weinig van te zien, maar de wapperende vlaggen met het bedrijfslogo hoog boven de schutting zijn een uitkomst. De weg vragen in een vluchtelingenkamp kan aldus een antwoord opleveren als: bij Unicef linksaf, doorlopen tot na USAID bij het waterdistributiepunt en dan rechts richting World Vision.

Niet alleen de hulpverleners zorgen voor structuur in kamp Kalma. Waar mensen zijn, is handel. Dus ontstonden er markten waar niet alleen bonen, tomaten, stoffen en aluminium serviesgoed te koop worden aangeboden, maar ook de noodrantsoenen van het Wereldvoedselprogramma. Bij theekraampjes kun je mierzoete thee met granaatappelsiroop drinken en mannen roken hun waterpijp onttrokken aan het zicht in met zeil afgezette ruimtes. De veerkracht waarmee ontheemden zo goed en zo kwaad als het kan weer een bestaan opbouwen is indrukwekkend. Ik zal die ondernemingslust in uitzichtloze situaties later vaker zien.

In de ochtend tref je de meeste vrouwen in kamp Kalma niet thuis. Dan zijn ze water halen bij een van de kraantjes op betonnen plateaus in het zand, waar altijd grijze ezeltjes rondhangen in de hoop dat er een druppel overschiet. Of ze sprokkelen hout voor het kookvuur, een van de meest riskante karweitjes. De vrouwen moeten steeds verder weg om hout te vinden, het dorre niemandsland in waar de gewapende bendes rondwaren. Ze gaan altijd samen, maar dat voorkomt niet dat sommigen in handen van de Janjaweed vallen. Op mijn vraag aan een van de vrouwen bij de waterkraan waarom ze hun mannen niet sturen om hout te zoeken, kijkt ze me ongelovig aan. Dat ik dat niet snap, zie ik haar denken. 'Ons vrouwen verkrachten ze alleen maar. Mannen worden vrijwel altijd vermoord.'

Zeinab blijft steeds bij haar hut. Haar zoontje is elf dagen oud, en in Soedan blijft een moeder tot vijf weken na de bevalling thuis. Ze roert met een kromme stok in een teil met twee vingerkootjes diep geelbruin water. In mijn geval zouden de kleren die erin liggen niet veel schoner worden van zo'n behandeling, maar de vaardigheid om bij wijze van spreken met een vingerhoed water nog een kledingstuk te wassen, heb ik al vaker bewonderd bij Afrikaanse vrouwen.

Zeinab is achttien en heeft een grappige wipneus en glanzende ogen. Ze maakt telkens als we langslopen tijd voor een praatje. Op een middag tien maanden geleden vielen Arabische mannen op paarden haar dorp binnen. Ze schoten zeventien dorpelingen dood. Ze vertelt het terwijl ze haar zoontje de borst geeft, zittend op het enige bed in de hut waar zij met haar echtgenoot en ouders slaapt. Zakken sorgo liggen opgestapeld op de vloer, op een krukje staat een olieblik waar een lont uitsteekt. Volgens Zeinab heeft Allah een reden gehad om haar en haar familie te laten ontsnappen, verklaart ze, neerkijkend op de zuigeling in haar armen. 'Straks als de Tora Bora verdreven zijn, gaan we terug naar het dorp en beginnen we opnieuw.' Maar ik zag vanuit het vliegtuig de donkere roetkringen in het landschap op de plek waar ooit de huizen stonden, een naargeestig leeg maanlandschap. Niets is ervan over, alles is met de grond gelijkgemaakt. Er is helemaal geen dorp waar Zeinab naar terug kan gaan.

Zeinabs optimisme bezorgt me gemengde gevoelens. Ik zoom graag in op dit soort positivo's in hopeloze toestanden, maar ben zelf geneigd tot zwartkijken. In Darfur is zo weinig ontwikkeling de goede kant op. De autoriteiten houden het Westen aan het lijntje, een veel te kleine, armlastige vredesmacht van de Afrikaanse Unie kan niet veel meer doen dan pappen en nathouden, en ondertussen verandert er niets aan het lijden van de bevolking. Nu de Soedanese regering schoorvoetend heeft ingestemd met een VN-vredesmacht voor Darfur, kan er wellicht iets veranderen, maar ook nu blijft het regime zo tegenwerken dat de vraag is hoe effectief zo'n relatief kleine groep blauwhelmen kan optreden tegen het geweld.

Dat besef staat in zo'n tegenstelling met de blije ogen van Zeinab dat ik er stil van wordt.

Eva vindt blijkbaar dat ik een opkikker nodig heb, want ze

kijkt ondeugend en trekt me mee naar een driehoek onbebouwd zand, een soort pleintje tussen een handvol lemen huizen diep in het kamp. Daar dompelen vier mannen om de beurt een kalebas in een houten pot met drab waar schilfers en bubbels in drijven en drinken hem in één teug leeg. De heren bieden mij ook een pot sorgo-bier aan. Nu ben ik een groot liefhebber van bier, maar dit troebele, lauwe goedje trekt me helemaal niet. De mannen in witte djellaba's lachen hartelijk om mijn aarzeling, knikken bevestigend naar elkaar en zeggen iets in het Arabisch. 'Vrouwen kunnen nu eenmaal geen bier drinken,' vertaalt Eva na enig aandringen met een grijns. Dat laat ik me niet zeggen, dus ik neem alsnog een ferme slok uit de kalebas die me wordt voorgehouden, ondertussen mijn darmstelsel sterkte wensend. Het smaakt wat bitter en prikkelt op mijn tong. Ik vermoed dat het bier zo licht alcoholisch is dat ik de hele voorraad naar binnen zou kunnen klokken zonder enig teken van dronkenschap, maar de vier mannen zijn er bepaald lollig van. Bierbrouwen is een illegale activiteit in het islamitisch geregeerde land, waar alcohol verboden is. Maar ook Eva weet, als goede christenvrouw, precies hoe je bier moet bereiden. Terwijl we verder gaan vertelt ze me het recept, dat ik acuut weer vergeet. Alleen de regelmatige toevoeging van spuug kan ik me nog herinneren.

Overal in het kamp treffen we vrouwen aan het werk. Ze spreiden de graankorrels op een lap op de grond om te drogen, vermalen samen de sorgo met stampers die ze om en om in grote vijzels stoten, bakken brood, doen de was of lopen langs met een volle jerrycan water of een bos hout op hun hoofd. Rond het middaguur hebben ze even pauze, dan zijn het ontbijt en de dagelijkse klussen achter de rug en het middageten – het laatste maal van de dag – kan nog even wachten.

Op zo'n moment belanden we in een uitgebreide familiebijeenkomst. Twee zussen en hun echtgenoten, een dochter met haar gezin, al het kroost er nieuwsgierig bovenop, terwijl de pater familias het woord doet. Hij wenkt ons naderbij; het is belangrijk, vindt hij, dat westerlingen dit weten. Het onderwerp is de onveiligheid in het kamp. Overdag lijkt het vredig, maar 's nachts breekt nogal eens de pleuris uit, zegt Abdullah, een magere man met grijze baard. Afgelopen nacht nog hoorden ze geweerschoten en twee dagen geleden drongen twee Arabische mannen het kamp binnen en braken een bruiloft op die aan de gang was. Ze gingen er met de stereo-installatie vandoor. De eigenaar van dit kostbare bezit stribbelde tegen en moest dit bekopen met een kogelregen, hij ligt nu in Nyala in het ziekenhuis. De politie, 350 man sterk in Kalma, ondernam niets, zeggen de vluchtelingen. De autoriteiten verklaren de schietpartijen in Kalma door te zeggen dat het kamp een broeinest is van rebellen, maar de ontheemden denken er het hunne van. 'We vertrouwen de soldaten niet. Ze dragen dezelfde uniformen als de Janjaweed,' zegt Abdullah.

De familievergadering draait om één vraag: weggaan of blijven. De nachtelijke geweldsexplosies lieten hen tot nu toe ongedeerd, maar ooit gaat het mis, betoogt Abdullahs zwager. Wat is het alternatief, vraagt zijn oudere broer zich af: 'We kunnen nergens anders heen. We zitten hier gevangen.'

Zonder dat we er erg in hadden is het al laat geworden en ik haast me met mijn tolk terug naar de verzamelplek. Rond een uur of vier begint de grote uittocht. Een lange stoet witte wagens vol hulpverleners trekt dan weg uit Kalma, een witte wolk stof achterlatend. De autoriteiten die het komen en gaan in de kampen zorgvuldig bewaken, willen na zonsondergang geen vreemden meer in de opvangkampen. De vluchtelingen zijn vannacht weer op zichzelf aangewezen.

Bij terugkomst in de groep wacht mij een uitbrander van de medewerker van Stichting Vluchteling. Hij is boos dat ik er die ochtend vandoor ben gegaan. Ik ben opgelucht dat ik een dag ongestoord met mensen heb kunnen praten zonder de rest van het circus erbij en laat het over me heen komen. Het zal niet de laatste keer zijn dat het botst – hulpverleners en journalisten zijn nu eenmaal andere diersoorten.

De moskee met de mintgroen met witte minaret is het enige bouwwerk van allure in Duma, een dorp op veertig kilometer van de provinciehoofdstad Nyala. Het godshuis, een geschenk van een rijke zakenman uit Nyala, opende zeven maanden geleden zijn deuren en zit op deze gebedsdag bomvol. De mannen binnen, de vrouwen buiten onder een afdak. De imam spreekt de hoop uit dat het ooit weer vrede zal zijn in de regio. Behalve hun godsdienst is er in Duma weinig waar de mensen op terug kunnen vallen.

Het dorp is alleen bereikbaar over een weg dwars door Janjaweed-gebied. De route erheen is verlaten, een stuk asfalt door desolate woestijn, met in de verte kuddes kamelen met hun berijders. Hard doorscheuren en onder geen beding stoppen, is het devies. En zeker niet afwachten tot ze zo dichtbij zijn dat wij kunnen zien of ze mitrailleurs over de schouder hebben hangen.

Na het gestructureerde overbevolkte Kalma is Duma een lege woestenij. Er is niets van de infrastructuur van het modelkamp. Geen ziekenhuizen, geen waterkranen uit ondergrondse tanks en hulpverleners wagen zich er nauwelijks. Wel heel veel Darfuri's op de vlucht. We zijn weer met de hele journalistenclub bij elkaar, maar hebben geleerd van de voorgaande keer: ieder gaat een andere kant op voor zijn verhaal.

Vanuit de dorre vlakte komen ze aangelopen, zes vrouwen met van alles op het hoofd, een tafel, bedden en stapels op elkaar gebonden dekens. Milities te paard overvielen gisteravond hun dorp, dat sindsdien is leeggestroomd. In Duma zie je het abstracte begrip vluchtelingenstroom werkelijkheid worden. Op de grond tegen een rij doornbosjes zitten vier vrouwen. Om hen heen verspreid hun bezittingen: wat rieten matten en dekens. Ze kwamen die ochtend aan en kijken lamgeslagen voor zich uit. Urenlang zitten ze in de brandende middagzon. Waar hun mannen zijn, weten ze niet: misschien gedood, hopelijk gevlucht. Ze blijven daar maar zitten, de hele tijd dat we in het dorp zijn, terwijl hun kinderen wat om hen heen drentelen, een deprimerend tafereel.

Geen palmboompje draagt nog blad: alles is afgesneden om matten of dakbedekking van te maken. In de verre omgeving zijn geen takken meer te vinden om een hut mee te bouwen, zoveel ontheemden gingen hun al voor. Alles wat onderdak bieden kan, wordt gebruikt. Van een grote blauwe tent met Unicef-logo, bedoeld als school maar nu verlaten, heeft een groep vluchtelingen zijn onderkomen gemaakt.

Als we erheen lopen, klampt een man ons aan en begint opgewonden te praten. Gistermiddag blijkt zijn broer te zijn neergeschoten door mannen in militaire uniformen op twee kilometer hiervandaan. Hun kalasjnikovs waren in het dorp te horen. Zijn dode lichaam ligt er nog steeds, in de schroeiende zon. De man wijst in de verte. Niemand durft het lijk op te halen in dit levensgevaarlijke gebied.

In de blauwe tent roert een oudere vrouw in een zwartgeblakerde pot op het vuur door de *assida*, dikke smakeloze sorgobrij die in Darfur hoofdgerecht is. De vrouw is ongerust over haar dochter Fatna, legt ze uit, terwijl ze haar nicht Tamar dichterbij trekt om uit te leggen wat er is gebeurd. Toen die gistermiddag met haar nichtje Fatna hout ging zoeken, dook plotseling een groep mannen op in kaki legeruniform. 'Ze sloegen met stokken naar ons. Ik begon meteen te rennen, zo snel als mijn benen konden.' Tamar wist te vluchten, maar haar twaalfjarige nichtje niet. Een van de mannen bond haar vast en nam haar mee, als een zak meel over de rug van het paard geslagen. Pas vanochtend werd ze teruggevonden. Het ontvoerde meisje kon nauwelijks meer staan. De gevolgen van de verkrachtingen waren dusdanig dat hulpverleners die er toevallig waren het meisje meteen meenamen naar een ziekenhuis in Nyala.

Fatna's moeder staart in de rook en schudt haar hoofd. Ook al zouden de wonden van haar dochter genezen, het ergste kwaad kan niet meer ongedaan worden gemaakt. 'Wie wil er nu nog met haar trouwen?' vraagt de vrouw zich vertwijfeld af. Verkrachte vrouwen en meisjes zijn beschadigde waar en geen man wil nog iets met hen te maken hebben.

Samen met de fotograaf dwaal ik tussen de rieten hutjes. Een sjeik met witte tulband in dito djellaba komt ons halen. Dit moeten we écht zien, zegt de bebaarde dorpsoudste. Ook op de vlucht blijven de chefs van de gemeenschappen in functie, ze proberen hun mensen bij elkaar te houden en behartigen hun belangen. Hans en ik lopen met hem mee. Het is maar een kwartiertje, verklaart hij. Dat blijkt een dik halfuur en voor het eerst doe ik de lichtgrijze sjaal om mijn hoofd die ik bij aankomst in de witte zak aantrof, niet zozeer om mijn haar te bedekken als wel om mezelf te beschermen tegen de genadeloze zonnestralen.

De sjeik stelt ons voor aan een gezin uit zijn dorp, dat drie weken eerder is platgebrand.

De oudste zoon ligt op zijn rug op een ijzeren bed onder een afdakje van tapijt. Hij draait zich om en sjort zijn T-shirt omhoog. Zijn rug en nek staan vol brede knalroze wonden waar de loop van het machinegeweer op zijn lijf terechtkwam. Stille getuigen van een recente ontmoeting met de Janjaweed. Zijn jongere zusje Nura zit in de pasgebouwde hut van haar familie. Ze leunt tegen de schutting van in de grond gestoken riet en zwijgt. Ze weigert al twee dagen naar buiten te komen.

Haar broer doet het woord: 'Eergisteren gingen we samen terug naar ons dorp.' Hij wijst in de richting van de bergen in de verte. 'Toen we vorige week moesten vluchten, hadden we geen tijd het kistje met geld op te graven dat op het erf begraven lag. Dat gingen we nu halen.'

Op de terugweg kwamen ze de beruchte mannen met machinegeweren tegen: 'We renden weg, maar bleven staan toen ze begonnen te schieten. Ze dreigden alle dorpen te ontruimen, totdat er niemand meer over was.'

De Arabieren – het woord Janjaweed spreekt de jongen niet hardop uit – namen hen mee naar een verlaten dorpje in de buurt, waar ze hem bewerkten met hun geweren. Toen was zijn zus aan de beurt. 'Ze sleurden haar naar een ander huis. Ik kon niet zien wat daar gebeurde. Ik hoorde haar gillen en kon niets doen. De hele weg naar huis heeft Nura gehuild.'

Aan de gelakte houten buffetkast die in het zand tegen de hut staat te zien, was het gezin behoorlijk welvarend. Het is een van de weinige meubelstukken die ze konden meenemen. Het donkere hout met glazen deurtjes vormt een scherp contrast met de omgeving.

De vader van het tweetal komt binnen en doet het hele verhaal nog eens dunnetjes over. Hij hecht er vooral aan dat goed op papier komt te staan wat hem is ontstolen. Nauwgezet dicteert hij het aantal Soedanese dinars, omgerekend 65 euro. En een sterke ezel. Over zijn dochter, net vijftien, rept hij met geen woord.

Het meisje wil al dagen de hut niet meer uit, maar nu maant haar broer haar dat ze naar buiten moet komen om de bezoekers te woord te staan. Ik probeer nog duidelijk te maken dat dat niet hoeft, maar ze steekt haar besluierde hoofd al uit het riet. Langzamerhand is de hele familie opgetrommeld. Ik wil vermijden dat dit meisje voor het oog van het halve dorp haar verhaal moet doen, dus ik vraag haar enkel haar leeftijd en gebaar dat ze niet hoeft te blijven. Ze kijkt me geen moment aan. Hans en ik praten nog wat met vader en zoon en Hans maakt foto's. Op de terugweg zeggen we geen van beiden veel en die nacht slaap ik slecht. De beelden van de verloren mensen van Duma spoken door mijn hoofd. Hoe gevaarlijk de plek is, wordt de dag na ons bezoek nog eens bevestigd als twee hulpverleners worden doodgeschoten op diezelfde weg door niemandsland waar wij vierentwintig uur eerder ook reden.

Mariam, het hoofd van de vrouwenkliniek in het Kalmakamp, heeft de dag erop tijdens de lunch tijd voor me. Ze maakt een van de wachtruimtes vrij en we nestelen ons op de rieten matten in het zand. 'Vrouwen hebben het hier nooit makkelijk gehad,' verzucht de arts, 'maar de oorlog maakt hun leven nog zwaarder.' Ouders huwelijken hun dochters steeds jonger uit, zodat ze onder de pannen zijn voordat hun iets overkomt. Zo jong zijn ze nog niet altijd klaar voor de karrenvracht aan klussen die de schoonfamilie hun opdraagt. 'Een echtgenoot zegt dan al gauw: "Ga jij maar terug naar je vader, je bent nergens goed voor." Dat is een vreselijke schande.'

De vrouwenarts heeft nog nooit eerder zoveel miskramen gezien. 'Op de vlucht lopen zwangere vrouwen infecties op doordat ze hun kleding niet kunnen wassen. Hier aangekomen werken ze keihard en gaan te lang door. Vaak hebben ze geen keus. Hun mannen zijn dood, of in de benen geschoten, waardoor ze niets meer kunnen.'

Mariam werkt gewoonlijk in een ziekenhuis in Zuid-Darfur en is al jaren vrouwenarts. De ellende die ze de afgelopen twee jaar zag is onbeschrijflijk, zegt ze. Als voorbeeld noemt ze het meisje dat ze die ochtend in haar spreekkamer had: 'Verkracht door vijf Arabieren. De zesde bewerkte haar vagina met een mes.' Maandenlang lag ze in het ziekenhuis. Nu is ze terug bij haar familie die in Kalma haar toevlucht zocht, maar ze heeft nog niet durven praten over wat haar overkwam. 'Haar hoofd is in de war, ze raakt overstuur van de kleinste dingen. Moet je je voorstellen dat jou zoiets overkomt, daar kom je niet zomaar overheen.' Het meisje is bovendien doodsbang voor de reactie van haar ouders. Daarom gaat Mariam morgen met haar mee voor een eerste gesprek met de familie: 'Langzaam vertellen we wat er is gebeurd. Ik leg uit dat het haar schuld niet is. Zo probeer ik te voorkomen dat ze haar verstoten.'

Verkrachting is een levensgroot taboe in het islamitische land. Vrouwen verzwijgen meestal wat hun is overkomen uit angst voor de reactie van de omgeving. In de urenlange gesprekken die ik samen met Eva met vrouwen voer, wordt dat maar al te duidelijk. Vaak beginnen ze met vertellen over anderen, iedereen kent wel iemand die is misbruikt. De veertigjarige vrouw die een kogel in haar voet kreeg, praat in het eerste interview een middag lang uitvoerig over wat haar dorpelingen werd aangedaan door de Janjaweed. Pas als we de laatste dag teruggaan om afscheid te nemen, komt het hoge woord eruit. Toen ze weerloos op de grond lag nadat de mannen in haar voet schoten, gingen ze ook met haar hun gang. Het ergste vindt ze nog dat haar zes zoons het allemaal hebben kunnen zien. Haar man, die er niet bij was, pakte toen hij hoorde wat haar was aangedaan zijn spullen en vertrok: echtgenoten blijven zelden bij hun vrouw na haar verkrachting.

De reden van al dit geweld begrijpt ze nog steeds niet: 'We hadden vroeger nooit problemen met de Arabieren, het waren onze buren. Wij verkochten graan aan hen en kregen van hen kamelenmelk. Pas de laatste twee jaar is het misgegaan.'

De gevolgen van een verkrachting zijn al erg genoeg, knikt Mariam als ik haar vertel over deze vrouw. Maar wie een kind verwacht van haar verkrachter is helemaal de pineut. Ze haalt een populair volkspraatje aan: 'De mensen denken hier dat je van een verkrachting niet zwanger kunt raken. Dus als een vrouw zwanger wordt, zeggen ze dat ze het blijkbaar toch zelf heeft gewild.'

Er komen veel meisjes naar haar kliniek die misbruikt en zwanger zijn. 'Ze willen geen Arabisch kind. Ze vragen om een pil om het weg te laten gaan.' Maar Mariam kan niet helpen, abortus is verboden in Soedan. 'Ik vertel zo'n meisje dat het de wil van God is dat ze deze baby krijgt. Wanneer er weer vrede is, maakt het niet uit dat haar kindje Arabisch is. Ik ga samen met haar naar haar familie om daarover te praten.'

Hulp voor meisjes en vrouwen die zijn verkracht, is er in Darfur nog nauwelijks. De hulpverlening heeft het er toch al moeilijk. De regering is niet blij met pottenkijkers en grijpt de minste aanleiding aan om te dreigen met uitzetting of arrestatie op verdenking van spionage en andere staatsondermijnende activiteiten. Niet-gouvernementele organisaties lopen op eieren. Zeker wanneer ze zich richten op hulp aan misbruikte vrouwen. Het regime, dat verhalen over systematische verkrachting liefst als verzinsels bestempelt, volgt ze met argusogen.

Een van onze tolken, een man met een ringbaardje en donkere wallen onder zijn ogen, begint steeds meer belangstelling te tonen voor mij. Ook al werk ik niet met hem, hij knoopt steeds praatjes aan en wil weten waar ik met die vrouwen over praat. Ik bazel wat over 'hoe het leven is in een vluchtelingenkamp' en houd verder mijn mond. Later hoor ik van Hans dat Ibrahim bij hem ook heeft geïnformeerd naar waar ik mee bezig was. De ringbaard probeerde hem ook te verleiden een politieagent op de foto te zetten, iets wat ten strengste verboden is. 'Dat vindt hij niet erg, het is een vriend van mij,' had de ringbaard Hans verzekerd. De fotograaf was zo slim dit vriendelijke aanbod te weigeren. We vertrouwden de man toch al niet. Op onze allereerste dag in Kalma kwamen er vluchtelingen op Eva af toen zij Ibrahim in ons gezelschap zagen. 'Die man deugt niet,' waarschuwden ze. Hoezeer hij niet deugde zullen we later pas goed merken.

Die avond, als we bij een geïmproviseerde barbecue kennismaken met een aantal hulpverleners, wordt duidelijk hoe de paranoia toeslaat bij het werken onder deze omstandigheden. Een van de psychologen die is ingevlogen om een netwerk op te zetten voor steun aan verkrachte vrouwen, beschrijft hoe ze haar werk moet camoufleren om niet de argwaan van de autoriteiten te wekken. 'Voorlichting over gezondheid en hygiëne kan nog net,' verzucht ze. 'Maar psychosociale hulp aan verkrachtingsslachtoffers ligt verschrikkelijk gevoelig.' Zo is haar organisatie in Darfur begonnen met het opleiden van lokale vrouwen, twee per stam, die leren hoe ze kunnen herkennen wanneer een vrouw slachtoffer is van seksueel geweld. 'Het is de bedoeling dat ze haar dan de weg wijzen naar hulpverlening. Benadrukkend dat er niets is om zich voor te schamen.'

Met open vizier kan dit allemaal niet. 'De Wali ziet ons aankomen,' zegt ze mismoedig, verwijzend naar de gouverneur van de provincie, zonder wiens toestemming nog geen zandkorrel van plaats verandert in Zuid-Darfur. Dus organiseert ze middagen waarop vrouwen leren hoe ze zichzelf en hun kinderen schoon kunnen houden, welke voedingsstoffen ze op een dag nodig hebben en hoeveel water ze moeten drinken. Daardoorheen vlecht ze stukjes informatie over seksueel geweld, af en toe een opmerking dat het niet vanzelfsprekend is dat mannen met geweld seks afdwingen. Blijkt tussen de regels door dat een vrouw slachtoffer is, dan nemen de medewerkers haar apart en praten heel voorzichtig op haar in. Soms frustreert deze omslachtigheid enorm: 'Het is onvoorstelbaar hoeveel vrouwen in Darfur te kampen hebben met afschuwelijke trauma's. En van hen kunnen wij maar een fractie helpen.' Evengoed zou het niet werken om een centrum voor verkrachte vrouwen op te richten: 'Veel te stigmatiserend, daar durft geen mens heen.'

Ik krijg het later op de avond nog behoorlijk met deze psychologe aan de stok, want ze meent dat ik me als journalist verre van het onderwerp verkrachting zou moeten houden. Veel te traumatiserend voor de slachtoffers. Erover praten moet ik maar aan de hulpverleners overlaten, die zijn er tenminste voor opgeleid. Ik vraag haar hoe de buitenwereld dan ooit te horen moet krijgen wat vrouwen hier overkomt, maar ze is onvermurwbaar. Ze verbiedt me 'haar' slachtoffers te interviewen. Zo wordt degene in wie ik een bondgenote zag, onverwacht een tegenstandster.

Helemaal onbegrijpelijk vind ik dat niet: niet alle journalisten gaan even zachtzinnig om met gevoelige onderwerpen. De collega die in Bosnië voor een groep gevluchte vrouwen ging staan en riep: '*Anyone raped here and speaks English?*' is prototypisch geworden voor de botte journalist op zoek naar een goed verhaal, zonder mededogen met wie dan ook. Mijn ervaring is dat de meeste collega's een stuk subtieler te werk gaan. Bovendien willen slachtoffers soms juist met een journalist praten omdat ze het idee hebben dat het helpt je stem te laten horen. Op deze avond gaapt er een kloof tussen hulpverlener en journalist, want dit alles is aan de Amerikaanse niet besteed. Van haar hoef ik geen hulp te verwachten. Het maakt allemaal weinig meer uit, we gaan onze laatste dag in Darfur al in.

Hawa heeft een hutje helemaal voor zichzelf. In het overbevolkte vluchtelingenkamp waar de meeste families een onderkomen delen, lijkt dat een luxe. Maar de achttienjarige vindt het verschrikkelijk, vooral 's nachts. Geregeld klinken er geweerschoten in het kamp en dan is ze doodsbang. 'Dan kruip ik onder mijn bed en wacht tot het voorbij is,' zegt ze, wijzend op het met touw bespannen stalen frame waarop ze zit. 'Op zulke momenten moet ik weer denken aan die laatste avond in mijn dorp.'

Ook die vrijdagavond waren het geweerschoten die haar wekten. Toen ze opstond, zag ze haar dorpsgenoten weghollen voor de overvallers, mannen met kalasjnikovs op paarden en kamelen. 'Janjaweed. Ik begon ook te rennen maar ik was niet snel genoeg.' Vlak buiten het dorp kregen twee mannen haar en een ander meisje te pakken. 'Ze bonden onze handen vast en hebben ons verkracht. Alle twee.'

Drie maanden geleden vluchtte Hawa met de andere dorpelingen naar het grote vluchtelingenkamp. Er gaat geen dag voorbij zonder dat ze aan de verkrachting moet denken, en niet alleen doordat ze nog vaak pijn heeft in haar buik en niet lang kan zitten. De verkrachting is ook de reden dat Hawa nu zo eenzaam bivakkeert in haar tentje van met plastic zakken overtrokken stokken. De oom en tante die haar hebben opgevoed alsof ze een dochter was, weten niet meer goed wat ze met haar aan moeten en laten haar links liggen.

Mijn laatste ochtend in Kalma zit ik bij Hawa op de grond in haar schamele hut. Haar tante heb ik daags daarvoor ontmoet, en zij drong erop aan dat ik kennismaakte met haar nichtje. De familie zit in haar maag met zo'n ongetrouwd meisje van achttien, beschadigde waar bovendien. En Hawa weet dat heel goed. Ze zit voor me op het bed en praat op zachte toon over haar leven vóór de overval op het dorp. Naar school ging ze niet, dat was enkel weggelegd voor haar twee broertjes. Na het ochtendlijke houtsprokkelcorvee knipte ze gras om matten van te maken, die ze verkocht op de woensdagmarkt. Ze woonde in bij haar tante en oom. Met een ezel volgeladen met koopwaar liep ze iedere woensdag naar de dichtstbijzijnde stad om daar de spullen te verkopen. 'Ik was net als iedereen,' verklaart ze, 'over mij roddelde niemand.'

Op de achtergrond klinkt het regelmatige geplof van de stampers waarmee vrouwen de sorgo malen. Een paar tenten verder roffelen trommels. Er is een bruiloft gaande, een van de meisjes is uitgehuwelijkt aan een jongen uit een dorpje verderop, zegt Hawa. Dan blijft het even stil. We denken het allebei, maar de vrees dat dit voor haar niet meer is weggelegd blijft onuitgesproken.

Als het aan haar ligt, gaat Hawa weg uit deze omgeving die haar herinnert aan wat haar is aangedaan. Hoewel ze het gezicht van haar verkrachters nooit heeft gezien, ziet ze hun blik vaak voor zich: 'Alleen die ogen tussen het zwarte stof.' Ze draait ter demonstratie haar lila hoofddoek zo om haar hoofd dat alleen haar ogen nog zichtbaar zijn. Hawa wil niets liever dan teruggaan naar haar ouders. Die wonen in een dorp op een dag lopen verwijderd. 'Misschien hebben zij niet gehoord wat er gebeurd is. Als ik wat suiker en mooie stoffen voor hen meeneem, willen ze me hopelijk terug hebben. Dan kan ik opnieuw beginnen.'

Vervolgens kijkt ze me nieuwsgierig aan. Hoe zit het eigenlijk met mij? Ben ik getrouwd, heb ik kinderen en zo ja, wat doe ik dan in godsnaam hier in de woestijn? Ik vertel over mijn vriendje thuis, dat we samenwonen en elkaar al heel lang kennen. 'En hij laat je zomaar in je eentje naar Afrika reizen?' reageert ze met opgetrokken wenkbrauwen. Dat lijkt haar wel een geschikte vent, blijkbaar, want ze informeert of ze niet met me mee naar huis kan: 'Dan word ik zijn tweede vrouw! Kan ik je helpen in het huishouden en kunnen we ondertussen gezellig kletsen.' Haar ogen twinkelen bij dit voorstel.

Als ik verklaar dat het met dat huishouden best meevalt omdat mijn lief zelf zijn was doet en altijd opdraait voor de vaat, komt ze niet meer bij. Ze vindt mijn afwassende man zo'n absurde voorstelling dat ze steeds weer in gegiechel uitbarst. Van de weeromstuit schiet ik ook in de lach. Zo sluiten we het gesprek af met tranen in de ogen van het lachen.

Haar geld verdient Hawa in kamp Kalma met het verkopen van falafel op een van de marktjes. Normaal zou ze er al een paar uur zitten, maar ze bleef vanochtend thuis op mij wachten. Nu wil ze graag weer aan de slag en ik stel voor met haar mee te lopen naar de markt om falafel te kopen voor vanavond. Ik heb wel zin in iets anders dan de broodjes tonijn uit blik met mayonaise die sinds onze aankomst iedere avond ons geïmproviseerde diner vormen. Hawa kijkt me echter onzeker aan als ik zeg dat ik met haar mee wil. Valt veel te veel op, vindt ze, op de markt wemelt het van de agenten. Ze is bang dat de belangstelling van een westerling verkeerd wordt uitgelegd.

Het laatste wat ik wil is haar in de problemen brengen, dus ik zie af van de markt. Ik sta wat onhandig met de driehonderd dinar in mijn handen die ik al had uitgeteld voor zes porties falafel, net een euro. Ik kan het niet over mijn hart verkrijgen ze onder haar ogen in mijn zak terug te proppen, dus stop ik de drie briefjes uiteindelijk toch maar in haar handen en zeg dat ik de volgende keer wel bij haar kom eten. 'Da's beloofd,' zegt Hawa en met een stevige handdruk nemen we afscheid.

In de compound is er die avond iets vreemds aan de hand. De plaatselijke baas van de ngo waar we te gast zijn, heeft de medewerker van Stichting Vluchteling apart genomen. Ze staan net te ver weg om precies te horen waar ze het over hebben, maar ik zie blikken mijn kant opgaan en hoor mijn naam vallen. Hun koppen staan ernstig en ik word steeds zenuwachtiger. Na een half-uur komt de aap uit de mouw. Het verhaal gaat dat ik betaald heb voor een interview. De dinars die ik Hawa gaf zijn uitgegroeid tot een astronomisch bedrag en dit praatje bereikte ook de leiding van de hulporganisatie.

Betalen voor een interview is uit den boze, omdat je dan nooit weet of iemand je iets vertelt voor het geld of omdat het de waarheid is. Ik kan mezelf wel voor mijn kop slaan. Hoe kon ik zo stom zijn om die dinars die ochtend weg te geven? Had ik niet kunnen bedenken dat dat verkeerd uitgelegd zou worden?

Maar wat me nog veel meer dwarszit: hoe komt dit verhaal de wereld in? Hawa's tentje staat ver weg van het vrouwencentrum en niemand van de ngo-medewerkers heeft gezien dat we met haar hebben gepraat, laat staan dat ik haar geld gaf.

De enige die erbij was, is Eva.

Dan slaat ook bij mij de paranoia toe. Ik pak mijn aantekeningen en ga zitten tikken achter de gammele pc waar de hulpverleners hun rapporten op uitwerken. Alle aantekeningen werk ik af, twee uur lang typ ik door als een mitrailleur. Ik druk op verzenden. Dertig pagina's in mijn persoonlijke journalistensteno met typefouten stuur ik door naar mijn lief in Nederland, die de ontvangst per sms bevestigt. Precies op tijd: een paar minuten later valt het internet uit, wat in Darfur meestal betekent dat je een dag of wat zonder zit.

Die nacht kan ik de slaap niet vatten. Met wijd open ogen lig ik te piekeren onder de klamboe die op vier stokken hangt die uit de hoeken van het eenpersoonsbed steken. Zou het Eva zijn geweest die dit verhaal de wereld in heeft geholpen? Heb ik mijn tolk dan zo verkeerd ingeschat? Wat kan ze dan nog meer hebben doorgebriefd en aan wie, en wat betekent dat voor de vrouwen met wie we spraken?

Na een doorwaakte nacht stap ik 's ochtends meteen op de ngo-baas af. Ik ga door het stof over mijn stommiteit van gisteren en leg uit wat er is gebeurd. Ook informeer ik op welke manier het verhaal tot hem kwam. Hij blijkt het via via van vluchtelingen te hebben gehoord, al om twee uur 's middags, op het moment dat Eva en ik nog volop aan het werk waren. Tot mijn opluchting constateer ik dat zij het dus niet geweest kan zijn. Die opluchting wordt getemperd door het besef hoe snel roddels rondgaan in een kamp met honderdduizend mensen.

Ik ga afscheid nemen van Eva – ik durf haar niet te vertellen dat ik haar even heb verdacht van kwalijke praktijken – en moet de hele familie de hand schudden. Haar kinderen wachten in hun zondagse kleren, jurken met ruches en gesteven overhemden, en haar zuster komt speciaal langs om me te zien. Eva glimt van genoegen. Als ik opstap, zie ik haar in de zware ijzeren poort zwaaien totdat de stofwolken me het zicht ontnemen.

Bij mij thuis aan de muur hangt een foto waarop we theedrinken onder een juten afdakje bij ons vaste theevrouwtje in Kalma. Eva's wittetandenlach en mijn blanke gezicht steken af tegen de zwarte vrouwengezichten om ons heen. Kijkend naar die foto vraag ik me vaak af wat er van haar is geworden. Zou ze na het vredesakkoord in het zuiden zijn teruggekeerd naar haar geboortestreek? Is ze lang blijven werken als tolk – haar fijnzinnigheid bleef niet onopgemerkt bij de hulpverleners die altijd verlegen zitten om een goede vertaler – of werd het te riskant? Is ze herenigd met haar man in Khartoem? Ik zou willen dat ik het wist.

Op het vliegveld van Nyala overleggen we net of we nog tijd hebben voor een kop thee voordat we op het vliegtuig naar Khartoem stappen, als er ineens vijf, zes mannen om ons heen staan, type zonnebril en fout pak. Geheime dienst. Een van de heren nodigt ons uit om met onze bagage naar de vipruimte te gaan. Het klinkt niet als een uiting van Soedanese gastvrijheid. 'Waar zijn de films?' vraagt hij in kortaf Engels als we met z'n allen in de viproom staan. Ritsen worden opengerukt, tassen doorploegd en alles wat de agenten verdacht vinden, wordt eruit gehaald. De videocamera's nemen ze in, en alle films die ze vinden. Ook een colaflesje gevuld met woestijnzand voor de spreekbeurt van iemands zoon, nemen ze in beslag. Ik houd mijn adem in als ze bij mijn legerpukkel zijn beland en ja, ook mijn aantekeningen worden geconfisqueerd.

Het blijkt menens. Waarvan ze ons verdenken, zeggen ze niet, maar de agenten willen alle films bekijken. Daarvoor moet de cameravrouw mee naar het hoofdbureau van de politie. Omdat we haar niet alleen willen laten gaan, gaat een van de medewerkers van Stichting Vluchteling mee. In een wit busje worden de twee het vliegveld weer afgereden, de rest wordt teruggebracht naar de steeds voller wordende vertrekhal. We hebben niet letterlijk te horen gekregen dat we zijn gearresteerd. De mobiele telefoons werken niet – als er iets misgaat in Darfur trekt de overheid meteen de stekker uit het netwerk – en we kunnen de hal niet uit om in de openlucht te bellen met de sateliettelefoon.

Ik zit op een van de weinige bankjes in de hal voor me uit te kijken. Het enige waaraan ik kan denken is: zouden ze wijs kunnen worden uit mijn aantekeningen? Ik had ze moeten verbranden toen ik daarvoor de kans nog had, besef ik nu. Ook al staan er alleen verhaspelde namen over verschillende pagina's verspreid, misschien weten ze die toch te herleiden. Ik word misselijk van de gedachte dat mijn gekrabbel vluchtelingen in gevaar zou kunnen brengen.

Omdat we op dat moment niemand op de hoogte kunnen brengen van de problemen waarin we zijn beland, nemen we een besluit. Iemand moet proberen uit Darfur weg te komen. Aangezien we niet officieel zijn gearresteerd, besluiten Hans en ik het erop te wagen. We gaan proberen aan boord van het vliegtuig te komen dat net is geland en straks weer naar Khartoem vliegt. Alsof er niets aan de hand is, lopen we met de andere reizigers mee door de bagagecontrole. Met gierende zenuwen wandelen we naar het vliegtuig, zorgvuldig opgaand in de massa. Ik knoop een praatje aan met twee Zwitserse hulpverleensters, Hans loopt wat verderop tussen een ander groepje. We spraken af niet naast elkaar te gaan zitten. Ik reken erop ieder moment een hand op mijn schouder te voelen van een niet bijster geamuseerde veiligheidsbeambte, maar niemand legt ons een strobreed in de weg. Hoe het mogelijk is dat we erdoorheen zijn geglipt is me nog steeds een raadsel, want overal stonden die zonnebrillen te loeren.

De drie uur durende vlucht naar Khartoem lijkt de langste vliegreis van mijn leven. Bij de tussenlandingen verwacht ik steeds als de deur opengaat een politieagent in de opening te zien staan en knijp ik de armleuningen van mijn vliegtuigstoel bijna tot pulp. Maar er gebeurt niets. Zelfs in de hoofdstad kunnen we gewoon doorlopen, terwijl de fotograaf en ik er min of meer van uitgingen dat er op het vliegveld toch zeker een politie-escorte op ons zou staan wachten.

In het legendarische Acropole Hotel in Khartoem, waar journalisten vaak logeren, kijkt de Griekse waard nauwelijks op van onze vreemde fratsen. Dat er voor zes personen gereserveerd is en dat er maar twee gasten komen opdagen bijvoorbeeld, of dat we geen paspoorten hebben; hij lijkt het allemaal eerder te hebben gezien, knikt begrijpend en vraagt niet verder.

Die avond krijg ik eindelijk iemand van de ambassade aan de telefoon en ik leg in bedekte termen uit dat we ons in een lastig parket bevinden. Godzijdank neemt de jonge medewerker aan de lijn mijn verhaal serieus. We spreken af dat we morgen naar de ambassade komen. Die nacht slaap ik met mijn kleren aan, schoenen naast het bed om er zo in te kunnen stappen.

'Unicef-hoofdkantoor,' zeg ik die ochtend bij het instappen tegen de taxichauffeur. De vn-organisatie ligt vlak bij de Nederlandse ambassade, heeft de jonge diplomaat uitgelegd. Het lijkt ons verstandig pas op het allerlaatste moment de werkelijke bestemming te melden, om argwaan te voorkomen. Om diezelfde reden laten we onze rugzakken achter in het hotel. Onder normale omstandigheden zou ik gegrinnikt hebben om dit soort James Bond-taferelen, maar als je het idee hebt dat een dozijn spiegelbrillen en een twijfelachtig regime het op je gemunt hebben, zie je de grap wat minder. Ik ben in ieder geval nog nooit zo blij geweest met de aanblik van de Nederlandse leeuw als toen we uiteindelijk aankwamen bij het maïsgele blokkendoosgebouw waarin de ambassade is gehuisvest. Op dit stukje Nederlands grondgebied zijn we onbereikbaar voor de Soedanese wet.

We mogen slapen in een leegstaand appartement op het ambassadeterrein. Een onzekere tijd breekt aan. De diplomaten zitten duidelijk niet op een complicatie van twee voortvluchtige persmuskieten te wachten en maken het ons niet al te gemakkelijk. De ambassadeur, een lichtelijk contactgestoorde heer die je nooit in de ogen kijkt, maar in plaats daarvan onder zijn pony door naar de grond staart en ook nog eens onverstaanbaar mompelt, komt een dag later pas kennismaken. Ons lot ligt deels in zijn handen. Je ziet hem denken: met een oorlog in het zuiden en de escalatie in Darfur hebben we wel wat beters te doen dan domme journalisten uit de nesten helpen.

Het plan om als mediaconsultant in het kielzog van Stichting Vluchteling te reizen, blijkt achteraf niet zo briljant. Zeker niet als er op de films opnames blijken te staan van militair materieel, legerhelikopters en Darfur vanuit de lucht. Van dat soort zaken is geen enkel regime gecharmeerd en het Soedanese zeker niet. Ineens komt onze missie in een heel ander daglicht te staan en wordt ons hele clubje beschuldigd van spionage en het uitlokken van oorlog. Vergrijpen waar de doodstraf op staat. De ringbaard, die als spion voor de overheid blijkt te werken, probeert onze zonden aan te dikken met allerlei vage beschuldigingen. Doordat we in de buurt van deze onbetrouwbare tolk voorzichtig zijn geweest, valt de schade die hij aanricht mee. Hans feliciteert zichzelf achteraf dat hij het aimabele aanbod eens fijn een agent op de foto te zetten heeft afgeslagen. Dat had de autoriteiten alleen maar meer munitie gegeven.

Hoewel ik mezelf voorhoud dat een westerling niet zo snel aan de galg zal bengelen, levert het besef dat je voor zoiets op de rol staat toch angstige momenten op. Helemaal omdat we verder niets te doen hebben en tijd tot piekeren te over. We gaan het terrein niet af omdat we niet weten wat ons buiten te wachten staat, en op de bedden na zijn de appartementen leeg. Dagen van verveling, waarin ik als een hamster in een tredmolen honderden rondjes om het zwembad van de ambassade loop, rijgen zich aaneen. Hans en ik knutselen een dambord in elkaar van een stuk karton en doen domme spelletjes om de tijd te doden. We fantaseren alle mogelijke scenario's voor een ontsnapping uit Soedan bij elkaar, het ene nog gekker dan het andere.

Steeds als een van onze mobiele telefoons gaat, staat alles stil. Bericht uit Nyala, waar onze collega's vastzitten in de compound in afwachting van de ontwikkelingen. Een Soedanese advocaat die probeert de schade te beperken. Of een telefoontje uit Nederland van het bezorgde thuisfront, dat we na twee dagen toch maar hebben opgebiecht dat er meer aan de hand is dan een gemist vliegtuig.

We passen in een reeks hulpverleners en journalisten die door de Soedanese overheid op allerlei manieren het werken in Darfur onmogelijk is gemaakt. Sommigen hebben gevangengezeten, anderen zijn uitgezet. Het is steeds lastiger geworden officieel toestemming te krijgen het gebied in te reizen. Collega's kiezen er sindsdien vaker voor illegaal vanuit Tsjaad de grens over te steken naar Darfur.

Zeker voor verhalen over stelselmatig seksueel geweld is het regime gevoelig. Allemaal leugens, zeggen de autoriteiten. Massale verkrachting is een oorlogsstrategie voor de lange termijn: het rukt gemeenschappen permanent uit elkaar. Slachtoffers lopen een levenslang trauma op, mannen slaan op de vlucht of verstoten hun vrouwen, kinderen die getuige waren, raken verknipt. Het is een vorm van oorlogsgeweld die jaren nadat een oorlog is afgelopen doorettert. Het is ook geweld dat moeilijk te verklaren is als het onderdrukken van een rebellie tegen de staat. Misschien is het regime daarom wel zo fel tegen onderzoek ernaar. Om die reden heb ik geen van de Soedanese vrouwen in dit hoofdstuk bij hun eigen naam genoemd. Hun verhaal aan een westerse journalist te vertellen was al dapper genoeg, ze verdienen het niet om daardoor ook nog eens in de problemen te komen met de autoriteiten.

Na een week onzekerheid komt voor ons het verlossende woord: de Wali laat onze vier kompanen gaan na hun publiekelijke excuses – op papier en voor de camera. Over Hans en mij praat niemand meer; misschien is de gêne te groot dat wij ervandoor gingen onder het oog van de geheime dienst. Laatste geintje van de Soedanese overheid: we krijgen niet zwart op wit dat we het land uit mogen. Tot het allerlaatste moment blijft het daarom spannend. De ambassademedewerker die ons naar het vliegveld rijdt, brengt ons tot aan de douane en staat paraat voor het geval we alsnog worden opgepakt op weg naar het vliegtuig. Maar we klimmen zonder interrupties aan boord. Als de vliegtuigwielen het asfalt van de startbaan loslaten, ontstaat er een juichstemming. Het Lufthansa-personeel heeft door dat we iets te vieren hebben, de flessen witte wijn blijven maar komen. Ik ben in een mum van tijd dronken en val in slaap, pit zelfs tijdens de tussenlanding in Caïro door. Nooit eerder of daarna ben ik zo blij geweest Afrika te verlaten.

OEGANDA

D.R.CONGO

●Ruhengeri
▲
Karisimbivulkaan

●Gisenyi

Kivumeer

★ **Kigali**

TANZANIA

BURUNDI

0   20   40   60   80   100 km

RWANDA

3

Als sneeuw op de vulkaan

POLITIEKE MACHT IN RWANDA

Op een nacht trof haar moeder haar slapend aan in de uitgeholde boomstam die diende als vijzel. Odette was toen een jaar of zeven. Als een meisje een nacht doorbrengt in zo'n bak, wordt ze wakker als jongen, luidt de Rwandese mythe. Odette Nyiramili mo is niet het enige meisje in Rwanda dat uitprobeerde of het werkte. Van menige vrouw kreeg ik er te horen dat ze in hun jeugd een poging hadden gewaagd. Veel haalde het tot hun teleurstelling niet uit: je slaapt beroerd in zo'n ding en wordt evengoed wakker als meisje.

De mythe over de vijzel is het eerste wat Madame Odette me vertelt. Koud een halve dag in Rwanda heb ik een afspraak met deze senator, de grande dame van de Rwandese politiek. Ik ben maanden bezig geweest met de voorbereiding van deze reis en wisselde met Odette al menige e-mail, uitgesproken vriendelijk van toon. Ik was van harte welkom om in haar land te komen aanschouwen hoe goed de vrouwen het doen. Ook andere politieke dames reageerden opgetogen op mijn elektronische post.

De aanleiding om naar Rwanda te gaan was dan ook bij uitstek positief. Op een druilerige woensdagmorgen las ik aan mijn ontbijttafel in de krant een berichtje van nog geen zes regels. 'Rwandees parlement telt meeste vrouwen,' stond erboven, of iets van die strekking. Het Centraal-Afrikaanse land prijkte boven aan de Wereldkaart van Vrouwen in de Politiek, samengesteld door de VN. Vrouwen vormen er bijna de helft van het parlement. Het stukje memoreerde ook nog dat Rwanda daarmee de Scandinavische kampioenlanden emancipatie achter zich laat, en ook Nederland en de Verenigde Staten. Ik was terstond gefascineerd. Hoe is het mogelijk dat een land waar ze elkaar een klein decennium geleden nog massaal uitmoordden, ineens zo'n voorloper lijkt op emancipatiegebied? Dat wilde ik van dichtbij bekijken, besloot ik ter plekke, en ik boekte een ticket naar Kigali.

Een paar maanden later sta ik in de Rwandese hoofdstad. De reacties vanuit Rwanda op mijn plan waren zo positief dat ik een warme ontvangst verwacht, maar gaandeweg zal ik merken dat het Rwandese enthousiasme snel verdwijnt als je kritische vragen stelt. Zolang je alles bejubelt wat de Rwandese regering doet, vinden ze je een toffe peer. Maar o wee als je kanttekeningen plaatst. Dan verdwijnt de glimlach en maakt plaats voor een ijzige 'waar bemoei je je in godsnaam mee en waar waren jullie eigenlijk tijdens de genocide'-blik. Een blik die me tijdens mijn verblijf in het land steeds vaker ten deel zal vallen.

Die eerste middag is er geen vuiltje aan de lucht. Madame Odette weet hoe ze met journalisten om moet gaan en vertelt meeslepend over haar bewogen leven. Odette is in de vijftig, was tot 2003 staatssecretaris van Sociale Zaken en is sinds die tijd senator. Dat ze het als meisje zo ver zou schoppen, lag tijdens haar jeugd op het platteland niet voor de hand. Alleen door eigenwijsheid en een flinke dosis geluk kon ze verder studeren, als enige vrouw in haar familie, zegt ze. 'De mannen zaten bij ons op de stoelen, de vrouwen op de matten op de grond. Al vroeg kregen de jongens bananenbier, wij mochten blij zijn met water.'

De Rwandese werd in 1956 geboren in de heuvels van Gisenyi, vlak bij de Congolese grens. De datum weet ze niet precies: tijdens de sorgo-oogst, toen de koeien al 's nachts op het veld konden blijven en de regentijd net voorbij was, dat is wat haar moeder zich herinnert. Zeven dochters en een zoon had ze. 'Voor hem moesten we rennen,' zegt Odette. 'De jongen is de baas, de meisjes zijn zijn knecht. Mijn broertje zei op zijn veertiende: als ik God ooit tegenkom, trakteer ik hem op een biertje omdat ik als jongen geboren ben.' Al te onstuimige spelletjes, zoals op bananenbladeren de heuvels afroetsjen, hoorde ze als meisje eigenlijk niet te doen. 'Ik was een beetje een wilde,' grinnikt ze.

Odettes familie behoort tot de Tutsi-minderheid. Onder de Belgen had deze bevolkingsgroep een streepje voor, omdat de koloniale regering de Tutsi's zag als natuurlijke leiders. Na de onafhankelijkheid in 1962 maakten de Hutu's – 84 procent van de bevolking – korte metten met die overheersing. Tutsi's werden tweederangsburgers. Dat veroorzaakte met zekere regelmaat moordpartijen onder Tutsi's. Al ver voor de genocide in 1994 pakten velen van hen hun biezen en emigreerden naar bijvoorbeeld Oeganda.

Zo niet de familie van Odette, die ondanks alle bedreigingen en geweld in Gisenyi bleef. Toen ze drie was, ontkwam ze met haar familie ternauwernood aan de mannen die met machetes de heuvel afkwamen om de Tutsi's een kopje kleiner te maken. Verschillende familieleden vonden de dood, hun huis werd verwoest en alle koeien meegenomen. Vanaf haar jeugd maakte discriminatie onderdeel uit van haar leven. Hoewel ze op de middelbare school meestal de beste van haar klas was, werd ze van school verwijderd omdat ze Tutsi was. In 1973 bleef ze noodgedwongen een jaar lang thuis toen het voor Tutsi's te onveilig was om zich naar buiten te wagen. 'Meisje te zijn maakte het nog erger, want meisjes werden verkracht. De mensen wisten dat er bij ons thuis veel dochters waren, dus wij moesten ons verstoppen.' Dat Odette ondanks alle tegenwerking uiteindelijk arts werd en een carrière opbouwde als ontwikkelingswerker, zegt wel iets over haar vastberadenheid.

De genocide in 1994 was voor Tutsi's zoals Odette en haar familie de overtreffende trap van het geweld dat ze sinds decennia moesten ondergaan. Als op 6 april van dat jaar het vliegtuig neerstort met daarin de presidenten van Rwanda en buurland Burundi, is het voor de meeste Tutsi's zonneklaar dat zij de schuld zullen krijgen. De Interahamwe, de extremistische Hutu-milities die het op Tutsi's hebben gemunt, hebben op zoiets zitten wachten. Het is het startsein van een moordpartij zonder weerga: in honderd dagen worden achthonderdduizend Tutsi's en gematigde Hutu's vermoord.

Odette en haar gezin weten aan de machetes te ontkomen. Ze vluchten Hôtel Des Mille Collines in, het door de film *Hotel Rwanda* zo bekende toevluchtsoord voor honderden Tutsi's in die bloedige periode. In juli maakt het Front Patriotique Rwandais (FPR), een leger van Tutsi's die eerder Rwanda ontvluchtten, een eind aan de slachtpartijen. Odette Nyiramilimo treedt aan als staatssecretaris onder het nieuwe bewind.

Volgens 'Madame Odette', zoals de Rwandezen haar respectvol noemen, heeft de sterke vertegenwoordiging van vrouwen in het parlement vandaag de dag alles te maken met de gevolgen van de genocide in 1994. Daarna waren vrouwen in het volkomen getraumatiseerde land immers veruit in de meerderheid. Veel mannen waren vermoord, of ze hadden zelf de machete gehanteerd en vluchtten naar het buitenland toen de FPR de orde herstelde. 'Weduwen had je overal. Ze kwamen bij elkaar over de vloer en herkenden zich in elkaars lot.'

Toen Kigali was bevrijd, waren het de vrouwen die tekenden voor de wederopbouw, zegt ze. 'Weduwen herbouwden eigenhandig hun huizen, een karwei dat voorheen ondenkbaar was voor vrouwen. Ze vingen de wezen op en verenigden zich informeel om voedsel te verbouwen. Vrouwen kwamen erachter dat ze alles heel goed zelf konden. Dan laat je je niet meer opzijschuiven.'

Bovendien heeft de FPR, de partij die Rwanda sinds die tijd in een stevige greep houdt, het goed voor met vrouwen, meent de politica. In de Rwandese grondwet staat sinds 2003 dat vrouwen recht hebben op minstens dertig procent van de leidinggevende functies. Het is een formulering die wel meer ontwikkelingslanden in hun nieuwe constitutie opnamen, maar vaak komt het niet verder dan die mooie woorden, veelal bedoeld om de donorlanden te behagen. Zo niet in Rwanda. Odette wijst naar het portret van president Paul Kagame die in haar werkkamer in het senaatsgebouw over haar schouder kijkt. 'De partij heeft vrouwen altijd gepromoot. Vrouwen maakten ook deel uit van het FPR-leger en vanaf het begin zaten er vrouwen in de nieuwe regering. Met bewustwordingscampagnes doordringen we de Rwandese vrouwen ervan dat ze moeten deelnemen aan het bestuur, op alle niveaus.'

Odette gaf haar werk als arts op om de politiek in te gaan. De politica en haar echtgenoot, eigenaar van een privékliniek in Kigali, zijn inmiddels bekende gezichten in de Rwandese high society. Hun foto's verschijnen met regelmaat in de krant als beroemde gasten op een of andere officiële gelegenheid in een van de hoofdstedelijke luxehotels. Ze vallen onder de weinige *rechappés* binnen de politieke elite, Tutsi's die in het land waren tijdens de genocide maar eraan wisten te ontkomen. De meeste Rwandese machthebbers van nu zijn Tutsi's die jarenlang in ballingschap zaten in Oeganda en met het FPR het land in marcheerden om een einde te maken aan het moorden. Zij zijn het Engels vaak beter machtig dan het Frans. Een gevolg daarvan is dat Rwanda in hoog tempo aan het verengelsen is: het overkwam me meer dan eens dat een ambtenaar na wat gestuntel in middelbareschool-Frans met een zucht van opluchting inging op mijn voorstel op Engels over te schakelen.

Als ik uiteindelijk buiten het Senaatsgebouw sta, is het al donker in Kigali. In de meeste Afrikaanse steden is het dan een slecht idee om in je eentje over straat te gaan, maar hier is dat anders.

Kigali is een stad zoals ik die in Afrika nog niet eerder zag. Er zijn op sommigen plekken trottoirs langs de weg waar voetgangers zich veilig weten, de plantsoenen zijn netjes aangeharkt en er staan prullenbakken langs de straat die ook nog eens worden gebruikt. Ik zag er zelfs strepen op het wegdek om de twee weghelften van elkaar te scheiden – een unicum in dit deel van de wereld, waar men vaak al blij is als er überhaupt een verharde weg is.

Als het even kan, begeef ik mij dan ook te voet naar mijn logeeradres, dankbaar gebruik makend van de vele binnendoorweggetjes die de tocht verkorten. Net als in Mozambique logeer ik ook nu weer zo veel mogelijk bij vrienden van vrienden. Niet alleen bij gebrek aan budget, maar ook omdat ik een hekel heb aan hotels. Bovendien voel ik me bij mensen thuis veel meer verbonden met het land dan in een onpersoonlijke, lege hotelkamer waarvan er dertien in een dozijn gaan.

De huisjes van de Rwandezen liggen dicht bij elkaar kwistig uitgestrooid op iedere heuvel. De vele paadjes ertussen vormen een ingewikkeld patroon bergop- en bergafwaarts waar druk voetgangersverkeer heerst. Rwandezen kunnen klimmen als klipgeiten, maar voor mij is het bestijgen en afdalen van deze weggetjes een riskante onderneming. De droge bladeren op de grond veroorzaken slippartijen op de steile hellingen, zelfs met Palladiums aan mijn voeten. Af en toe komen voorbijgangers bezorgd informeren of het wel gaat – *Mwiriwe?* – en of ik soms verdwaald ben. Uiteindelijk raak ik er ook behendig in, door de kunst af te kijken van de jongetjes die de afdaling nemen. Niet voorzichtig je voeten neerzetten, maar juist in volle vaart naar beneden hollen, dat is de beste strategie. Zo krijgen je zolen geen tijd om weg te glijden en ben je in een wip op de plaats van bestemming.

Op de kronkelpaadjes leer ik ook de Rwandese begroetingenreeks, waarmee je vijf minuten kunt vullen zonder dat de ander doorheeft dat je het Kinyarwanda niet spreekt. Het is een opeenvolging van standaardformuleringen die eenieder afwerkt alvorens tot het verdere gesprek over te gaan:

'Hoe gaat het?'

'Goed.'

'Nog nieuws?'

'Geen nieuws.'

'Alles goed?'

'Alles goed.'

En zo verder. Ik krijg er lol in de tegemoetkomer op die manier aan de praat te houden, totdat die natuurlijk in een waterval van Rwandees eindigt en ik moet bekennen dat mijn woordenschat is uitgeput. Maar dan is het ijs gebroken en de volgende keer als ik zo iemand tijdens een beklimming tegenkom, begint het hele verhaal met een grote grijns opnieuw.

Kigali is een intens gelovige stad. Overal in Afrika wemelt het van de kerken, maar Rwanda spant de kroon. Iedere ochtend vanaf vijf uur wekken devote zangstemmen en trommels uit verschillende christelijke godshuizen mij vroegtijdig uit mijn slaap. Het lijkt wel alsof alle Rwandezen na de genocide hun toevlucht zoeken bij God. Soms lastig te begrijpen voor wie de kwalijke rol van verschillende nonnen en priesters tijdens de genocide kent – godsdienaars die in sommige gevallen zelf de kerkdeuren openden om de Interahamwe los te laten op de Tutsi's die in de kerk hun toevlucht zochten. Ik belandde in Kigali verschillende keren in gebedsgroepen in iemands huiskamer, waar buurtgenoten elkaar buiten de eucharistie nog eens treffen om te bidden. Eindeloze sessies van handen vasthouden en vrome wensen uitspreken. Zoals de Darfuri hun houvast zoeken in de islam, zoeken de Rwandezen het in het christendom.

Zij die de volkerenmoord van dichtbij aanschouwden, torsen levensgrote trauma's met zich mee. Het wantrouwen tussen Hutu's en Tutsi's is enorm. Bespreekbaar is dat niet. Onder het motto 'we zijn allemaal Rwandezen' heeft het regime dit onderwerp taboe verklaard. Die tactiek van de doofpot en het trauma van de genocide zijn misschien een verklaring voor de bedrukte sfeer die bijna tastbaar is op straat en die me in Rwanda voortdurend een onaangenaam gevoel bezorgt. De Rwandezen zijn een volk in een immense depressie.

Het helpt ook niet dat het Tutsi-regime zich heeft ontpopt tot een dictatuur met een dun laagje glazuur: Rwanda is nog het best te typeren als de Midden-Afrikaanse versie van Oost-Duitsland voor de val van de muur. Zeker Hutu's kunnen beter hun tong eraf bijten dan kritiek leveren op het beleid. Een beschuldiging *génocidaire* te zijn heb je zo te pakken. Amnesty International meldt ieder jaar verdwijningen van critici van het regime en politieke tegenstanders komen regelmatig in de gevangenis terecht. Alles in het land is gepolitiseerd, de controlefreaks van de FPR willen overal een vinger in de pap.

Of ik wil of niet, de angst en het wantrouwen krijgen ook mij te pakken. Dat overkomt me op mijn tweede dag in Kigali, in een *cabaret* in een buitenwijk langs de kant van de weg. Cabaret is de naam voor een café waar je behalve voor een biertje ook voor een simpele maaltijd terechtkunt – veelal vlees op een stokje. Het zijn uitspanningen half in de openlucht, met een grote aantrekkingskracht op met name het mannelijke deel van de bevolking. Op een heiige namiddag drink ik in zo'n kroegje een Primus-bier met een Nederlands stel dat in Rwanda ontwikkelingswerk doet. We spreken Nederlands en zijn omringd door Rwandezen die geen snars van onze conversatie begrijpen.

De twee wonen sinds een halfjaar in de hoofdstad. Het is hun eerste ervaring met Afrika en ze vertellen openhartig over de soms hilarische problemen waarvoor ze komen te staan. Dan krijgen we het over de genocide. De woorden Hutu en Tutsi vallen veelvuldig. Na een paar minuten valt me op dat het doodstil is geworden op het terras onder het zinken dak. Ik voel de blikken van de andere cafégangers in mijn rug prikken.

Mijn twee landgenoten verklaren de omgeslagen sfeer: ik heb veel te hard gepraat en de verboden woorden gebruikt. Etniciteit hoort geen onderwerp te zijn in Rwanda, wie er wel over spreekt roept argwaan over zich af. Door schade en schande wijs geworden bezigen zij de termen Hutu en Tutsi niet meer in het openbaar. Mijn Nederlandse kennissen hebben er een speciale geheimtaal voor afgesproken: in plaats van de groepen bij hun naam te noemen, hebben ze het over 'de kleinen' en 'de groten'. Zo kunnen ze de taboeonderwerpen aansnijden in openbare gelegenheden zonder dat eventuele toehoorders er aanstoot aan nemen. Met die afspraak zetten we ons gesprek voort, maar ik voel me niet meer prettig in de drukbezochte cabaret. Wie luisteren er hier eigenlijk allemaal mee, en waarom?

Als journalist je werk doen in Rwanda is niet makkelijk. Nog nooit trof ik zulke gesloten mensen, nog nooit ben ik zo glashard in mijn gezicht voorgelogen als in Rwanda. Ze zitten er niet te wachten op de zoveelste journalist die in hun gruwelijke ervaringen komt wroeten. Ook is het gevaarlijk zomaar te zeggen wat je denkt. Alleen omdat ik via de vrienden waar ik logeer mensen leer kennen, kan ik tot ze doordringen. Eenmaal binnengeloodst in iemands huiskamer komen ze een beetje los. Maar ook dan is het gesprek gelardeerd met smeekbedes aan mijn adres, om wat ik opschrijf vooral te anonimiseren.

Zo zit ik een middag lang op de blauwe pluchen bank bij een veertigjarige weduwe die ik Chantal zal noemen. Ik ga naar haar toe omdat ik op zoek ben naar souvenirs voor thuis. Chantal is naaister en haar pannenlappen, jurkjes en hoeden zijn gewild in de wijk. Bij nadere inspectie blijken haar creaties van een dusdanige tuttigheid dat ik niet weet wie van mijn familie ik er blij mee zou kunnen maken, dus ik koop een zonnehoed met doorgestikte, flappende randen – op de Rwandese heuvels zit je verraderlijk dicht bij de zon en heb je zelfs op een bewolkte dag zó een verbrande kop – en laat het daarbij.

Chantal is echter blij met mijn gezelschap en ik blijf tot ver na zonsondergang hangen. De Tutsi-vrouw leeft nogal geïsoleerd, zegt ze. 'Er komen niet veel mensen over de vloer. Vrouwen hebben het vaak te druk en als een man een weduwe bezoekt, komt er geroddel van. Of zijn echtgenote wordt jaloers. De meeste steun heb ik nog aan de andere weduwen van de genocide.'

Chantals gezin vluchtte begin jaren negentig vanaf het platteland de stad in, in de hoop daar anoniemer te kunnen leven. 'Op de *campagne* was het sinds het begin van de jaren negentig verschrikkelijk. Pesterijen, bedreigingen. Iedereen in het dorp wist precies wie Tutsi was, en wij hadden het zwaar te verduren.' De hoop dat in Kigali de overlevingskans groter zou zijn, vervloog op 6 april 1994. Toen bleek dat maanden daarvoor al gedetailleerde lijsten waren opgesteld met daarop per wijk de adressen van Tutsi-families. De systematische uitroeiing was zorgvuldig gepland: 'Ze gingen van huis tot huis om de Tutsi's te vermoorden. Als je thuisbleef, was je ten dode opgeschreven.'

Chantal vluchtte met haar gezin een weeshuis in, in de hoop dat het grote aantal Tutsi's dat zich daar had verzameld enigszins bescherming zou bieden tegen de moordpartijen.

Pas na anderhalve week durfden ze weer de straat op. Ze wilde met haar man en kinderen naar Butare, de universiteitsstad in het zuiden waar het geweld nog niet was losgebarsten. Van de tocht door Kigali die volgde, heeft ze nu nog nachtmerries. 'Om de vijf meter was er een wegversperring, bewaakt door dronken Hutu-jongeren die iedereen om identiteitspapieren vroegen. Steeds dacht ik dat dit het einde zou zijn.' Onderweg bij een van die barricades werd Chantals echtgenoot aangehouden. Hij was vooruitgelopen om te checken of het veilig was, en werd voor haar ogen neergehakt met machetes. 'Hij kreeg niet eens de tijd om zijn papieren te laten zien, ze sloegen meteen op hem in.' Zijn vrouw en kinderen wisten zichzelf in veiligheid te brengen door zich om te draaien en niet meer achterom te kijken.

Haar schoonfamilie lijkt het haar kwalijk te nemen dat zij de volkerenmoord overleefde en haar echtgenoot niet. 'Jij vindt wel een andere man, maar ik ben mijn zoon kwijt,' zei haar schoonmoeder. Haar zwagers gooiden Chantal en haar kinderen van het stukje land waar hun huis op had gestaan. Nu haar eega niet meer leefde, verviel dat eigendom aan zijn broers. Zijn weduwe mocht het zelf verder uitzoeken. 'Toen besloot ik mijn eigen huis te gaan bouwen om aan niemand verantwoording af te hoeven leggen. Met spaargeld dat we opzij hadden gelegd, ver weg van mijn schoonfamilie.'

Een hoge muur omheint het lapje grond waar ze haar bakstenen huis neerzette. Chantal wil nieuwsgierigen buiten de deur houden. Met haar twee kinderen rooit ze het prima. 'Een nieuwe man heb ik niet nodig. Die zou enkel van mijn huis houden en niet van mij.'

Ze voorziet in haar onderhoud met haar naaiwerk. Het vak heeft ze geleerd bij een vrouwencoöperatie, na de genocide opgericht door vrouwen om elkaar te helpen rond te komen. 'We begonnen met couture, kochten samen stoffen op de markt en leenden elkaars naaimachines. Dankzij die vrouwengroep zijn we de eerste jaren doorgekomen.' Inmiddels heeft ze weinig meer met de organisatie te maken. 'Alles is er politiek geworden.' Wie zich niet achter de FPR schaart, kan volgens de naaister onmogelijk nog een actieve rol spelen in de organisatie.

FPR-leden hebben in de ogen van de weduwe toch al een streepje voor in hedendaags Rwanda. 'Sommige slachtoffers zijn meer slachtoffer dan andere,' zegt Chantal. 'Niet alle rechappés hebben dezelfde rechten. Je moet een hoge kruiwagen hebben, wil je kunnen profiteren van de hulpprogramma's.' Ze herhaalt een gezegde dat ik in Rwanda menigmaal zal horen, maar enkel binnenskamers en op fluistertoon: 'Het enige verschil met vroeger is dat het nieuwe regime eet met een vork in plaats van een lepel.' Tussen de tanden van een vork vallen weliswaar meer kruimels door, maar de machthebbers souperen nog steeds een groot deel van het beschikbare geld zelf op, menen veel Rwandezen.

Chantals enige zorg is dat haar kinderen goed terechtkomen. En daarmee bedoelt ze: zo snel mogelijk naar het buitenland. Ze zorgt ervoor dat ze kunnen studeren opdat ze een baan vinden over de grenzen. Bij het afscheid legt ze nog een keer uit waarom. De weduwe heeft niet veel hoop voor haar land. Haar laatste woorden blijven door mijn hoofd spoken: 'Le Rwanda est pourri,' Rwanda is verrot.

Na een paar dagen krijg ik genoeg van de comfortabele hoofdstad waar de Tutsi-elite zich in fourwheeldrives verplaatst van conferentie naar vergadering. In Kacyiru, de wijk van ambassades en overheidsgebouwen die altijd voorrang heeft bij de elektriciteitsvoorziening, spreken politici mooie woorden over de rol van de vrouw in de maatschappij. Wat merkt de gemiddelde Rwandese vrouw op het platteland hiervan? Ik wil het met eigen ogen zien en besluit naar Gisenyi te gaan, de geboortestreek van Madame Odette. Haar geboortegrond ligt op nog geen honderd kilometer van Kigali in het noorden van Rwanda.

Vestine woont er in een vallei onder de bananenbomen, vlak bij de Congolese grens. Ze is zevenentwintig jaar en al elf jaar getrouwd met Vincent. Huwelijken worden hier veelal gesloten via een onderhandelaar, een intermediair die de partijen koppelt. In dit geval was het de tante van Vincent die bij Vestine in het dorp woonde. De vrouw kwam naar haar ouders toen hun dochter net zestien was, met de vraag of zij de vrouw wilde worden van haar neef. Hij was weliswaar zeventien jaar ouder dan het meisje, maar nog ongetrouwd. Een eervol aanbod: iemands eerste echtgenote te zijn is het beste dat een jonge vrouw kan overkomen. Vestines ouders waren verheugd dat hun dochter zo vroeg en zo waardig het huis uitging en stemden toe.

Na een maand ontdekte Vestine dat de tante van haar nieuwe

echtgenoot had gelogen. Vincent was al getrouwd, maar zijn eerste vrouw zat sinds de genocide in de gevangenis. Vestine huilde een hele dag: 'Ik was al zwanger en kon niet terug naar mijn ouders, die schande was te groot. Dus nu zit ik aan hem vast.'

Polygamie bood Rwandese vrouwen ooit het voordeel dat ze er bij het werk niet alleen voor stonden. Alle klussen op de akkers en in het huishouden waren simpelweg te veel in je eentje. Maar nu het land steeds dichter bevolkt raakt en de lapjes grond kleiner en kleiner worden, is dit voordeel weggevallen. De familiegrond brengt niet genoeg op om meerdere gezinnen mee te voeden en de echtgenoot die voor zijn families zou moeten zorgen, beperkt zich noodgedwongen vaak tot één huishouden. Evengoed blijft polygamie populair.

Ik trek een hele dag op met Vestine, maar Vincent zal ik niet te zien krijgen. Die heeft onlangs een derde vrouw genomen en komt nog maar één keer in de week langs. 'Soms brengt hij geld mee,' zegt ze, 'maar meestal komt hij alleen maar om met me te vrijen.'

Net als 65 procent van de Rwandese vrouwen moet Vestine rondkomen van nog geen dollar per dag. Ze sjouwt vanaf zonsopgang balen rottende bananenbladeren de berg op die dienen als veevoer. Ik loop met haar mee het dorp uit, de bananenplantages door, waar een zoete rottingslucht hangt en grote wolken fruitvliegjes zoemen. Ze wacht op me op de heuveltop, die zij op haar dunne slippers met een peuter op haar rug drie keer zo snel beklimt als ik. De zanderige helling glanst alsof er miljoenen briljantjes zijn uitgestrooid: de schittering van de mica-mineralen die zich hier in grote hoeveelheden in de grond bevinden.

Boven op de heuvel, in een gigantische uitgesleten kuil, ligt de lege veekraal. De koeien zijn op het veld. Nadat Vestine haar stinkende vracht in de voedertrog heeft gedumpt, verzamelt ze de verse koeienvlaaien om de bananenplantage mee te bemesten. De eigenaar van de plantage betaalt haar voor dit werk driehonderd Rwandese francs per dag, 45 eurocent. Een man krijgt voor dezelfde arbeid vierhonderd franc.

Om een uur of een houdt ze pauze en gaat ze naar huis om haar kinderen te eten te geven. Als dat er tenminste is. Soms eet ze zelf niet, zoals gisteren, de vorige week en de week daarvoor een paar dagen, opdat haar kinderen meer hebben. Over de vloer van haar woning scharrelen zwart-witte cavia's, die ze fokt om haar kinderen eens in de week een eiwitrijke maaltijd voor te kunnen zetten, maar genoeg is het nooit. De krulletjes van haar drie overgebleven kinderen, twee jongetjes van zes en drie jaar en een meisje van anderhalf, hebben de gebleekte oranje kleur die wijst op ondervoeding. Haar eerste kind overleed twee jaar geleden aan 'een ziekte'. Wat voor ziekte weet ze niet precies, er was geen geld om naar het ziekenhuis te gaan. Goed mogelijk dat het iets was dat een gezond westers kind moeiteloos zou overleven.

Omdat ze geen eigen lapje grond heeft om gewassen op te verbouwen en geen eigen huis, behoort Vestine tot de allerarmsten. Alles moet ze kopen, en het geld daarvoor is niet snel verdiend. Een plastic zakje palmolie, een lepel zout, een handvol kleine visjes en vier aardappels, dan is het verdiende dagloon op. En dan heeft ze nog niet eens de huur betaald, rekent ze voor. We zitten op de rotsachtige bodem van het vervallen stenen hok dat ze huurt van een buurfamilie. Een stapel rotsblokken in een hoek waar de kinderen op zitten, vormt de enige inrichting in de kamer zonder ramen. De ruimte erachter dient als keuken en slaapkamer. Het bed voor haar en haar drie kinderen is een hoop stro met versleten jute eroverheen.

Met een bot mes schilt Vestine de zanderige aardappels. Als ze klaar is, vraagt ze of ik even op de kinderen wil passen, ze is zo terug. Ze heeft vuur nodig om te koken. Om lucifers uit te sparen delen de dorpelingen hun vlammen. Degene die die dag het eerst zijn vuur aansteekt, kan veel bezoekers verwachten die met een bos strootjes een vlammetje voor de keuken komen halen.

Terwijl Vestine vuur haalt, zit ik met drie vuile peuters om me heen op de grond. Ik probeer ze aan het lachen te krijgen, trek gekke bekken en doe de kwiepende cavia's na, maar de kinderen vertrekken geen spier. Ik realiseer me dat ik ze de hele dag nog niet zag spelen of kattekwaad uithalen. Hun blikken zijn gericht op de geschilde aardappels in de vuile oranje teil. Het middagmaal in voorbereiding is hun eerste en enige voedsel van de dag.

Als het eten tot de laatste kruimel op is, praat ik met Vestine over het politieke streven van meer vrouwen aan de macht. Ze haalt haar schouders op over de campagnes die vrouwen aanzetten tot politieke participatie. Ze heeft andere zaken aan haar hoofd. De zevenentwintigjarige moeder vindt het belangrijker dat ze haar drie kinderen kan voeden. 'Ik weet dat vrouwen ook rechten hebben en dat we de politiek in moeten. Maar ik heb daar geen tijd voor. Wie moet er dan voor de kinderen zorgen?' vraagt ze zich af.

En al zou ze de tijd wel hebben, ze komt niet eens in aanmerking voor bestuursfuncties. Ze is analfabeet, zoals een op de drie Rwandese vrouwen. Zelfs om *nyumbakumi* te kunnen worden, de laagste bestuursfunctie als onbetaald hoofd van een cel van tien huizen, moet je kunnen lezen en schrijven: 'Wanneer moet ik dat nou leren? Er zijn veel meer mannen die dat kunnen.'

Toch zijn er in Rwanda wel degelijk vrouwen die het voor elkaar boksen. Al in Kigali hoorde ik over Sada Nikuze, de jonge vrouwelijke burgemeester van Nyamnyumba, een district van 63.000 zielen. Niet ver van de vallei waar Vestine leeft in perspectiefloze armoede, ligt het gemeentehuis van Nyamnyumba, op een van de hoogste heuvels die uitkijkt over het zilveren Kivumeer. Als ik er aankom wemelt het van de mensen. De jonge vrouw die op me af komt stappen, een slanke Rwandese die met haar hoge zwarte laarzen, grote gouden oorringen en witte blouse met puntkraag, zou zo weggelopen kunnen zijn uit de Rotterdamse koopgoot. Sada is tweeëndertig, hoog opgeleid en geboren in Gisenyi. Toen de vorige burgemeester aftrad omdat hij betrapt was met zijn vingers in de kas, kwamen de mensen naar haar toe. Sada werkte op dat moment als bankemployee. Een vrouw die gewend is met geld om te gaan zal het district bestieren als een huishouden, zeiden ze tegen haar.

Ze twijfelde aanvankelijk. Haar ouders vonden het niets. Haar moeder was bang dat ze geen echtgenoot meer zou vinden als ze zich in de politiek zou storten – de tweeëndertigjarige is nog ongetrouwd. Sada: 'Rwandese mannen zitten niet te wachten op een vrouw met macht. Dat is volkomen nieuw voor ze.'

Ook vrouwen moesten wennen aan een seksegenote als burgemeester. In de hele provincie is ze de enige vrouw in het ambt. 'Aanvankelijk wantrouwden sommigen me omdat ik vrouw ben,' vertelt ze, 'maar nu spreken ze me zelfs aan in het café en kloppen ze midden in de nacht aan bij mij thuis.' We treffen elkaar in haar kantoor, waar de deur bijna altijd openstaat. Het gesprek wordt dan ook om de haverklap onderbroken door een klop op de deurpost. Een vrouw uit een naburig dorp die komt vertellen dat haar man haar het huis uit smeet, ouders die hopen dat de burgemeester het schoolgeld voor hun kinderen kan betalen, een burenruzie die moet worden opgelost. Sada glimlacht verontschuldigend na elke onderbreking. Ze wil oog hebben voor de noden van de bevolking. 'Ze komen met de gekste dingen naar me toe. Maar ik wil ze niet meteen wegsturen. Ook al kun je ze niet helpen, het is belangrijk naar ze te luisteren.'

Ik vertel Sada van mijn dag met Vestine en de jonge burgemeester knikt herkennend. Het grootste probleem voor vrouwen vindt ze de veelwijverij. De Rwandese politiek heeft de strijd aangebonden met het verschijnsel, voor de wet bestaat enkel het eerstgesloten huwelijk. Ik trek mijn wenkbrauwen op: maakt dat het leven voor die andere echtgenotes die al vastzitten aan hun polygame echtgenoot niet nog veel zwaarder? 'Je moet ergens een grens trekken,' reageert ze. De Rwandezen geloven niet in pragmatisme. Het is al lastig genoeg zo'n wet in praktijk te brengen, zeker hier in Gisenyi: 'Generaties lang was polygamie heel gewoon. Mensen waren rijk en het leven was goed. Er was zoveel land te bewerken, dat werk kon goed verdeeld worden onder meerdere echtgenotes en de oogst was overvloedig. Nu is dat niet meer zo en accepteert de wet polygamie niet meer. Maar dat is heel lastig af te dwingen.'

Een mentaliteitskwestie, aldus de bestuurder: 'Weduwen denken dat een man een uitweg biedt uit de zorgen, ook al is het tevens de man van een ander. Als je getrouwd bent, hebben ze respect voor je.' De tradities bepalen het leven, zeker op het platteland. Nieuwe wetgeving verandert daar weinig aan. Zo is het ook moeilijk om het nieuwe Rwandese erfrecht te verwezenlijken op het platteland. Het was een grote overwinning voor de vrouwenorganisaties toen de wet in het voordeel van vrouwen werd gewijzigd: voortaan mochten zij ook land bezitten en erven. Maar in de praktijk is het nog steeds de man – broer, zoon, oom – die de akkers inpikt. Het is een probleem waar vrouwen in veel arme landen mee kampen. 'Als een vrouw de wet niet kent, is ze nergens. Ver van de stad handelen de bewoners automatisch naar de oude cultuur, daar horen wij niet eens van,' verzucht Sada.

De oplossing zoekt ze in *sensibilisation*, bewustwording. Het is een woord dat ik heel vaak zal horen, een begrip dat in Rwanda haast een bezwering is geworden. Het enige wat je hoeft te doen om verandering te bereiken, is de burgers ervan doordringen dat iets goed voor hen is. *Il faut sensibiliser les femmes, les hommes, la population*, het staat tientallen keren opgetekend uit evenzovele politieke monden in mijn aantekeningen. Vrouwen, mannen, de bevolking, je moet ze bewustmaken van ontelbare zaken: dat vrouwen net zoveel waard zijn als mannen, dat rotzooi niet op de grond maar in de prullenbak hoort, dat ook vrouwen zich kandidaat moeten stellen voor bestuursfuncties, dat je beter bloembollen kunt telen dan bananen...

Ook Sada schermt ermee, maar ze luistert wel serieus als ik tegenwerp dat ik nog nooit burgers hun gedrag heb zien veranderen omdat de overheid zei dat het goed voor hen was. Zeker als de levensomstandigheden hetzelfde blijven, is er toch helemaal geen mogelijkheid om te veranderen? De meeste keuzes die mensen maken, maken zij immers noodgedwongen en uit armoede. 'Natuurlijk moeten we structureel iets aan de armoede doen. Krediet verschaffen aan weduwen zodat ze zichzelf kunnen bedruipen, grootscheepse alfabetiseringscampagnes, daar zie ik veel in. Maar ook een mentaliteitsverandering gaat niet vanzelf. Daar moet de politiek vaart achter zetten.'

Het uur dat de burgemeester voor me had uitgetrokken is voorbij, maar we zijn nog lang niet uitgepraat. We spreken af samen te gaan eten op mijn laatste avond in Gisenyi en nemen afscheid. Als ik haar kamer uitloop, staat er een lange rij dorpelingen te wachten op een onderhoud met de burgemeester. Ik wandel de heuvel af en knoop een praatje aan met de vrouwen die stangen suikerriet verkopen langs de weg. In het gras ligt hun zoete koopwaar opgestapeld, dat vooral kinderen opknabbelen als snoepgoed. Ik vraag hun wat ze denken van hun burgemeester. De suikerrietverkoopsters zijn vol lof over Sada. Ze zien haar elke dag lopen en ze kunnen altijd bij haar terecht. Dat was bij haar voorganger, een man die zich opsloot in zijn werkkamer, wel anders. Die zagen ze nooit en gewone burgers ontving hij zelden, zeggen de vrouwen langs de weg.

Sada glundert als ik haar hier een paar dagen later over vertel. We eten met onze handen een geroosterde vis in een restaurant dat uitkijkt over het meer. Een paar vrienden van Sada zijn ook meegekomen. In de verte aan de overkant ligt Congo, iets dichterbij steekt een immense rots uit het water. Het uitzicht is sprookjesachtig, totdat het begint te stortregenen. De lucht lijkt ineens vloeibaar en het zicht is nog maar een paar meter. Het water klettert zo hard op het golfplaten dak dat we moeten schreeuwen om ons verstaanbaar te maken.

Die ochtend nog lag ik in het heldere water van het Kivumeer. Her en der ontsnapten belletjes uit de zandbodem door de vulkanische activiteiten: Goma en zijn Nyiragongovulkaan liggen hier vlakbij, pal achter de Congolese grens. Ik zwom langs een groep uitgelaten jongeren die er angstvallig op letten dat ze niet dieper gingen dan borsthoogte. Hun luidruchtigheid viel me op, dat ben ik van de Rwandese jeugd niet gewend. Terug van mijn baantjestrekken klampte een van de meiden me aan. Of ik haar dat niet kon leren, zwemmen. Ik schoot in de lach en zei dat het mij ook wel iets langer had gekost dan een halfuurtje, maar ze haalde me over en al gauw stond ik een tiental jongens en meiden arm- en beenbewegingen voor te doen. Ze bleken van de andere kant van de grensslagboom te komen: het waren Congolezen. Aan de Congolese zijde van het meer ontsnappen de bodemgassen soms in zulke hoeveelheden dat je er bedwelmd van kunt raken. Vandaar dat ze voor een zwempartij liever de Rwandese kant opzoeken. Een kwartier lang poogde ik het gezelschap iets bij te brengen, met enkel hilariteit als resultaat. Dat ze nog maar veel moeten oefenen, drukte ik hen op het hart toen ik het meer uit ging en mijn handdoek opzocht.

Die avond zeg ik tegen een van de Rwandese disgenoten hoezeer me het verschil opviel tussen de luidruchtige Congolezen en zijn eigen ingetogen landgenoten. Met enige terughoudendheid formuleer ik dit, ik wil niet iedereen over één kam scheren. Maar de Rwandees gaat er meteen op in: Congolezen zijn leuke mensen om feest mee te vieren, maar verder maken ze weinig klaar, meent hij. De haat-liefdeverhouding tussen de Rwandezen en de Congolezen zit diep. De Congolezen kijken met ontzag naar de manier waarop hun rechtlijnige buren hun land weer op poten krijgen, maar ze haten de Rwandezen omdat zij het waren die het oosten van Congo in de oorlog hebben gestort, de oorlog die de afgelopen tien jaar veertien miljoen levens heeft gekost. En de Rwandezen minachten Congo omdat ze er al decennialang een potje van maken, maar profiteren wel volop van de bodemschatten van het land. Ook kan ik me niet aan de indruk onttrekken dat ze wel iets van de joie de vivre van de Congolezen zouden willen bezitten. Rwandezen kunnen niet feestvieren, is het wijdverbreide vooroordeel in Centraal-Afrika. Wie ooit naar een Rwandese bruiloft is geweest, zal dit bevestigen. Alleen een begrafenis is wellicht een saaiere aangelegenheid.

Terwijl we tussen de regenbuien door kletsen over de dwarsverbanden tussen deze buurlanden, wordt het me ineens glashelder: Congo moet beslist als reisbestemming op mijn agenda. 'De topsport onder de ontwikkelingslanden,' noemde een Italiaanse fotograaf met wie ik werkte de Democratische Republiek Congo eens. Het klonk als een aanprijzing. Zo roept iedere trip in Afrika weer een volgende reis op. Dat bedoelen mensen, denk ik, als ze zeggen dat het Afrikaanse continent hen niet meer loslaat.

Die avond in Gisenyi praat ik met Sada over de eenzaamheid die ze soms voelt. Ze is de enige vrouw in de provincie op zo'n post, en tussen de mannelijke collega's valt ze een beetje uit de toon. Ze vindt steun bij de vriendinnen met wie ze studeerde, die ook ergens op het platteland burgemeester werden. Maar Sada vraagt zich op dat moment al af of ze zich op dit niveau kan handhaven. Rwanda zal teruggaan van twaalf provincies naar vijf, en ook het aantal districten moet omlaag. Hierbij komen heel wat bestuursposten te vervallen. In Sada's gebied betekent het dat de tien huidige burgemeesters moeten strijden om drie posten. 'Als enige vrouw tussen al die mannen leg ik het waarschijnlijk af,' voorspelt ze die avond al. Maanden later hoor ik dat Sada het inderdaad niet heeft gered tussen haar mannelijke mededingers. Ze heeft het burgemeestersambt vaarwel moeten zeggen en een baan gevonden als secretaris bij de provincie.

Gaandeweg wordt me duidelijk dat de van bovenaf gepropageerde emancipatie nog niet tot het platteland is doorgedrongen. De Rwandese provincie weerspiegelt op geen enkele manier de voorbeeldige representatie van vrouwen in het parlement. Om dat in kaart te brengen maak ik op de terugweg naar Kigali een tussenstop bij het provinciehuis in Ruhengeri. Het is de regio van de gorilla's en de zilvergroene eucalyptusbomen. In de verte zie je vanuit de provinciehoofdstad de slapende Virungavulkanen liggen. In het regenwoud in dit gebergte bouwde Dian Fossey ooit haar onderzoekscentrum voor berggorilla's.

De ambtenaren van de provincie komen binnen een halfuur op de proppen met keurige lijsten, uitgesplitst naar geslacht. De cijfers op provincie- en districtsniveau zijn inderdaad een stuk minder rooskleurig dan die van de volksvertegenwoordiging in de hoofdstad. In de provincie Ruhengeri is driekwart van de districtshoofden van het mannelijk geslacht. In de sectoren waarin de districten zijn onderverdeeld, zwaait bij 99 procent een man de scepter, net als op het nog lagere bestuursniveau van de *cellule*. Dit beeld verschilt niet van dat in andere provincies.

Op de terugweg naar de hoofdstad Kigali valt me op hoe druk dit kleine land met zijn goed onderhouden hoofdinfrastructuur is. Overal lopen mensen langs de weg, vrouwen met manden banaantjes op hun hoofd, mannen die fietsen voortduwen die bulken van de zakken met hout of maïs, geitenhoeders met hun hele kudde. Nooit zag ik zo'n drukte in Afrika als langs de Rwandese wegen. Bijna overal is de grond op een of andere manier gecultiveerd. Het vruchtbare land, iets kleiner dan België, is dan ook het dichtstbevolkte van het continent. Op een vierkante kilometer wonen gemiddeld 343 Rwandezen. Dat scheelt niet zoveel met Nederland, waar 392 mensen per vierkante kilometer wonen. Terwijl in Soedan op zo'n zelfde oppervlakte gemiddeld maar 14 bewoners leven.

'Rwanda is vol' was vóór de genocide dan ook een van de argumenten van de Hutu-regering om Tutsi-vluchtelingen te weige-

ren die terug wilden naar hun geboorteland. En de bevolkings-
dichtheid is volgens sommigen ook een factor geweest die heeft
bijgedragen aan de onvoorstelbare geweldsexplosie in april
1994. Er zijn echter landen genoeg in de wereld waar de inwoners
meer op elkaars lip zitten en waar ze elkaar niet met machetes te
lijf gaan.

Terug in de hoofdstad sta ik heel wat kritischer tegenover mijn
gesprekspartners uit de Rwandese politiek. Op de veelbezongen
voorbeeldpositie van de vrouw in de democratie is wel wat af te
dingen. Dat concludeerde ook een Rwandese onderzoekster die
een rapport schreef over de invloed van de vrouwelijke parlementariërs. Zij constateerde dat hun macht nihil was en verge-
leek hen met standbeelden of bloemen: ze mochten alleen mooi
zijn en zwijgen. De volksvertegenwoordigsters die een voorlopi-
ge versie van dit rapport te lezen kregen, waren woedend en riepen de vrouwenorganisatie die het onderzoek had gelast op het
matje. De club, Pro-Femmes/Tese Hamwe, trok het stuk ijlings
terug. De onderzoekster in kwestie vond de grond onder haar
voeten te heet worden en vluchtte het land uit. Ik hoorde van verschillende kanten over deze kwestie en vraag ernaar tijdens het
gesprek dat ik in Kigali voer met Judith Kanakuze, de voorzitter
van het Forum van vrouwelijke parlementariërs. Het is het
meest onaangename interview dat ik in Rwanda zal hebben.

Het begint meteen al slecht. Ik leg uit dat ik nieuwsgierig ben
naar het geheim van Rwandese vrouwen: hoe krijgen zij voor elkaar wat hun seksegenoten in het Westen maar niet klaarspelen?
Ze reageert geïrriteerd op mijn vraag, die bedoeld was als grapje
met serieuze ondertoon. De parlementariër zegt dat het voor mij
dan misschien allemaal zo lollig mag zijn, maar dat het voor hen
een doodserieuze kwestie is. Nog nooit heb ik het voor elkaar gekregen met mijn openingsvraag al meteen mijn interviewkandi-
daat te beledigen. Of het aan mijn eigen ongevoeligheid ligt of
aan haar lange tenen maakt al niet meer uit, de toon is gezet.

Ik schakel terug en vraag eerst naar haar eigen leven, hoe ze in de politiek is beland en dat soort zaken. Judith begint bij haar ouders, haar geboorte, de scholen die ze doorlopen heeft, haar rapportcijfers, het aantal meisjes in de klas... Geen detail laat ze onvermeld. Na tien minuten knikken en opschrijven onderbreek ik haar – we hebben maar een halfuur en ik ben bang dat we in dit tempo de volgende dag nog niet bij het hier en nu zullen zijn aanbeland. Ik zeg de politica dit allemaal buitengewoon interessant te vinden, maar verzoek haar toch in verband met de tijd verder te gaan bij het moment dat ze politiek actief werd. Weer is ze beledigd. Ik had toch immers naar haar gevraagd? Dan moet ik ook niet raar staan te kijken als ze antwoord geeft. Ik kan wel gillen, zo gefrustreerd begin ik te raken. Hoe is het mogelijk dat ik iemand zo snel achter elkaar twee keer tegen me in het harnas jaag?

De sfeer in de galmend lege commissiezaal van het parlementsgebouw waar het interview plaatsvindt, is inmiddels ijzig. Ze gaat nu wel over naar 1994, het jaar van de genocide. Eigenaardig genoeg kan ik er niet de vinger achter krijgen wat er precies is gebeurd met haar man. Het enige wat ze kwijt wil, is dat haar dochter op hun vlucht voor het geweld in haar voet is geschoten en dat haar echtgenoot toen al dood was. Daarmee wekt ze de indruk een weduwe van de genocide te zijn. Als ik er later op terugkom en vraag hoe ze de moord op haar man te boven kwam, reageert ze als door een bij gestoken. 'Zo is het niet gegaan,' zegt ze enkel, op zo'n toon die duidelijk maakt dat ze er verder niets over kwijt wil. Later bespreek ik dit eigenaardige voorval met een kennis. Dan wordt pas duidelijk dat Judiths veel oudere echtgenoot ruim voor de genocide overleed, simpelweg aan ouderdom. Maar door in het midden te laten hoe hij stierf en wanneer, suggereerde ze een verband met de genocide zonder te jokken. Zij is trouwens niet de enige van wie ik achteraf ontdek dat hun verhaal over wat hun in 1994 is overkomen niet helemaal klopt. Het lijkt in Rwanda soms wel alsof er een wedstrijdje slachtofferschap aan de gang is. Alsof de waarheid niet afgrijselijk genoeg is.

We begeven ons op het algemene terrein van de vrouwenemancipatie. Judith bejubelt de heren in de politiek, en dan zeker die in de FPR: 'Zij vormen een grote steun voor ons vrouwen. We hebben een partnerschap met de mannen.' Volgens haar krijgen de vrouwelijke parlementariërs alle ruimte en ondersteuning die ze nodig hebben.

Ik veronderstel dat de stemming toch niet beroerder kan worden dan die al is, en ga in de aanval. Het gewraakte rapport dat zo negatief was over de macht van de vrouwen in het parlement, schetste toch een heel ander beeld, opper ik. Ik weet dat Judith destijds een van de vrouwen was die het conceptrapport na het lezen naar de prullenbak verwees. Nu zegt ze daarover: 'Het was slecht onderzoek, beledigend voor vrouwen. Het zou al heel wat gescheeld hebben als ze een andere toon had aangeslagen. C'est le ton qui fait la musique.'

Er is wel degelijk iets bereikt voor vrouwen, vindt de in beige linnen gestoken parlementariër. De wetswijziging waardoor vrouwen recht kregen op land, is een grote stap voorwaarts, net als de verandering van het erfrecht, waardoor vrouwen na het overlijden van hun echtgenoot niet aan de grillen van hun schoonfamilie zijn overgeleverd. 'Natuurlijk denkt de gewone man op straat nog traditioneel. Maar we zijn hen aan het opvoeden. Al op de basisschool maken we hen bewust van de gelijkheid tussen de seksen. Het beeld dat wij parlementariërs uitstralen, helpt daarbij. Op een foto van het parlement staan voor de helft vrouwen, dat is een voorbeeld voor alle Rwandezen waaraan niet te ontsnappen valt. Alleen al dat plaatje heeft effect. Hoeveel landen in het Westen hebben in de grondwet staan dat dertig procent van de bestuurders vrouw moet zijn?'

Ik sluit af met de vraag waarom de onderzoekster die het rapport schreef, het land is ontvlucht. Haar antwoord is merkwaardig. Ze suggereert dat de wetenschapster bewust over de schreef ging, om zo haar vertrek naar het buitenland te bespoedigen. 'Misschien was ze haar vertrek uit Rwanda al aan het voorbereiden en was ze op zoek naar een voorwendsel om te kunnen vluchten.'

'Maar wat had zij dan in Rwanda te vrezen?' vraag ik quasiverbaasd.

De politica, die doorheeft dat ze zichzelf in een hoek heeft gezet, haalt stug haar linnen schouders op. 'Niets, natuurlijk.' Ze kondigt aan dat het interview is afgelopen.

Doodmoe van het gemanoeuvreer tijdens het gesprek houd ik op straat de eerste motortaxi aan die langskomt. Ik ben in een van mijn zwartste stemmingen en heb het helemaal gehad met die Rwandezen en hun lange tenen. Maar de motorrijder lijkt vastbesloten mijn vooroordeel te doorbreken en kletst tijdens de rit honderduit over zijn land, daarbij vervaarlijk frequent zijn gezicht naar achteren draaiend om zich verstaanbaar te maken. Hij vindt het een eer dat ik voor de Rwandezen helemaal uit Europa kom en vraagt of hij mij wat van Kigali mag laten zien. De hele stad cross ik met hem door en als hij me vlak voor zonsondergang afzet, weigert hij mijn geld. 'Mijn welkom aan jou in Rwanda,' weert hij de biljetten af. 'Als mijn zoon ooit in Nederland komt, hoop ik dat hij ook vriendelijk wordt ontvangen.'

Mijn laatste interview voordat ik verder reis naar buurland Burundi is met geheimzinnigheid omringd. Sinds ik in het land ben, probeer ik al contact op te nemen met deze activiste. Dat is uiteindelijk alleen via vrienden gelukt. De vrouw is uiterst voorzichtig in haar contacten. Haar familieleden zijn al bedreigd en soms zelfs gevangengezet en ze is niet van plan nog meer in de problemen te komen. De Rwandese strijdster voor gelijke rechten wil uit angst voor represailles dan ook anoniem blijven. We spreken af in een onopvallend kantoorgebouw in een hoofdstedelijke buitenwijk. Een ontmoeting in het openbaar is te riskant, zegt ze: 'Je weet nooit wie er meeluistert.' Tijdens het gesprek kijkt ze soms langs de vitrage uit het raam de straat op, om te zien of er niet iemand op wacht staat.

'De politici in de hoofdstad hebben nauwelijks oog voor de harde werkelijkheid van het platteland. Terwijl daar negentig procent van de bevolking woont,' zegt de activiste, die weinig op heeft met haar seksegenoten in het parlement. 'Als je met hen praat, lijken het wel engelen, zo goed hebben ze het met vrouwen voor. Maar wat hebben ze daadwerkelijk gedaan voor de vrouwen in het land, vrouwen met een mand op hun hoofd en een baby op de rug? Ze zijn nooit teruggekeerd naar de *campagne* en hebben geen idee wat er speelt. Ze vergaderen aan de lopende band en organiseren seminar na seminar. Ondertussen gaat het de gewone vrouw steeds slechter.'

Als voorbeeld noemt ze het verbod op de straatverkoop van groenten dat het regime onlangs invoerde. Je mag je koopwaar alleen nog aanbieden op markten en daartoe aangewezen plekken. Dit treft vooral de ontelbare *agatebo*, koopvrouwen die van deur tot deur gaan met avocado's, tomaten en aubergines. 'De politie jaagt de agatebo op en neemt de koopwaar in beslag. De autoriteiten gooien het weg of laten het verrotten. Ze zetten zelfs vrouwen in de gevangenis. Terwijl deze vrouwen geen geld hebben om een marktplaats te huren.' Dit soort wetten is volgens de activiste het gevolg van de oneindige regeldrift van de machthebbers: 'De FPR wil iedereen onder controle hebben. Daarvoor moet alles wijken.'

Ook het beeld van de voorbeeldige vertegenwoordiging van vrouwen in de politiek verdient wat haar betreft bijstelling. 'Het parlement levert natuurlijk een mooi plaatje. Zo mooi zelfs dat er buitenlandse journalisten op afkomen. Maar zodra je op een lager niveau gaat kijken, tref je weinig vrouwen meer onder de bestuurders. Daar houdt het prachtige verhaal op.'

Net als de gevluchte wetenschapper is deze vrouw niet onder de indruk van de politieke invloed van de volksvertegenwoordigsters. Volgens haar hebben ze sinds ze in het parlement zitten niets voor elkaar gekregen. De door de vrouwelijke parlementariërs aangehaalde wetswijzigingen op het gebied van erfrecht en bezit schrijven ze ten onrechte op hun conto, oordeelt ze. 'Dat is het resultaat van lobbywerk van de vrouwenorganisaties sinds de jaren tachtig. Daar waren we al ver vóór de genocide mee bezig.' De meeste van de vrouwelijke parlementariërs zaten nog niet eens in de politiek toen de vrouwonvriendelijke wetgeving in 1999 werd veranderd. Daarbij komt dat papier geduldig is: 'Dit land heeft voorbeeldige wetten, maar praktijk en theorie lopen erg uiteen.'

De kwaliteit van de politica's laat ook te wensen over, vindt de activiste. 'Rwanda maakt mooie sier in het buitenland met al die vrouwen in het parlement. Maar niemand praat over de kwaliteit van die vrouwen, of hoe ze eigenlijk op de kieslijsten zijn beland.' In Rwanda meld je je niet aan voor een politieke functie, je wordt gevráágd. 'Het is de FPR die heeft bepaald dat er zoveel vrouwen op verkiesbare functies kwamen, en het is de partij die heeft beslist welke vrouwen dat waren. De lijsten waren een uitgemaakte zaak. Met democratie heeft dat weinig te maken. Onderwijzeressen, vrouwen met een beetje opleiding, kregen plotseling te horen: en nu ga je de politiek in. Ze werden wakker en vonden een stuk van de taart op hun bordje. Een taart die ze niet konden weigeren.'

Mensen die zich daarentegen onafhankelijk verkiesbaar stellen, hebben het zwaar te verduren. 'Vrouwen die in 2003 op eigen initiatief campagne gingen voeren, werden al snel door de partij gemaand daarmee te stoppen. Hun echtgenoten werden bedreigd en vaak lieten ze de verkiezingen uiteindelijk voor wat ze waren.' Ze schetst het democratisch gehalte van het Rwandese regime als een flinterdun laagje glazuur op een ouderwetse dictatoriale cake.

Erg optimistisch word ik niet van dit gesprek. Het is gek, want dit is het eerste Afrikaanse land dat ik bezoek dat serieus werk lijkt te maken van gelijke rechten voor vrouwen. Paul Kagame laat zich er graag op voorstaan dat hij het goed voorheeft met de andere sekse. Toen hij in de hoofdstad een groep vrouwen toesprak en hen maande tot actie 'omdat vrouwen tenminste de waarheid vertellen' in tegenstelling tot de heren, gingen door heel Kigali mobieltjes af met sms'jes waarin de president werd geciteerd. Kagames uitspraak was binnen de kortste keren heel het land door en wordt nu nog vaak aangehaald. Het lijkt het Rwandese regime ernst met vrouwenrechten en emancipatie. Waarom moet dat dan op zo'n totalitaire wijze?

Mijn laatste avond in Rwanda ga ik dansen met wat vrienden. Na twaalven belanden we in New Cadillac, dé grote discotheek in Kigali waar naar mijn smaak iets te veel r&b wordt gedraaid. Het publiek vindt het echter geweldig en de tent is tjokvol. Ik heb medelijden met de enige blanke man in ons gezelschap, een Nederlandse jurist die sinds kort in Rwanda werkt om mee te helpen het rechtsstelsel op poten te zetten. De arme man wordt continu belaagd door Rwandese vrouwen die op allerlei manieren laten blijken geheel tot zijn beschikking te staan. De meiden zijn weinig subtiel in hun avances en hij wordt wanhopig van al die ongewenste aandacht. Het helpt enigszins als ik een tijdje met hem dans, zodat hij bezet lijkt. Maar zodra ik mijn kont keer, hangen ze weer met z'n allen om hem heen. Ik word redelijk met rust gelaten – het helpt dat ik door ervaring wijs geworden geen tas bij me heb en geen zichtbare zakken om geld in te stoppen.

Als ik zit uit te blazen in een hoekje ver weg van de speakers, raak ik aan de praat met een vrouw naast me die ik eerder ontmoette op een bijeenkomst van een vrouwenorganisatie. Ze was me toen al opgevallen om haar heldere opmerkingen tijdens een vergadering die zich eindeloos voortsleepte met gezever over protocollaire kwesties. Ik besluit haar mijn twijfels over de positie van vrouwen voor te leggen. Ik ben deze keer ongewoon direct voor Rwandese begrippen, ik heb geen zin om eromheen te draaien. Het is mijn laatste dag en ik wil duidelijkheid. Is er hoop voor Rwandese vrouwen in een dictatoriaal regime?

Ze knippert met haar ogen om mijn ongenuanceerde vraag, en even denk ik dat ze haar beker bier van tafel zal pakken en opstappen. Maar ze blijft zitten en lijkt diep na te denken voordat ze antwoordt. 'Ja, er is hoop voor Rwandese vrouwen. We worden niet zo bedreigd als mannen, de autoriteiten pakken ons niet zo hard aan. Van die vrijheid moeten we gebruik zien te maken. Je moet je niet blindstaren op de politica's in Kigali, de beweging onder vrouwen komt van onderop. Her en der in het land grijpen ze op een lager niveau hun kansen. Bijna alle ngo's worden gerund door vrouwen. Zij zijn de drijvende kracht in Rwanda.'

Maar wat als de autoriteiten deze dames terugfluiten omdat hun mening, gedrag of politiek hen niet zint? 'We hebben altijd nog de grondwet die ons onze rechten geeft. Daardoor kunnen vrouwenorganisaties heel wat afdwingen. De politiek is een discussie begonnen die heel moeilijk te stoppen is. We laten ons niet terugsturen de keuken in.' We klinken onze plastic bierbekers tegen elkaar om hierop te proosten en begeven ons weer naar de dansvloer als Christina Aguilera's 'Objection' begint te spelen. Ik heb mijn goede humeur weer helemaal terug.

Een Rwandees gezegde wil dat vrouwen zijn als de sneeuw op de Karisimbi, de hoogste vulkaan in het land waarvan de top af en toe wit is: ze bekoelen de snel verhitte gemoederen van de Rwandese heren. Dat zou weleens nodig kunnen zijn, want onder de oppervlakte van de samenleving smeult de haat. zoveel wordt er niet uitgesproken, zoveel mag er niet worden gezegd. Hutu's die zich schamen voor hun afkomst en Tutsi's die niet hardop durven zeggen dat ze zich achtergesteld voelen ten opzichte van leden van de FPR, er speelt van alles in dit land dat niet wordt opgelost. Het is niet ondenkbaar dat dit ooit tot nieuw geweld zal leiden. Je weet nooit wanneer een slapende vulkaan weer zal uitbarsten.

Kivumeer

RWANDA

Bukavu

D.R.CONGO

Bujumbura

● Gitega

TANZANIA

Tanganyikameer

0 20 40 60 80 100 km

BURUNDI

4

Achter de spiegel

VROUWELIJKE REBELLEN IN BURUNDI

Ik verstijf en loer voorzichtig om me heen, maar alle andere gasten eten onverstoorbaar door.

Het is zondagmiddag en ik landde drie uur geleden op het nationale vliegveld van Bujumbura, Burundi. Terwijl ik een waterig soepje met slierten spaghetti naar binnen lepel in het kantine-restaurantje aan de Boulevard de l'Uprona, praat de student Franse taal- en letterkunde die tegenover me kwam zitten honderduit. De enthousiaste Burundees is de reden van mijn schrik: in de derde zin van ons gesprek vertelt hij me, duidelijk hoorbaar voor iedereen, dat hij Hutu is. Ik verwacht op z'n minst dat de sfeer omslaat bij zoveel openheid over zijn etnische afkomst, maar niemand reageert.

Je spreekt niet hardop over Hutu's en Tutsi's, leerde ik in Rwanda. De pijnlijke stilte op het terras tijdens mijn gesprek met de twee Nederlanders in Kigali staat me nog helder bij. Toen voelde ik de wantrouwende blikken in mijn rug prikken omdat ik te luid over Hutu's en Tutsi's had gepraat. In het openbaar is dat in Rwanda geen geaccepteerd gespreksonderwerp, en dat wordt je ook als buitenlander razendsnel duidelijk.

Ik blijk me naadloos te hebben aangepast aan het Rwandese taboe. In veel van mijn interviews in dit Centraal-Afrikaanse land omzeilde ik de vraag naar de etniciteit van mijn gesprekpartner. Soms werd het uit de context duidelijk, maar vrijwillig heeft geen enkele Rwandees me zijn etniciteit verteld.

Twee weken later zit ik dan ineens aan een tafel met plastic ta-felkleed tegenover een Burundees van tweeëntwintig die me on-gedwongen en ongevraagd mededeelt dat hij Hutu is. Zonder dat ergens om ons heen gesprekken stokken. Na de onderhuidse spanning in Rwanda valt mij een last van de schouders. Dat zal me in dit zuidelijke buurland nog wel vaker gebeuren. Reizen van Rwanda naar buurland Burundi, allebei voormalige Belgische kolonies, is alsof je door een spiegel stapt: plots bevind je je in een maatschappij met precies dezelfde volkeren, waar alles tegen-overgesteld lijkt. En net als Alice in het boek snap je niet hoe het mogelijk is dat zo dicht bij elkaar twee zo verschillende werelden liggen.

Na de smetteloze orde in Kigali, waar verkeersagenten bon-nen uitdelen voor rijden zonder gordel, lijkt het verkeer in de Bu-rundese hoofdstad Bujumbura volkomen geschift. 'De wet is hier al tien jaar op vakantie,' becommentarieert mijn Burundese col-lega-journalist Désiré droog. Dat geldt ook voor de verkeersre-gels. Voetgangers moeten zich bij gebrek aan trottoirs soms plat tegen een muur drukken om onder de wielen van brakke zesde-hands auto's vandaan te blijven. De berijders van de motortaxi's in de Burundese hoofdstad ontberen elke kennis van voorrangs-regels, en soms vraag ik me af of ze wel een rijbewijs hebben. Me-nigeen waarschuwt me voor de vele ongelukken, maar ik laat me dit pleziertje niet afnemen en cross achter op de alternatieve taxi's de stoffige stad door.

Bij mijn voorbereiding leek het een logische keuze om vanuit Rwanda door te reizen naar Burundi. Je bent er zo, en de geschie-denis van de twee kleine buurlanden is op allerlei manieren met elkaar verweven. Bovendien staat Burundi op een belangrijk punt in zijn historie: na ruim een decennium bloedvergieten is er hoop op vrede.

Na de onafhankelijkheid in Burundi in 1962 zwaaiden Tutsi's

er de scepter. Ze vormen net als in Rwanda een minderheid van een kleine 15 procent van de bevolking, die op dat moment heerste over de 85 procent Hutu's. Toen bij de eerste democratische verkiezingen in 1993 voor het eerst in de geschiedenis een Hutu aan de macht kwam, was die omwenteling geen lang leven beschoren. Na nog geen honderd dagen vermoordden Tutsi-soldaten de Hutu-president Ndadaye. De moord ontketende jarenlang geweld tussen de twee bevolkingsgroepen, waarbij naar schatting driehonderdduizend Burundezen omkwamen en honderdduizenden op de vlucht sloegen.

De burgeroorlog maakte Burundi een van de onstabiele factoren in het licht ontvlambare Grote Merengebied rondom de evenaar. Een vredesakkoord in 2000 tussen het regime en de grootste rebellenlegers bracht hierin verandering – met horten en stoten weliswaar, want het duurde nog vier jaar voordat de meeste gewapende groepen een staakt-het-vuren ondertekenden.

Het akkoord voorziet in democratische verkiezingen en het land staat deze eerste keer dat ik Burundi bezoek op het punt de oud-rebel Pierre Nkurunziza tot president te kiezen. Met overgave namen de bewoners van dit door geweld geteisterde land deel aan het democratisch proces. Voorgaande verkiezingsronden voor de volksvertegenwoordiging hadden een opkomstpercentage van tachtig procent.

De Burundezen hopen dat Nkurunziza, leider van de grootste rebellengroep CNDD-FDD en Hutu, hun een welvarende toekomst zal brengen. Het optimisme is voelbaar en de hoop op een betere toekomst aanstekelijk, ook al is het moeilijk een antwoord te krijgen op de vraag waarom de gedoodverfde winnaar nu de beste kandidaat is. Zijn belangrijkste wapenfeit – dat is tenminste waaraan menigeen refereert – is dat het volk zijn blote benen heeft mogen bewonderen toen de sportieve presidentskandidaat deelnam aan een vriendschappelijke voetbalwedstrijd. Dat is nogal wat, het onderstel van de meeste presidenten is een goed bewaakt staatsgeheim. Maar Nkurunziza – zijn benen mogen gezien worden – lijkt hiermee te benadrukken dat hij een gewone man is, en stal de harten van de Burundezen. In ieder geval voor een tijdje.

In Burundi verkeer ik veel onder lokale collega's omdat ik een reportage schrijf voor *Vrij Nederland* over de rol van de journalistiek in het door oorlog verminkte land. Onder collega's merk je dat een gezamenlijk vak – ook al kom je van een ander werelddeel – een band schept. Bij Ijambo, de radiostudio in Bujumbura die ik een tijdje volg, ontmoet ik mensen die blijvend vrienden zullen worden. Zoals Aloys, de beroemdste dreadloze rasta van het Grote Merengebied. En Daniella, die me bij interviews weet te behoeden voor de meeste stommiteiten tegen het beleefdheidsprotocol. En niet te vergeten Désiré, de voormalige standupcomedian die me met zijn droge humor altijd aan het lachen krijgt.

Met hem ga ik op reportage in Gitega, de tweede stad van Burundi in het hart van het land. Tijdens de doodstille, koele avonden – de stad ligt op 1725 meter hoogte – zitten we min of meer opgesloten in ons goedkope pension omdat het na donker op straat niet veilig is. We praten eindeloos. Désirés levensverhaal toont de absurde realiteit van de afgelopen jaren voor Hutu's en Tutsi's in deze regio.

Hij komt uit een redelijk welvarende boerenfamilie en ging in 1996 geschiedenis studeren in de hoofdstad. Van die studie moet ik me niet al te veel voorstellen, waarschuwt hij. De burgeroorlog was al een paar jaar aan de gang en begon vanuit het binnenland Bujumbura binnen te dringen. Geweld op straat was regel en er waren om de haverklap conflicten tussen de verschillende bevolkingsgroepen: 'Het academisch jaar was van elastiek. Er waren zoveel stakingen en onderbrekingen dat wij studenten blij waren als we een paar weken achter elkaar college hadden.' Over zijn waarnemingen in deze steeds meer naar Hutu's en Tutsi's gesegregeerde samenleving schrijft hij sketches, die hij opvoert bij het studententoneel. Maar zijn humor wordt niet door iedereen gewaardeerd en hij ontvangt geregeld bedreigingen. In plaats van zich monddood te laten maken, treedt hij in dienst bij een radiostation: 'De journalistiek is altijd mijn passie geweest – ik wilde zoveel zeggen en daarvoor had ik een kader nodig. Op den duur waren de sketches die ik schreef niet genoeg, ik wilde door meer mensen gehoord worden. Dus werd ik journalist.'

In diezelfde tijd gaat het ook in Bujumbura totaal mis: de stad raakt onderverdeeld in Hutu- en Tutsi-wijken. Een Hutu is zijn leven niet meer zeker in het Tutsi-gedeelte en andersom. Alleen al het vermoeden dat je van de verkeerde bevolkingsgroep bent, kan je een kogel opleveren. Nu is Désiré een atypische Tutsi. In tegenstelling tot wat het vooroordeel wil, is hij klein, hij komt slechts tot mijn schouders. Zijn neus is breed en zijn gezicht mist de fijnbesneden trekken van een Tutsi. Daardoor was hij zijn leven nergens zeker. In zijn eigen buurt vormden de bewoners die hem niet kenden een bedreiging, omdat zij hem voor Hutu aanzagen. En in Hutu-territorium was en bleef hij Tutsi. 'Mijn leven liep gevaar door de verkeerde neus.' Hij kijkt zogenaamd peinzend voor zich uit en krabt op zijn hoofd: 'Waar heb ik dat meer gehoord?'

Ik kan ze nog steeds niet van elkaar onderscheiden, Hutu's en Tutsi's, ook niet nadat ik vaker in de regio ben geweest. Zoveel Hutu's en Tutsi's voldoen niet aan de uiterlijke kenmerken die ze worden verondersteld te bezitten. In Burundi speelde ik met mijn digitale camera het volgende raadspelletje. Ik liet Burundese vrienden als ik terugkwam van reportage in de heuvels op het kleine schermpje de portretten van landgenoten zien die ik had geïnterviewd. 'Hutu of Tutsi?' was de vraag die ik hun voorlegde. Ze zaten er met hun antwoord net zo vaak wel als niet naast.

Er zijn zelfs antropologen die beweren dat het helemaal niet om verschillende bevolkingsgroepen gaat, maar om een sociaal-economische onderverdeling die de Belgen in het gebied troffen toen zij het koloniseerden. In die theorie waren de Hutu's boeren en knechten en de Tutsi's de veehouders en de bestuurders die de koninkrijkjes bestierden. De scheidslijnen tussen de twee groepen waren niet onoverbrugbaar: je kon als boer opklimmen tot leider van een gemeenschap en daardoor Tutsi worden. De Belgen schreven de Tutsi's edeler eigenschappen toe en gaven hun een belangrijke rol in het landsbestuur. Zo maakten de kolonisators rassen van wat voorheen slechts sociale klassen waren.

Dat is één theorie. Anderen veronderstellen dat er in het verleden wel degelijk verschillen waren tussen de twee groepen, maar dat er zoveel interraciale huwelijken zijn gesloten dat die verschillen vrijwel verdwenen zijn. Dat maakt de idiotie van dit onderscheid nog groter.

Toch is de angst voor de ander diepgeworteld bij Hutu's en Tutsi's en zijn ze soms werkelijk doodsbang voor wat ze zien als de bloeddorstige tegenpartij. Ook mijn Tutsi-collega had voordat hij aan het werk ging bij Studio Ijambo een eendimensionaal beeld van Hutu's: 'Als onze wijk werd aangevallen, dacht ik dat de Hutu's ons zo erg haatten dat het ze niet uitmaakte of er aan hun kant slachtoffers vielen. Pas toen ik verslaggever werd en te maken kreeg met treurende moeders aan de andere kant, veranderde dat beeld.'

In de oorlogsjaren gingen de verslaggevers van Ijambo consequent met z'n tweeën op stap, altijd een Hutu met een Tutsi. Zo lieten ze zien dat ze wel degelijk konden samenwerken. Het adagium van Ijambo: hier ben je geen Hutu of Tutsi, maar journalist. Désiré: 'Door mijn werk ben ik veranderd. Ik heb geleerd dat er meer kanten aan de zaak zitten.'

Met Désiré bezoek ik een bijeenkomst voor gedemobiliseerde strijders bij de grote kerk van het aartsbisdom van Gitega. We zijn vroeg, nog lang niet alle voormalige rebellen zijn ter plekke.

Over het grote kerkplein scheurt een witte pick-up. Nog voordat de wagen stilstaat, springen zes mannen uit de laadbak en begroeten het groepje wachtenden in de schaduw van de kerktoren. Uit de cabine komen nog eens vier mannen gerold die op elkaar gepakt op de voorbank zaten. Reuzenklappen op schouders en lachsalvo's klinken op deze woensdagochtend over het lege plein. De voormalige strijdmakkers van het rebellenleger zijn blij elkaar weer eens te zien. Een paar meter verderop staat Natalie, de enige vrouw in het gezelschap. Ook zij vocht mee en woonde jaren in het woud, maar haar begroeten de luidruchtige heren niet.

Ik zie haar in haar eentje staan en moet denken aan een ontmoeting een paar dagen geleden op het terras van Cercle Nautique, een hoofdstedelijk restaurant dat beroemd is om zijn uitzicht op het Tanganyikameer en de beroerde prijs-kwaliteitsverhouding van de keuken. Tevergeefs wachtte ik op een Burundese advocaat die ik daar zou ontmoeten. Een halfuur en vele vergeefse telefoontjes later – batterijen van mobieltjes hebben hier de irritante gewoonte leeg te raken als het de eigenaar zo uitkomt – besloot ik het op te geven en bestelde ik een pizza. Verderop zat een oudere westerse vrouw in pastelkleurige wapperblouse al een hele tijd alleen een boek te lezen. Ze was van het type lerares middelbare school, helemaal niet het soort mens dat je in het nog steeds behoorlijk explosieve Burundi zou verwachten. Een toerist kon ze in ieder geval niet zijn. Nieuwsgierig naar wat ze hier dan wel deed, stapte ik op haar af.

De pastelvrouw bleek een Duitse die alles wist over vrouwen in oorlog en post-conflictgebieden, gepokt en gemazeld in het werken in Afrika. Eva Maria Bruchhaus was eerder onder andere in Eritrea, Liberia en Soedan en vertelde met smaak over haar avonturen in de jungle. Ik kon bijna niet geloven dat ik haar zomaar tegenkwam, een specialiste in een onderwerp dat helemaal in mijn straatje past. Toen ze me uitnodigde samen te dineren,

schoof ik dan ook graag bij haar aan. Dit soort toevallige ont-
moetingen lijken wel een Afrikaanse specialiteit.

Eva Maria was in Burundi als consultant voor een internationale organisatie om met vrouwelijke ex-rebellen te praten over
hun positie. Ze bekeek of bij de projecten voor demobilisatie wel
genoeg rekening wordt houden met deze vrouwen. In het grootste Burundese rebellenleger CNDD-FDD was acht procent van de
strijders vrouw. Ook zij vallen onder de demobilisatieprogramma's die de overheid draait met hulp van westerse donorlanden.
Als ze de wapens neerleggen, gaan ze eerst naar een soort herop-
voedingskamp, daarna ontvangen ze een geldbedrag om hun gewone burgerbestaan mee op te bouwen. Daarmee kunnen ze een
bedrijfje beginnen, een handel opstarten of een opleiding volgen.

Probleem is dat die programma's zijn afgestemd op mannelijke gedemobiliseerden. Terwijl vrouwen die deelnamen aan de
gewapende strijd na afloop kampen met andere problemen dan
hun mannelijke collega's, legde de Duitse uit. 'Alleen al het feit
dat het merendeel kinderen heeft om voor te zorgen, maakt hun
situatie anders. Natuurlijk is het mooi als ex-strijders geld krijgen voor scholing, maar wanneer moeten die vrouwen naar
school met hun kroost thuis? Dan moet er ook geld zijn voor op-
vang. Het is verbazingwekkend hoe weinig rekening demobilisatieprogramma's houden met dit soort zaken. Terwijl daar tijdens
de burgeroorlog onder de rebellen wel aandacht voor was.' Een
ander verschil met de mannelijke kompanen is dat de vrouwen er
door hun dorpsgenoten op aangekeken worden dat ze gevochten
hebben. En werden ze in het rebellenleger nog als volwaardige
strijders bejegend, nu wordt van hen verwacht dat ze zich weer
tot huis en haard beperken en zich vrouwelijk gedragen.

Vrouwen stappen om uiteenlopende redenen in de gewapende strijd, vertelde de consultant. 'Soms omdat ze honger hebben,
soms omdat ze wraak willen of geloven in de zaak. In sommige ge-

vallen, zoals in Oeganda, worden ze ontvoerd en hebben ze geen keus.' Vrouwen spelen in oorlogstijd hun eigen rol. 'Ze vechten mee, maar krijgen ook de typisch vrouwelijke taken: koken, wassen, hout en water halen. Dat laatste is in Afrikaanse landen trouwens een uiterst gevaarlijke klus, want je stelt je bloot aan de vijand.'

Die avond aan het Tanganyikameer ontstaat mijn idee me te verdiepen in het leven van vrouwelijke rebellen. Sinds het begin van dat jaar zijn er zo'n 15.000 Burundese strijders gedemobiliseerd, onder wie ongeveer 500 vrouwen. Het moet dus mogelijk zijn er een paar te leren kennen.

Natalie is de eerste vrouwelijke strijdster die ik ontmoet. Zij is de vrouw die in haar eentje wat achteraf staat op het kerkplein in Gitega, afgezonderd van haar mannelijke medestrijders. De voormalige rebellen van het CNDD-FDD – een van de niet te onthouden acroniemen waar Afrikaanse verzetsbewegingen in grossieren – zijn naar de provinciehoofdstad gekomen om zich in te schrijven voor het vervolgtraject van hun demobilisatie. Toen zij hun wapens neerlegden, ontvingen ze een financiële toelage van omgerekend zo'n 350 euro, uitgesmeerd over anderhalf jaar. Ze kunnen meer krijgen als ze op de proppen komen met een goed investeringsplan voor bijvoorbeeld een eigen handeltje, een studie of een bedrijf.

Daarom is ook Natalie hier, zegt ze terwijl ze naar haar met henna geverfde nagels kijkt. Ze wil op de markt rijst en cassave gaan verkopen en heeft daar geld voor nodig. Ook zit haar echtgenoot haar achter de vodden voor het beloofde geldbedrag: 'Hij weet dat ik nog geld te goed heb van het programma. We hebben genoeg opgeofferd voor de strijd, vindt-ie.' Natalies man is Congolees en zorgde voor hun vijf kinderen toen zijn vrouw zich bij de rebellen aansloot. Waarom ze dat deed? 'We waren niet vrij in dit land, als Hutu werd je altijd opgejaagd. Dan is het soms beter vechtend te sterven.'

Ze wiebelt wat zenuwachtig op haar zwartlederen slippers, de oranje paan wappert om haar heupen. Behalve Désiré en ik dringen inmiddels al haar mannelijke medestrijders zich om haar heen om ieder woord dat ze zegt op te vangen. Zoveel aandacht is de zesendertigjarige Burundese niet gewend.

Waar zijn haar vrouwelijke kameraden? 'De meeste van mijn vriendinnen van CNDD-FDD zitten thuis bij de kinderen.' Zij had geluk dat een buurvrouw op haar vijf kinderen kon passen. 'Naar Gitega komen, dat kost je een hele dag. Vrouwen hebben daar geen tijd voor.' Dan gaan de deuren van de diocese open en stromen de ex-rebellen het gebouw in, mij en Désiré alleen achterlatend op het plein.

Het is toch tijd om op te stappen; we gaan weer naar Bujumbura omdat mijn radiocollega zijn reportages moet monteren voor de uitzending van vrijdag. Zojuist kwam er echter over de radio een bericht van de VN in Burundi dat de doorgaande weg naar Bujumbura is afgesloten na een aanslag op een truck door de FNL, de enige rebellengroep die nog actief is. Dat betekent dat we zijn veroordeeld tot een dikke honderd kilometer onverharde kuilenweg die op veel plekken slechts stapvoets rijden toelaat. Als we na het donker aankomen, hebben we spierpijn omdat we ons constant hebben moeten vasthouden aan de handgrepen in de jeep – de enige manier om te voorkomen dat je door de cabine slingert als een stuk wasgoed in een wastrommel op de niet-onderhouden zandwegen.

Mijn tweede kennismaking met een Burundese strijdster is meteen de indrukwekkendste. Zonder haar hoofddoek ziet Mariam eruit als de Afrikaans-Amerikaanse activiste Angela Davis in haar beste jaren. Zelfs gesluierd straalt de grote moslima een warmhartig soort gezag uit. Met deze vrouw moet je geen ruzie krijgen. Vanaf het begin was ze bij de strijd betrokken en tegen het einde van de oorlog was ze maarschalk, een van de hoogste vrouwen in het rebellenleger.

Hoewel haar beheersing van het Frans niet helemaal soepel is, kunnen we elkaar prima begrijpen en hebben we geen vertaler nodig die Kirundi spreekt, de lokale taal die erg lijkt op het Rwandese Kinyarwanda. Gesprekken zonder tolk zijn niet alleen effectiever, het komt ook veel eerder tot daadwerkelijk contact.

Van de handicap van de westerse journalist die de lokale Afrikaanse taal niet spreekt, ben ik me terdege bewust: de meest intensieve een-op-eengesprekken met Afrikanen voer ik met de mensen uit de maatschappelijke bovenlaag die ook de taal van de vroegere kolonisator machtig zijn. De vriendschappen die ik opdoe in Afrika, zijn daardoor ook beperkt tot die dunne bovenlaag. Ondanks mijn hekel aan hotemetoten begeef ik me in Afrika als vanzelf in elitaire kringen. Een Afrikaan die kan lezen en schrijven, die heeft gestudeerd en een westerse taal spreekt, kan zich daar al snel toe rekenen. Hij behoort veelal tot een kleine minderheid op een plek waar analfabetisme en gebrekkige scholing wijdverbreid zijn.

Mariam neemt me mee naar een typisch Burundees restaurant in hartje Bujumbura. *Typiquement Burundais* is vooral dat negentig procent van de heerlijkheden op de kaart niet te krijgen is en dat uiteindelijk altijd dezelfde combinatie op je bord terechtkomt: bakbanaan, erwtjes en cassavepap. De oud-maarschalk is bitter over de ontvangst nadat ze de wapens had neergelegd. Vreemden bijten haar nu op straat toe: '*Où étais-tu, maman?*' (Waar was je, mama?) Op school worden haar kinderen uitgemaakt voor moordenaars. 'Ze denken dat wij wolven zijn, of leeuwen. Ze zijn bang voor ons, meer dan voor de mannen. Van hen vinden ze het gebruik van geweld normaal.' Daarnaast gaat haar omgeving ervan uit dat ze rijk is, omdat ze geld heeft gekregen voor de demobilisatie. 'Mijn buren geven me nog geen glas water voor niets.'

Ook de rol die haar kompanen haar in vredestijd toebedelen,

valt haar tegen. Ondanks haar vroege deelname in de strijd belandde ze bij de parlementsverkiezingen op de allerlaatste, onverkiesbare plaats op de lijst van de CNDD-FDD. 'We hebben samen gemarcheerd, maar de mannen zien nu het liefst dat vrouwen weer gewoon thuisblijven. In de bossen at ik aan dezelfde tafel als de nieuwe president. Ik heb niet alleen gevochten voor de vrijheid van mijn volk, maar ook voor de vrijheid van vrouwen. Dat gevecht gaat door.' Voor vrouwen als Mariam houdt de strijd niet op als de wapens zwijgen.

Vóór de burgeroorlog was ze een succesvolle zakenvrouw met twee kraampjes op de markt in Bubanza en een winkel waar ze etenswaren verkocht. Ze woonde met haar man in een huis met vier kamers en een salon toen de oorlog uitbrak. Alles werd geplunderd. 'Na de dood van Ndadaye kwamen de soldaten de markt op en roofden ze alle kraampjes van Hutu's leeg. Voor mijn ogen werden mensen neergeschoten. Overal lagen lijken. Ik was zo boos. Toen ook nog eens onze wijk werd gebombardeerd en je nergens meer heen kon, was de maat vol. Ik zei tegen mijn echtgenoot: "Of je het leuk vindt of niet, ik ga de wapens opnemen." Hij was het er niet mee eens, maar ik had het gevoel dat ik alleen maar op mijn dood zat te wachten als ik niets deed. Ik was de eerste vrouw die de *brousse* in ging.'

Ze overtuigde andere vrouwen ervan dat hun steun voor de opstand nodig was en zette eigenhandig de voedselvoorziening voor het rebellenleger op. 'In eerste instantie werd alles nog gekookt in mijn eigen keuken, maar op den duur waren er steeds meer vrouwen die zich aanmeldden om voor eten te zorgen.' Ze organiseerde groepen vrouwen en meisjes die hout sprokkelden en voedsel de bossen in brachten waar de strijders zich verstopten. 'We leefden onder slechte condities, de nacht was onze dag omdat we niet ontdekt mochten worden. Zonder de hulp van burgers had niemand van ons het overleefd.'

Niet alle medestrijders verwelkomden de moslima zonder reserves in hun gelederen. 'Er waren altijd militairen die vroegen: "Moeder, waarom ben jij zo strijdlustig? Waarom doe je niet als andere vrouwen?" Een majoor nam me apart en waarschuwde me dat ik wel zou kunnen omkomen. Alsof ik dat zelf niet had bedacht. Een paar weken later was hij dood.'

De moeder van alle moeders noemen veel Burundezen de vijfenveertigjarige Mariam nu. Tijdens een middagje bij haar thuis zie je van alles langskomen. Vrouwen met problemen, wezen die nergens terechtkunnen, ze kloppen bij haar aan. Ze probeert hen zo goed en zo kwaad als dat gaat te helpen, maar heeft zelf ook geen middelen daartoe. Sinds de vrede is de voormalige zakenvrouw straatarm. Haar man, die haar uiteindelijk volgde in de strijd, werd in 1996 op het slagveld neergeschoten. Behalve haar acht kinderen nam ze ook vier oorlogswezen in huis op van wie sommigen besmet zijn met het hiv-virus.

Ook organiseert ze wekelijks potjes voetbal voor vrouwen op een zanderig veldje in de stad. 'Wat ik het meest mis, is de kameraadschap. Als we een aanval succesvol hadden doorstaan, dan werd dat gevierd. We dronken lauw bier en aten als er te eten was. En we voetbalden de hele middag, heerlijk vond ik dat.'

Niemand van de vrouwen die ik later ontmoet, zal zo open zijn tegenover mij als Mariam. Het gesprek met de vierentwintigjarige Calinie verloopt stroef. Zij was wees en zestien jaar toen de rebellen hun kamp opsloegen in de buurt van haar dorp in Bururi, een provincie die zwaar was getroffen door de burgeroorlog. Haar ouders waren al jaren dood, haar broer was net gesneuveld in de strijd en het meisje had niemand meer. Iedere nacht sliepen de dorpelingen in het bos, bang voor overvallen van een van de strijdende partijen. 'De rebellen hadden eten en wapens. Ik voelde me er veilig en had niets te verliezen, dus sloot ik me bij hen aan. In het begin was het erg zwaar, hoewel de kinderen kleinere geweren kregen en niet zoveel munitie hoefden te dragen. Maar vrijgezellen moesten wel vaak op pad.'

Hoe hield ze zich als jong meisje staande tussen zo'n overmacht aan mannen? Ze slaat haar ogen neer: 'We sliepen gescheiden, de mannen hadden hun eigen rieten hutten. Meestal kon ik ze wel aan.' Ze schokschoudert ten teken dat ze hier niet verder op in wil gaan, dezelfde reactie die ze vertoonde toen ik vroeg naar haar ervaringen op het slagveld. Daar wil ze ook niet over praten.

Calinie werd al gauw verliefd op een strijdkameraad, met wie ze nu getrouwd is. Nog tijdens de burgeroorlog kregen ze twee kinderen. 'Zwangere vrouwen kregen extra eten en hoefden de zware marsen niet mee te doen.' Als een strijdster zwanger werd, verhuisde ze naar een dorp achter de gevechtslinies om daar te bevallen. Na twee maanden kreeg het kind onderdak bij een gastgezin en moest de jonge moeder terug naar het front. 'Dat was moeilijk, maar ik probeerde er niet te veel aan te denken. De telefoontjes en briefjes van het gezin dat op mijn kinderen paste waren een troost.'

In december vorig jaar trok Calinie haar militair uniform uit. 'Ik had genoeg van de oorlog, wilde weer een normaal leven,' zegt ze over haar demobilisatie. Het is moeilijk voor te stellen dat deze jonge vrouw in popperige witte lintjesjurk ooit met een AK47 door de bossen sjouwde.

Wat haar verbaast, is hoe negatief haar omgeving reageerde toen ze definitief terugkeerde uit de bossen. 'Mensen wantrouwen me omdat ik heb gevochten. Onbegrijpelijk. Ik heb toch ook voor hun vrijheid gestreden?' Haar echtgenoot, die militair werd in het reguliere leger, heeft veel minder te kampen met vijandige reacties. Calinie wil een winkeltje beginnen of een opleiding volgen, maar weet niet hoe ze dat moet doen met haar kinderen thuis. 'Een moeder blijft bij haar kinderen, die kan niet op zoek naar werk of naar school.'

Haar kinderen zijn nog te klein om te beseffen welke rol hun moeder speelde in de burgeroorlog: 'Als ze groot genoeg zijn, vertel ik ze over de geschiedenis van hun land. Dan zullen ze ook weten dat ik heb gevochten voor hun toekomst. Maar ik geef ze meteen de raad om het land beter te besturen, zodat geweld niet meer voorkomt. Ik zal ze leren dat oorlog uiteindelijk niets goeds brengt.'

Anastasia is een stuk mededeelzamer dan haar jonge collega. De frêle vrouw in zwart kanten blouse met rode doek om het hoofd geknoopt was tweeënvijftig jaar toen ze zich in 2002 aansloot bij de Hutu-rebellen. In dat jaar vermoordden de militairen voor haar ogen haar echtgenoot. Haar eerste man kwam begin jaren zeventig op dezelfde manier om het leven. De goudkleurige oorhangers bengelen mee met haar hoofdschudden: 'Dat me dat nu weer gebeurde, was de druppel. Ik besloot de wapens op te nemen.' Ze meldde zich bij de strijders in de heuvels van de provincie Bubanza in het noordwesten. Ze lacht als ze vertelt dat ze voor het eerst in haar leven een broek aantrok. 'Dat hoorde bij het uniform. Het was oorlog, geen tijd om je druk te maken over taboes.'

Voorheen hielp ze de rebellen al door met eten en medicijnen de bergen in te gaan. Ze voorzag de strijders van kinine tegen malaria, diarreeremmers, cassavemeel en zout, totdat het leger door begon te krijgen langs welke routes ze haar spullen vervoerde en het risico op hinderlagen te groot werd. Toen pakte ze haar spullen en sloot zich aan bij de strijders.

Een echte gevechtstraining kreeg ze niet: 'We leerden door te kijken. Tijdens het eten liet een van de soldaten ons zien hoe hij zijn wapen uit elkaar haalde. Van een ander leerde ik het schoon te maken, weer een ander leerde me ermee te schieten.'

Al snel vergat ze de relatieve luxe van thuis: 'Ik kende geen verschil meer tussen dag en nacht, had het gevoel dat ik voortdurend wakker was. Het kamp kon immers altijd worden aangevallen.' De taakverdeling was voor iedereen hetzelfde, zegt Anastasia: 'Ook de mannen kookten de bonen voor het eten, dat ging bij toerbeurt. Het was niet altijd gaar of lekker, het ging erom dat je wat in je maag kreeg. Een rebel is een rebel, of je nu man bent of vrouw. In zo'n situatie laat je alle tradities varen.'

Bij schietoefeningen kregen vrouwen net zo goed een portie opdrukken voor hun kiezen wanneer ze de boom die als schietschijf diende meer dan drie keer misten. Anastasia strekt haar armen voor zich uit en toont haar spierballen ter illustratie van deze strafexercitie. Op de marsen moest iedereen zijn eigen wapen en proviand dragen, ongeacht sekse. Natuurlijk hadden vrouwen zo hun eigen problemen. Vooral als het kamp niet in de buurt van stromend water werd opgeslagen. 'We wasten het katoen voor ons maandverband in de beekjes, maar dat durfden we niet tegen de commandant te zeggen.'

Drie jaar bracht ze door in de bossen. Nu nog ziet ze soms de gevechten en de doden voor zich. Daarover spreekt ze niet graag, liever praat ze over vrede. Zes maanden geleden legde ze de wapens neer. 'Er is voor het eerst hoop op een oplossing.' De voormalige strijdster heeft sinds haar demobilisatie nooit meer een broek gedragen. 'Dat kan ik toch niet maken, ik ben moeder en oma! Ik zou me doodschamen.'

Ik overpeins Anastasia's opmerking als ik op mijn laatste avond in Bujumbura op mijn collega's wacht om te gaan stappen. Het terras van Cercle Nautique biedt een schilderachtig plaatje van de ondergaande zon boven het Tanganyikameer, en ik heb al heimwee naar Afrika voordat ik ben vertrokken. Uitkijkend over het water verwonder ik me erover dat een vrouw die zo stoer de broek aantrok om ten strijde te trekken, nu weer klakkeloos de sociale conventies gehoorzaamt. Terwijl ik van Mariam het idee kreeg dat vrouwen ook de wapens opnamen omdat ze hun maatschappelijke positie wilden verbeteren. Zijn deze vrouwelijke rebellen wijzer geworden door hun deelname aan de strijd? Ik besef ineens dat ik dat niet weet en neem me voor terug te komen naar Burundi voor het antwoord op die vraag.

Een donderklap op mijn rug haalt me uit mijn gemijmer. Een van mijn Burundese radiocollega's komt me van het terras halen om uit te gaan. Ik heb de smaak van het lokale uitgaansleven flink te pakken. Ondanks de avondklok is het goed stappen in Buja, zoals de stad kortweg wordt genoemd. Officieel moet iedereen voor twaalf uur 's nachts binnen zijn, maar die regel lap ik menige avond aan mijn laars.

Ik ben daarin overigens niet de enige, en het leverde tot nu toe geen problemen op. Zelfs al passeerde ik op veel te late tijdstippen de nachtelijke politiepatrouilles, nooit vielen ze me lastig. Het grootste probleem was de portier van mijn hotel zo ver te krijgen dat hij ondanks het nachtelijk uur toch de deur voor me opendeed. Zijn minachtende blik nam ik op de koop toe. Hij leek de enige in de stad die de avondklok serieus nam. Ik had dan ook niet kunnen voorzien dat uitgerekend mijn laatste avond in Buja uit zou lopen op een ongeplande ontmoeting met een truck vol politieagenten.

Het is woensdagavond en dan gaat *tout* Bujumbura uit in Crystal Palace, een informeel theatertje aan een grote parkeerplaats. Op deze karaokeavond is de tent gevuld met meer en minder getalenteerde Burundezen die tot sluitingstijd zoetsappige r&b zingen. De staanplaatsen achterin zijn als eerste gevuld, daar komt het barpersoneel niet langs en dan valt het niet op als je de hele avond met hetzelfde biertje in je hand staat omdat je geen geld hebt voor een volgende. Maar ook de tafeltjes in het midden zijn meestal bezet, ons gezelschap kan alleen zitplaatsen krijgen doordat iemand de eigenaar kent.

Het volume staat zo hoog dat conversatie niet aan de orde is en ik verveel me lichtelijk. Toch wil ik nog niet weg als de collega's die morgen moeten werken besluiten dat het mooi is geweest. Mijn laatste avond hoort traditiegetrouw tot in de kleine uurtjes te duren, dus stap ik achter op de motor van een van de zoetgevooisde zangers die me die avond door een collega is voorgesteld en ga op kroegentocht. Hij blijkt in Frankrijk te hebben gestudeerd en we belanden al snel in een discussie over pan-Afrikanisme, koloniale schuld en hypocrisie, onderwerpen waar je moeiteloos verschillende nachten mee kunt vullen. Na een uur in een bar waar ik verschillende CNDD-FDD politici zie die ik eerder in het parlement heb gesignaleerd, vraag ik mijn bevlogen metgezel me naar mijn hotel te brengen. Ik begin onderkoeld te raken van de loeiende airconditioning en moet de volgende ochtend mijn bagage nog pakken.

Als we ons weer op weg begeven, zijn we bepaald niet de enigen die zondigen tegen de avondklok. Wel de enigen zonder vette auto. Vermoedelijk is de wrakkige staat van de motorfiets onze grootste zonde, want als enige weggebruikers krijgen we een stopteken bij de controle verderop. De motorfiets komt tot stilstand langs de weg, vlak bij een vrachtwagen vol politiemensen. Tien agenten springen uit de laadbak en omcirkelen ons. Wat we op straat moeten na de avondklok? Rustig blijven, houd ik mezelf voor, dan praten we ons hier wel uit. Maar plots laat een vrouwelijke agent met een doffe stomp haar wapenstok op de rug van de motorrijder komen en ragt hem vervolgens met het ding in zijn gezicht. Ik vergeet mijn goede voornemen en word ontzettend pissig. Ik bijt hen toe dat ze ons best mogen arresteren, maar dat ze met hun poten van ons af moeten blijven.

Dat had ik beter niet kunnen zeggen: ze nemen mijn opmerking letterlijk en gaan over tot arrestatie. De motor wordt achter in de vrachtwagen geladen en de onfortuinlijke zanger, wiens wang al begint op te zwellen, ook. Ik moet voor in de cabine en zit geklemd tussen de op elkaar gepropte uniformen die weken geleden hun laatste wasbeurt hebben gehad.

Natuurlijk zitten wij hartstikke fout, maar ik blaas toch hoog van de toren in de hoop dat het indruk maakt. Dat een buitenlands journalist niet zo behandeld mag worden in een land dat zich democratie noemt en meer van dat soort pompeuze uitspraken. Ik moet eerlijk bekennen dat ik die keer mijn internationale perskaart voor oneigenlijke doeleinden heb gebruikt. Maar niemand is erg onder de indruk van mijn geblaat en ik voel me nogal belachelijk.

Het meest zorgwekkend vind ik dat niemand me wil vertellen waar we heen gaan. Iemand moet weten dat ik ben opgepakt, besef ik. Met wat gewriemel weet ik mijn mobiel uit mijn zak te wurmen. Ik verwacht een optater te krijgen om zoveel brutaliteit, maar mijn geüniformeerde gezelschap trekt zich niets meer van me aan, dus begin ik nummers in te toetsen. De arme Aloys is de enige die ik kan bereiken. Hij blijft uiterst koelbloedig en vraagt me hem de hoogste functionaris van het gezelschap te spreken te geven. Zo komt hij te weten dat we op weg zijn naar een politiekazerne buiten de stad. Ik hoef me geen zorgen te maken, stelt mijn radiocollega me gerust als ik mijn mobiel terug heb. 'Op zijn hoogst houden ze je vast tot morgenvroeg,' zegt hij droog, 'en anders kom ik je halen.' Eigen schuld, dikke bult, klinkt door in zijn slaperige stem – en terecht.

Bij de kazerne worden we buiten op de stoep van een laag sanitairgebouw bij de andere pechvogels gezet die die nacht tegen de lamp zijn gelopen. Een studente van twintig, een Libanese zakenman, een ongelukkig kijkende verkoper van illegale cd's en wij – ons rest niets dan wachten. Na een kwartier word ik ontboden bij de baas, een klein mannetje dat zichtbaar lol heeft in mijn situatie. 'Dus u is journalist op reportage,' sneert hij. Hij tuurt lang naar het bestempelde formulier van het mediaministerie waarop ik officieel toestemming krijg om als journalist overal in Burundi aan de slag te gaan. Gelukkig heb ik juist die avond in een opwelling alle officiële papieren in de borstzak van mijn zwarte spijkerjack gepropt. Hij knikt minzaam: 'Onze regering wil u natuurlijk alle ruimte bieden uw werk te doen.' Ik ben vrij om te gaan, hij zal er zelfs voor zorgen dat ik veilig thuiskom.

'En mijn metgezel?' vraag ik niet-begrijpend aan de commandant. Hij zegt op effen toon: 'Daar hebt u niets mee te maken, die blijft hier.' Ik antwoord dat ik zonder 'mijn collega' niet weg wil. De wachtcommandant haalt zijn schouders op. Dan moet ik het zelf maar weten en zal ik ook hier moeten overnachten. Hij biedt me nog welwillend zijn bed aan, een houten geval dat tegen de muur naast zijn bureau staat, met zijn gezelschap erbij. Ik bedank voor de eer en zeg dat ik liever de nacht buiten doorbreng met de rest – hoewel ik griezel van het idee zonder muggenspul in de openlucht te moeten pitten bij het wc-gebouw waar het rioolwater tot aan de enkels staat.

Na anderhalf uur op de stoep – ik heb de hoop nog voor zonsopgang een bed te zien al opgegeven – vindt de commandant blijkbaar dat we genoeg in spanning hebben gezeten. Zonder plichtplegingen worden de zanger en ik weer in de vrachtwagen geladen. Een heus politie-escorte levert me af bij mijn hotel. Bij de nachtportier heb ik het definitief verbruid, maar de collega's van Studio Ijambo hebben de grootste lol als ik de volgende ochtend afscheid kom nemen. Aloys heeft mijn debacle uitgebreid uit de doeken gedaan en werkelijk iedereen heeft ervan gehoord. Nu nog krijg ik af en toe belangstellende mailtjes van collega's uit Buja die me vragen of ik onlangs nog ben opgepakt.

Ruim een jaar later ben ik terug in Burundi. Aloys is de eerste die ik opzoek in de radiostudio. Mijn collega die altijd een goudkleurige leeuwenkop aan een ketting om zijn nek heeft hangen, omhelst me. Met een veelbetekenende grijns veronderstelt hij dat het me in vergelijking met vorige keer nog beter zal bevallen: 'De avondklok is afgeschaft.'

Dat is niet het enige dat is veranderd in Burundi. Het allereerste dat me opvalt zijn de hesjes van de motortaxirijders. Allemaal hebben ze een nummer, ze dragen in ieder geval in de stad een helm en het lijkt ook wel of ze zich netter gedragen in het verkeer. Dat is verder trouwens nog net zo druk en mesjokke als voorheen – je moet ook niet te veel in een keer verwachten.

Wat ook is veranderd, is de stemming. De hoop van vorig jaar is veel Burundezen door de vingers gesijpeld nu het nieuwe regime het democratisch masker heeft afgelegd. De minister van Informatie – toen ik hem de vorige keer interviewde, sprak hij nog mooie woorden over persvrijheid en democratie – verordonneert inmiddels vervolging van journalisten die hem niet zinnen. Mijn Burundese collega's moeten op hun tellen passen en met zekere regelmaat krijg ik mailtjes over vrienden die om vage redenen enige tijd in de gevangenis zijn beland. 'Nu we democratisch aan de macht zijn gekomen, kunnen we doen wat we willen,' is de houding van de oud-rebellen in de politiek. De media-minister heeft dat zelfs letterlijk zo gezegd en de Burundese pers laat hem deze uitspraak niet licht vergeten.

Aloys blijft ondanks alles optimistisch: mijn rastavriend laat zich een betere toekomst niet zomaar afnemen en gelooft nog steeds heilig in verbetering. Als ik zeg dat ik me zorgen maak over de berichten, maakt de radioverslaggever een afwerend gebaar. 'Propaganda van mensen die de Burundezen weer bang willen maken,' zegt hij geringschattend. 'Maar mijn volk laat zich niet meer de oorlog inpraten.'

Ik ben teruggekeerd naar Burundi omdat ik wil weten wat er geworden is van de gedemobiliseerde vrouwen die ik eerder sprak. Hebben de oud-rebellen hun leven weer op de rails, hadden ze als vrouw ook profijt van de overheidsprogramma's voor oud-soldaten? Stiekem hoop ik dat ze deze keer meer loslaten over hun rol in de strijd en over de werkelijke verhoudingen in het rebellenleger. De vorige keer beweerden de ex-strijdsters zonder uitzondering dat er geen enkel verschil was tussen mannen en vrouwen, terwijl in hun verhalen doorschemerde dat dat anders lag. Nu de tijd in de bossen verder achter hen ligt, zijn ze misschien mededeelzamer.

Calinie vind ik terug in een keurige wijk in het noorden van Bujumbura waar stratenmakers de weg aan het bestraten zijn.

De inmiddels vijfentwintigjarige draagt een ovale bril waar ze me onderzoekend door aankijkt. De ontvangst gaat niet van harte. De vrouw die zich zo jong bij de CNDD-FDD aansloot, vraagt aan Daniella, de collega die met me is meegekomen om te tolken, wat die blanke journalist eigenlijk van d'r moet. Calinie is nu een nette luitenantsvrouw en hoeft niet meer zo nodig aan haar tijd in de jungle herinnerd te worden.

'Heel lang droomde ik iedere nacht van de kogels die over mijn hoofd vlogen,' vertelt ze, zittend op de groen gebloemde sofa in haar huiskamer, waar felgekleurde reclamekalenders van voorgaande jaren de muren sieren. 'Uit het niets kon je kamp worden aangevallen door de militairen. In de *brousse* wist je 's ochtends niet of je de avond zou halen. Er zijn zoveel doden gevallen onder mijn medestrijders, ik heb geluk gehad.'

Dat Calinie niet erg hard rennen kon, is op een bepaalde manier haar redding geweest. Haar chef zette haar bij aanvallen op wapendepots of voedselvoorraden nooit in de voorhoede, maar in de groep daarachter, die nieuwe munitie met zich meedroeg en de gewonde kameraden opving of de doden afvoerde. 'En dan nog was ik bang – ik was helemaal niet zo dapper,' zegt ze. Meer dan eens speelde de gedachte door haar hoofd de opstand vaarwel te zeggen. Maar wat dan? 'Er was voor mij niets om naar terug te keren.'

Uit een van de kamers die aan de zitruimte grenzen klinkt een woest gehuil. 'Ga je broertje eens halen,' instrueert Calinie haar driejarige zoontje dat de hele tijd om haar heen hangt. Met een stevige peuter aan de hand komt de jongen terug. Ik kijk verbaasd: is dit de baby die ze bij zich droeg toen ik haar voor het eerst ontmoette? Calinie knikt. Destijds was de twee maanden oude zuigeling een zorgenkindje, maar hij is helemaal opgebloeid. Voor Calinie een teken dat ze er goed aan heeft gedaan de strijd vaarwel te zeggen. Haar twee oudere zoons zijn geboren in de bossen, dit jongste kind kwam ter wereld vlak na haar demobilisatie. Vandaar dat het voormalige rebellenechtpaar de baby Liberal noemde. Ze knijpt in de mollige wang van haar jongste kind en trekt het op schoot. 'Mijn kinderen zijn de reden dat ik weer een gewoon burgerleven wilde. Ik zou de kracht niet meer hebben ze achter te laten om te gaan vechten. Een moeder hoort bij haar kinderen.'

Het gekeuvel over haar zoons heeft de vijfentwintigjarige een beetje ontdooid. Ik waag het erop en snijd het onderwerp aan dat ze in het eerste interview zo uit de weg ging. Een alleenstaand meisje van zestien kan het tussen al die mannelijke militairen niet makkelijk hebben gehad, zeg ik. Hoe ging zij daar destijds mee om? 'Jonge meisjes werden lastiggevallen. Vooral 's nachts moest je uitkijken,' geeft ze nu toe. Alleenstaande vrouwen en mannen sliepen weliswaar in aparte hutten, maar dat was geen garantie dat er nooit problemen waren. De meeste vrouwen kozen eieren voor hun geld en zochten snel een medestrijder als vaste partner. Zo bleef de rest met hun handen van hen af. Ik memoreer haar uitspraak dat ze in het leger al heel snel verliefd werd op een kameraad en ze bevestigt wat ik al vermoedde: dat Calinie zo gauw een vaste partner had, had deels te maken met haar eigen veiligheid.

De strijders in het woud konden niet naar de burgerlijke stand om te trouwen. De meeste rebellenechtparen waren dan ook niet officieel gehuwd. Calinie prijst zich gelukkig, want toen zij en haar man uit de bossen kwamen, zijn ze alsnog officieel in het huwelijk getreden: 'Hij is me trouw gebleven en wij zijn samen het gewone leven ingegaan.' Er zijn genoeg kameraden van de CNDD-FDD die hun officieuze echtgenote lieten stikken zodra de strijd voorbij was: 'Veel vriendinnen zijn in de steek gelaten. Hun man beweerde ineens dat het huwelijk alleen voor de duur van de oorlog was. En nu zitten zij met buitenechtelijke kinderen en zonder geld.' Een nieuwe man vinden als gedemobiliseerde vrouw is geen sinecure, weet ze van die vriendinnen: 'De mensen denken:

als je in de brousse bent geweest, zul je wel een moeilijk mens zijn. Daar valt niet mee te leven.'

Als maarschalk Mariam hoorde dat jonge vrouwen in het leger problemen hadden met hun mannelijke kameraden, stapte ze hoogstpersoonlijk op de verantwoordelijke commandant af. De hoogstgeplaatste vrouw in de hiërarchie gaf hem dan ongezouten haar mening over de soldaten die hun boekje te buiten gingen. De grote moslima klopt met een resoluut gebaar haar handen af: 'Discipline in de strijd is het belangrijkste van alles. Ook tegenover elkaar.'

We zitten op de veranda van Mariams stenen huurhuisje in de wijk Kenama. Salam aleikum, klinkt het af en toe als een van de buurtbewoners poolshoogte komt nemen en door de tralies naar binnen gluurt. Op het weerzien met Mariam heb ik mij verheugd. Toen ik weer in Nederland was, kreeg ik de eerste tijd om de paar maanden een mailtje van haar, maar op een gegeven moment stopten die berichten. Van anderen hoorde ik dat ze steeds minder geld te besteden had en zich de bezoekjes aan het internetcafé niet meer kon veroorloven. Daarom was ik vastbesloten haar weer op te zoeken als ik terug was in Burundi. Ze begroet me allerhartelijkst en maakt meteen tijd voor me.

Mariam gaat uiterst serieus in op mijn vragen over de positie van vrouwen in het rebellenleger. Natuurlijk maakte ze zich soms zorgen. 'Op een dag hoorde ik dat er kolonels waren die ieder nieuw meisje voor zichzelf opeisten. Daar heb ik een einde aan gemaakt.' De vrouwelijke maarschalk riep alle mannen bij elkaar voor een pittig onderhoud. Ze maakte duidelijk dat ze niet zo maar konden nemen wat ze wilden: 'Ook als man moet je onderhandelen. Vind je een meisje leuk, doe er dan je best voor. En dan mag zij beslissen of ze je wil of niet.' Of het misbruik helemaal ophield, weet ze niet: 'In mijn buurt gebeurden dat soort dingen vanaf dat moment in ieder geval niet meer.'

Met Mariam ga ik op zoek naar Anastasia, de oma die de wapens opnam en zich in een broek hees omdat ze het geweld dat haar werd aangedaan zat was. We vinden de vrouw in een van de armste buurten ten noorden van het stadscentrum. Stromend water en elektriciteit zijn er niet. Midden op straat liggen afvalhopen die om de paar dagen in brand worden gestoken. De tweekamerwoning van zestien vierkante meter van de oud-strijdster ligt in een lang blok identieke behuizingen. Wanneer Mariam de straat op gaat, komen er meteen verschillende vrouwen op haar af. Omhelzingen en gelach. Er blijken hier nogal wat weduwen van de CNDD-FDD beland. De afkoopsom voor hun demobilisatie was meestal nauwelijks genoeg om de eerste maanden met de kinderen door te komen, en geld voor een fatsoenlijk onderkomen schoot er niet over.

Ook Anastasia kan zich niet meer veroorloven dan dit. De jonge Calinie in haar vijfkamervilla leeft vergeleken bij deze vrouwen in grote luxe. Anastasia's verwassen kleren hangen over een touw dat langs het plafond is gespannen. Twee houten stoelen, vier krukjes van afvalhout en een tafel, dan heb je de aardse bezittingen van de inmiddels zevenenvijftigjarige Burundese grotendeels opgesomd. Ik geef een buurmeisje geld om frisdrank te gaan halen. We zitten voorlopig nog wel even bij Anastasia, gezien het dreigende wolkendek boven de stad. De wind die altijd aan een zware regenbui voorafgaat, is al opgestoken en door alle kieren komt rood zand binnenwaaien. De regen laat niet lang op zich wachten. Nu zie ik waarom op sommige plekken in de aangestampte aarden vloer kuiltjes zitten: daar lekt het dak en hollen de druppels de vloer bij iedere bui verder uit.

Tegenwoordig verdient de Burundese haar geld met het verkopen van frisdrank. Een tafeltje voor het huis van haar zakenpartner een wijk verderop dient als toonbank, daaronder staat de koopwaar, kratten Fanta en Cola. Anastasia zit er de hele dag op klanten te wachten. Omdat het vlak bij de markt ligt, heeft ze behoorlijk wat aanloop, zegt ze: 'Op sommige dagen raak ik wel twee hele kratten kwijt.' Niet dat ze daarvan rond kan komen. De eigenaar van het huis krijgt een deel van de opbrengst en dan houdt ze nauwelijks genoeg over om zichzelf en de kinderen te eten te geven.

Ze had zich haar leven na de gewapende strijd anders voorgesteld. 'Toen ik ten strijde trok, hoopte ik niet alleen op vrede, ik hoopte ook op een beter leven na afloop. Ik droomde dat ik misschien een huis zou kunnen bouwen, dat ik niet meer afhankelijk zou zijn. Maar de armoede is gebleven.'

Of het nu vrouwen of mannen betreft, de economische situatie van de meeste gedemobiliseerden is beroerd, concludeert Anastasia: 'Velen van hen hebben hun land moeten verkopen of hebben het verloren in de oorlog. Als er geen werk is voor deze mensen, riskeren we dat ze uiteindelijk de wapens weer opnemen. Daar maak ik me zorgen over.' Bij vrouwen speelt ook nog eens dat ze ongeschoold zijn. 'Een groot deel van de vrouwelijke *combattants* is nooit naar school geweest. Voor hen is er niets. Op straat worden ze nagewezen: daar gaat die oud-strijdster die haar kinderen in de steek heeft gelaten! En waarvoor?'

Ondanks het feit dat ze het niet breed heeft, is de vijftiger een gelukkig mens, benadrukt ze. Haar kinderen die in de oorlog alle windrichtingen op gevlucht waren, heeft ze weer allemaal terug. Een paar van hen bleken terechtgekomen in Zambia, in de veronderstelling dat hun moeder dood was. Een hulporganisatie bracht de familieleden weer met elkaar in contact en via een terugkeerprogramma voor vluchtelingen zijn ze herenigd in hun land van herkomst. Een halfjaar geleden hoorde Anastasia van landgenoten dat haar achttienjarige zoon in Zuid-Afrika zat: 'Het laatste kind van wie ik nog niets wist. Die dag heb ik gehuild van vreugde. God heeft het toch goed met me voor.'

Haar kinderen hadden geen idee dat hun voor Burundese begrippen bejaarde moeder het soldatenuniform had aangetrokken nadat de oorlog het gezin uiteengeslagen had. 'Ze geloofden het eerst niet, ik heb ze mijn gedemobiliseerdenpas moeten laten zien om het te bewijzen.' Ze zal haar oorlogsverleden nooit voor iemand verborgen houden, zegt ze stralend: 'Jazeker, iedereen weet het van mij. Ik ben de huizen langsgegaan om in de buurt uit te leggen waarom ik heb gevochten. In het begin waren de mensen in de wijk bang. Dat ik op mijn leeftijd nog in het leger was gegaan, vonden ze niet normaal. Maar nu zijn ze aan me gewend.'

In de oorlog had ze altijd haar wapen bij zich. De eerste keer dat ze het buiten een oefensituatie moest gebruiken, was om te voorkomen dat de plek werd geplunderd waar haar compagnie het voedsel bewaarde. Ze waren net begonnen met de voorbereidingen voor het avondeten toen de wachten alarm sloegen. Soldaten van het regeringsleger vielen het kamp aan en overal klonken schoten. Anastasia zag de aanvallers van achter de bomen schietend op de open plek met de geïmproviseerde keuken toe rennen, recht op haar af. 'Ik liet de pan vallen en greep naar mijn geweer. Trillend heb ik toen mijn eerste echte schoten gelost. Ik kon niet anders dan schieten, ik moest me verdedigen. Ik zag soldaten neervallen, maar wist niet zeker of dat door mijn kogels kwam.' Ik vraag haar aan het eind van ons gesprek wat dat doet met een mens, iemand neerschieten. Ze antwoordt na een korte stilte: 'Niemand beleeft plezier aan het doden, maar op zo'n moment is het jij of hij. Het doet pijn, ook al hou je jezelf voor dat het de vijand is. Het beschadigt je hart. Maar je hebt geen keus, het is oorlog.'

Vergeten zal ze dit gevoel nooit, het blijft haar bij, net als de momenten dat ze zelf vreesde dat ze er geweest was. Zoals bij de driedaagse slag met het leger in Bubanza in augustus 1996, toen een granaat vlak naast haar ontplofte en haar het zicht in haar linkeroog ontnam. Met vijfduizend soldaten werd de CNDD-FDD toen aangevallen, het rebellenleger was totaal omsingeld en werd van alle kanten gebombardeerd. Het werd een veldslag waarbij veel van Anastasia's kameraden het leven lieten, een gebeurtenis waar oud-strijders het nu nog over hebben bij een weerzien: je hoeft de plaatsnamen Rugazi en Masha maar te noemen of de verhalen komen los.

In deze regio zijn plaatsnamen maar al te vaak verbonden met gewelddadige voorvallen. De groene heuvels van Burundi en Rwanda liggen bezaaid met meer en minder tastbare herinneringen aan slachtpartijen. Op weg door Rwanda keek ik bij een tussenstop in Ruhengeri uit over een dal met naaldbomen. Ondanks de mistflarden over de grasheuvels reikte het zicht kilometers ver, steeds nieuwe hellingen onthullend die als coulissen achter elkaar geschoven leken. De stilte en de frisse lucht ontlokten me de verzuchting hoe prachtig het ongerepte landschap was. Een reisgenoot die naast me stond snoof minachtend en wees op de heuvels in de verte. Daar woonden decennialang Tutsi's, vertelde hij me. Sinds april 1994 woont er niemand meer, want iedereen is uitgemoord of gevlucht. De lege hellingen zagen er ineens heel anders uit.

In het Burundese landschap memoreren vele monumenten misdaden van beide kanten. Zo leidde de reis naar Gitega met Désiré langs het uitgebrande pompstation waar Hutu-rebellen in oktober 1993 een groep kinderen vermoordden door hen met benzine te overgieten, op te sluiten en in brand te steken. Een overkapping beschermt nu het kleine gebouw met kogelgaten waar de tientallen Tutsi-scholieren levend verbrandden. Ernaast verrijst een door pilaren hooggehouden dak van concentrische betonnen cirkels boven een podium waar altijd bloemen liggen. 'Dit nooit meer!' staat in gouden letters op de buitenste rand van het dak.

De honderden Hutu-burgers die een jaar later door Tutsi-milities, militairen en politieagenten werden vermoord bij Gasorwe vlak bij de Tanzaniaanse grens, zullen vast ook hun gedenkteken hebben gekregen. Beide partijen hebben zich in de Burundese burgeroorlog schuldig gemaakt aan mensenrechtenschendingen.

Ook de CNDD-FDD heeft wat dat betreft een en ander op de kerfstok. Het is moeilijk om daar met de oud-strijdsters over te praten. Het wordt al snel afgedaan met dooddoeners: het was nu eenmaal oorlog, het ging om zelfverdediging, waar gehakt wordt vallen spaanders. Daarnaast schrijft ook in Burundi de overwinnaar de geschiedenis. Het is de CNDD-FDD die bij de verkiezingen de meeste stemmen kreeg, het is hún leider die de presidentszetel bezet. Wandaden binnen eigen gelederen worden niet breed uitgemeten.

Bovendien blijken de vrouwen, hoewel ze volhouden dat beide seksen exact dezelfde taken vervulden in de strijd, zelden in de voorste regionen van het rebellenleger te hebben gevochten. Ze trokken bij een aanval mee in de achterhoede, voerden gewonde kompanen af of regelden de voedselvoorziening, maar geen van de bijna twintig strijdsters die ik sprak zei daadwerkelijk actief te hebben deelgenomen aan offensieve operaties. Heb ik dan net de verkeerde vrouwen getroffen, of was de met de mond beleden gelijkheid onder de rebellen toch niet zo algeheel als wordt voorgespiegeld?

Ik vraag het Mariam de laatste keer dat ik haar opzoek. We zitten weer op haar veranda die van de buitenwereld wordt afgeschermd door een traliewerk van betongaas. Ook al bezit je bijna niets, er zijn altijd mensen die nog minder hebben en met argusogen naar je schaarse bezittingen loeren. Het is een lome namiddag, te vroeg om te eten, te laat om nog iets nieuws te ondernemen. Mariams zoon van twaalf scharrelt buiten op het erf rond tussen de vrouwen die cassave stampen. In de enige slaapkamer ligt in het schemerdonker een meisje te slapen op het tweepersoonsmatras op de grond – 's nachts deelt ze het bed met zes kinderen en een volwassen vrouw, dus een middagdutje in je eentje is een welkome rustpauze. Een pan met bonen pruttelt op een houtvuurtje in de keuken. Een ondanks de hitte dik aangekleed jongetje – ik schat hem hoogstens twee jaar – hangt voortdurend aan Mariams rokken. Ze gaat zitten op de stoel met de bekleding van koeienhuid en meteen komt hij tegen haar aan staan. Ze voert hem kleine stukjes halfgesmolten melkchocolade. Hij blijkt geen twee, maar bijna vier jaar oud. Het is een van de aidswezen die Mariam in huis nam nadat zijn ouders waren overleden: 'Hij is zo ziek dat hij gewoon eten vaak weer uitspuugt, daarom neem ik altijd een reep chocola voor hem mee als ik me dat kan veroorloven. Eigenlijk zou hij aidsremmers moeten hebben, maar die zijn er niet genoeg in Burundi.'

Terwijl de oud-maarschalk de kleverige chocola in de mond van het jongetje stopt, spreek ik uit wat me op het hart ligt. Die absolute gelijkheid tussen de seksen tijdens de strijd lijkt mij een propagandapraatje, zeg ik. De verhalen van de rebellenvrouwen tonen iets heel anders. Hoe zat het nou echt met de taakverdeling tussen mannen en vrouwen? Heeft de vrouwelijke maarschalk zelf bijvoorbeeld weleens aan een aanval meegedaan? Mariam bevestigt wat ik al vermoedde: ook de hoogste vrouwelijke militair heeft nooit aan het front gevochten. Ze kent maar weinig seksegenotes die dat wel hebben gedaan. Meestal beperkte hun rol zich tot de logistiek, het verkennen van het terrein, de foerage van de troepen. Er waren een paar vrouwen die wel meededen, die zijn nu geïntegreerd als officier in het nieuwe nationale leger, maar dat waren uitzonderingen.

'Ik vond het idee naar het slagveld te moeten niet prettig, dus ben ik me al snel met management en politiek gaan bemoeien,' legt ze uit. De keren dat zij haar geweer vuurde, was dat gericht op de wolken, om te wennen aan het gevoel, of op een boom die als schietschijf diende. Ze staat op, zet haar linkervoet voor de rechter en neemt ter demonstratie een denkbeeldige kalasjnikov in haar handen. Schieten kan ze, zegt ze, maar gedood heeft ze nooit.

Ik ben zo opgelucht dat ik mijn vermoeden bevestigd zie, dat ik vergeet verder te vragen. Pas als ik de volgende dag in een minibusje door Rwanda op weg ben naar Congo, bedenk ik hoe ik had moeten reageren op de vaststelling dat er geen vrouwen aan het front waren. Ik had natuurlijk moeten vragen of het volgens haar iets had uitgemaakt. Zouden de wraakacties zo uit de hand zijn gelopen als er vrouwelijke soldaten bij waren geweest? Zouden zij hebben toegezien hoe tientallen kinderen levend in brand werden gestoken? Zouden hun mannelijke kompanen aan het verkrachten zijn geslagen met hen erbij? Gedragen vrouwen zich in oorlogstijd beter dan mannen? Ik ben daar niet zo zeker van. Tijdens de Rwandese genocide zagen journalisten moeders met kinderen op de rug met machetes inhakken op andere vrouwen die ook een kind droegen. Onder de juiste – of beter, de verkeerde – omstandigheden kan menigeen zich ontpoppen tot moordenaar, ongeacht de sekse. Daar maak ik mij geen illusies over. Toch zou ik graag willen geloven dat een gelijkere sekseverdeling in het leger een civiliserende invloed heeft. Daarom had ik graag van Mariam willen weten hoe zij hier tegenaan keek.

Onderweg in het busje denk ik aan de winnaars en de verliezers van de Burundese burgeroorlog. De gedemobiliseerde vrouwen lijken er niet zoveel bij gewonnen te hebben. Anderen die geen poot hebben verzet in de strijd, weten meer te profiteren van de overwinning dan zij.

Zoals de dikke Jeff die ik de allereerste keer in het vliegtuig naar Burundi tegenkwam, daags voor de presidentsverkiezingen. In honkbalshirt en spijkerbroek kwam hij naast me zitten en begon meteen een gesprek. Hoewel zijn Frans beter is, stond hij erop in het Engels te converseren, zo benadrukkend dat hij niet van de straat was. Hij vluchtte jaren geleden zijn land uit en bouwde een bestaan op als ontwikkelingshulpadviseur in Engeland.

De eerste anekdote waarmee hij op de proppen kwam, was hoe hij van zijn honorarium bij een mensenrechtenorganisatie een nieuw stel borsten voor zijn vrouw aanschafte. 'Nog nooit zo goed verdiend als bij Amnesty,' glunderde hij.

Nu kwam de Hutu voor het eerst weer een kijkje nemen in zijn geboorteland. Voor mij als goede vriend van de mensen rondom de nieuwe president moet er wat te halen zijn, redeneerde hij. Inderdaad kwam ik hem de dagen erna tegen in de entourage rondom het pasgekozen staatshoofd, nu onherkenbaar strak in pak gestoken, met zijden stropdas en opzichtige manchetknopen. 'Ik ben een vriend van de president. Ik kan doen wat ik wil in dit land,' vertrouwde hij me vlak na de verkiezingen toe.

Ik herinner me Mariams deceptie over het naoorlogse bestaan. Zeker, ze kan af en toe aankloppen bij de bazen van haar partij voor een praatje. 'Als ik om audiëntie vraag bij de president, dan krijg ik die. Maar daar blijft het ook bij. De politiek is oneerlijk. Ik heb ook gestreden, maar meepraten over het beleid of meebeslissen is er voor mij niet bij.' Haar medestrijdster Anastasia was net zo teleurgesteld: 'Ik had gehoopt dat de overheid ons zou helpen, dat ze zich ons zou herinneren. Maar die dagen zijn voorbij. We zijn weer op onszelf aangewezen.'

Deze vrouwen krijgen niet veel terug voor hun opoffering en ontberingen in de jungle. Ze sappelen om te overleven. Zij staan niet tussen de politici met hun glimmende pakken en joviale manieren op de trappen van het parlementsgebouw na de inauguratie van de president, terwijl aasgieren als Jeff daar wel in overvloed rondhangen, schouder aan schouder met de nieuwe machthebbers. Zakkenvullers als hij weten meer te profiteren van de nieuwe Burundese orde dan de vrouwen die met hun automatische geweer, sprokkelhout en pannen door de bossen hebben gezeuld om die nieuwe orde te bevechten.

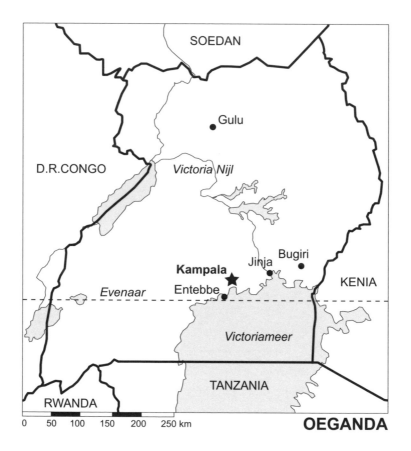

SOEDAN

Gulu

D.R.CONGO

Victoria Nijl

Bugiri

Kampala Jinja

KENIA

Evenaar Entebbe

Victoriameer

TANZANIA

RWANDA

0   50   100   150   200   250 km

OEGANDA

5

Tweedehands maagden en pottenbars

SEKS EN MORAAL IN OEGANDA

Met een flinke ruk trek ik een rits van vier in wit cellofaan verpakte condooms uit de automaat in het douanekantoor. Het slaperige geroezemoes in de rij wachtenden verstomt, om daarna eens zo hard hervat te worden. Het is halfzes 's ochtends en we rollen juist met z'n allen uit de nachtbus vanuit Nakuru, Kenia, voor de paspoortcontrole aan de Oegandese grens. Niemand leek nog echt wakker, maar mijn greep naar de voorbehoedsmiddelen brengt daarin acuut verandering. Ik besef ineens dat geen van mijn medereizigers in de rij vóór mij de condoomautomaat aan de muur heeft aangeraakt, hoe verleidelijk het geval – HELP YOURSELF – ook is opgehangen.

Zo ervaar ik voor het eerst wat alle Oegandezen allang weten: in het openbaar jezelf aan condooms helpen is hier nog een stevig taboe, zeker voor een vrouw. Hoewel ik de gesprekken in het Swahili verder niet versta, vang ik na mijn manoeuvre in de rij voor de stempels verschillende keren het woord *mzungu* op, blanke. Dat kan alleen maar op mij slaan, verder zijn er enkel zwarte mensen. De gegeneerde blikken mijn kant op versterken het vermoeden dat ze mijn klaarblijkelijke promiscuïteit bediscussiëren. Het gevoel bekruipt me dat ik net zo goed een bord had kunnen omhangen met de tekst 'gevallen vrouw'.

Deze enerzijds opgelaten, anderzijds minachtende reacties vallen mij deze reis door Oeganda nog menigmaal ten deel. In

Rwanda hoorde ik van een Oegandese student op vakantie bij zijn oom, dat hij van plan was een flink pak condooms mee terug naar huis te nemen. 'Bij ons niet meer gratis te krijgen,' beweerde hij. Terwijl ze voorheen overal in Mbarara, zijn stad in Zuid-Oeganda, voor het grijpen lagen: in het ziekenhuis, in de gezondheidscentra en op allerlei andere openbare plekken.

Natuurlijk had ik de berichten over de condoomschaarste in Oeganda gelezen. Net als de beschuldigingen aan het adres van de Amerikanen dat zij de oorzaak zijn van de plotselinge impopulariteit van het voorbehoedsmiddel. Een beschuldiging die de vs in alle toonaarden ontkent, net zoals Oeganda ontkent dat het te weinig condooms zou distribueren.

Ik wil van dichtbij zien wat ervan waar is. Zijn er in het Midden-Afrikaanse land inderdaad te weinig voorbehoedsmiddelen? En hoe komt dat dan? Ik steek de Keniaans-Oegandese grens over met een missie: een zoektocht naar condooms. Hoe duur zijn ze, hoe groot is de voorraad en deugen ze wel? Dat leidt tot interessante taferelen. Zoals de verkoopster van de apotheek op het terrein van een lokaal ziekenhuis in het oosten, die doet alsof ze mijn herhaalde vraag niet begrijpt en die me pas van dienst wil zijn als ik op mijn tenen zelf maar een pakje van een plank achter haar vandaan vis en op de toonbank kwak. Of de tandeloze meneer die me bij de verkoop meteen een oneerbaar voorstel doet, tot hilariteit van zijn naburige collega's in de containerwinkeltjes op de kleine Kamwokyamarkt in Kampala.

Ik ga natuurlijk niet enkel op zoek naar condooms. Vooral wil ik praten met de Oegandezen zelf over wat er in hun land is veranderd op het gebied van aidsbestrijding en voorbehoedsmiddelen. En over seks.

Oeganda stond internationaal bekend als succesverhaal om zijn brede aanpak van de aidsepidemie. De aanwezigheid van het hiv-virus liep terug van vijftien procent begin jaren negentig tot vijf in 2001. Het bespreekbaar maken van seks, het beschikbaar stellen van condooms en grootscheepse campagnes voor het gebruik ervan lagen daaraan ten grondslag.

Vanaf 2004 ging het roer om. De rubberen voorbehoedsmiddelen die altijd in overvloed te krijgen waren, werden plotseling schaars. De billboards die opriepen vooral condooms te gebruiken, verdwenen uit het straatbeeld. Zij maakten plaats voor reclameborden die *abstinence* prediken, onthouding van seks, als de enige veilige manier om niet besmet te raken met het aidsvirus. Deze borden verkondigen dat je jezelf moet bewaren voor het huwelijk, of dat serieuze studenten die het gaan maken in het leven wachten met vrijen tot ze zijn getrouwd.

De christelijke moraal voert inmiddels de boventoon in het aidsdebat. Evangelische stromingen, vaak van Amerikaanse bodem, krijgen steeds meer voet aan de grond in Afrika. Met scheepsladingen komen de zendelingen uit het Westen ingevlogen; meer dan eens zat ik in het vliegtuig naast zulke godsdienstige boodschappers. Hun heilsprofetieën vallen in goede aarde bij de straatarme, wanhopige bevolking ten zuiden van de Sahara.

In Oeganda zijn de wedergeboren christenen een absolute hit: menige Oegandees bekeerde zich tot *born again christian*. Dat de echtgenote van president Yoweri Museveni een van die bekeerlingen is, maakt de stroming nog populairder. De presidentsvrouw strijdt fel voor christelijke waarden en tegen het condoom. In haar kielzog trekt ze tal van gelijkgezinde organisaties mee.

Om die sfeer van rechtschapenheid en kuisheid te proeven, bezoek ik het wekelijkse jongerenfestijn van Martin Ssempa. Ssempa is een van de meest luidruchtige exponenten van de Oegandese *abstinence-movement*. Hij werd wereldberoemd toen hij in het bijzijn van een horde studentenvolgelingen een condoom verbrandde op de hoofdstedelijke universiteitscampus.

Het is een zwoele vrijdagavond, de uitgaansavond bij uitstek in de Oegandese hoofdstad Kampala. Op de tribunes bij het zwembad op de campus van de Makerere-universiteit hebben zich een dikke duizend studenten verzameld om hun idool te zien. Martin Ssempa, zelfbenoemd pastor van de door hemzelf opgerichte Makerere Community Church, spreekt zijn juichende publiek toe.

'Jullie zijn niet alleen!' verzekert de Oegandees hen, badend in het voetlicht. 'De helft van de vijftien- tot vierentwintigjarigen in Oeganda is nog maagd. Mensen die homoseksueel zijn, zijn brutaler dan jullie. Zij zijn er trots op! Jullie doen het juiste, daar hoef je je niet voor te schamen. Wees trots op je maagdelijkheid!'

Ssempa's *Prime Time @ the Pool* blijkt een show met reli-hip-hop en ander 'non-seksueel vermaak' voor de jeugd, compleet met lichteffecten. De feestavond moet jongeren weghouden van het bruisende uitgaansleven in de hoofdstad. De nachtclubs en de disco's in de grote hotels zijn geen gezonde omgeving voor jonge mensen, meent de studentenpastor. Menig student vindt Ssempa 'cool', met zijn dik aangezette Amerikaanse accent, opgedaan tijdens zijn studie in Philadelphia.

Ik sta tussen de klappende, gillende jongens in hippe afzakbroeken en meisjes met glitteropdruk op hun T-shirts. Sommigen ruim in de twintig. Ik geloof er niets van dat ze nog nooit met iemand het bed in zijn gedoken, maar ze bezweren me stuk voor stuk dat ze niet zullen vrijen voordat ze zijn getrouwd. Wel blijkt menigeen tweedehands maagd. Ze waren, vaak niet eens zo lang geleden, promiscue, maar hebben nu besloten van seks af te zien.

Op het podium haalt Ssempa de vierentwintigjarige Simon-Peter in de schijnwerpers. Achter hem hangt een wit spandoek met een rood hart en de tekst JUST WAIT. Het wachten is voor Simon-Peter eindelijk voorbij: de kunststudent gaat dit weekeinde trouwen met zijn verloofde, leeftijdsgenote Jacky. Een grote gebeurtenis in de Oegandese abstinencebeweging, herhaalt Ssempa menigmaal. De twee studenten hebben zich ingehouden, maar nu gaat het er dan eindelijk van komen, schettert hun goeroe in de microfoon. 'Morgen is de dag. Jullie weten wat er dan gaat gebeuren!' Het publiek gilt van opwinding. Simon-Peter staat er een beetje beteuterd bij en weet niet zo goed waar hij kijken moet.

Ik zit in het gras naast Ben en Mozes, beiden student ontwikkelingsstudies. Ze applaudisseren en fluiten afwisselend in reactie op Ssempa's uitspraken. 'Abstinence is een goede boodschap. Zo kun je je tenminste concentreren op je studie. Pastor Ssempa heeft zelfs condooms verbrand hier op de campus, om dat duidelijk te maken,' legt Ben uit. Mozes heeft al weleens een vriendinnetje gehad uit zijn dorp met wie hij naar bed ging, maar is vastbesloten zijn leven te beteren. Hij zou nooit met een meisje willen trouwen voor wie hij niet de eerste is. Zeker een vrouw hoort als maagd het huwelijk in te gaan, al is het alleen maar om het besmettingsgevaar, zeggen de twee studievrienden. Condooms vertrouwen ze voor geen meter.

De Oegandese overheid moest in september 2004 een lading condooms van het merk Engabu van de markt halen omdat er klachten over waren. De Engabu-rubbers stonken, zeiden ontevreden gebruikers. Via een ngo krijg ik een paar afgekeurde exemplaren in handen, en al bij het opentrekken van het cellofaan komt me een ranzige poeplucht tegemoet. Ik zou er ook voor passen zo'n ding te gebruiken, en het voorschrift om veiligheidshalve alleen te pijpen met een condoom erom zou ik met deze gevallen eveneens in de wind slaan.

De partij werd teruggehaald. Bij nader onderzoek bleek dat de condooms weliswaar een uur in de wind stonken, maar verder prima functioneerden. Maar toen was het fabeltje dat de gaten erin vielen al de wereld in geholpen. Dit voorval voedde allerlei andere mythes over voorbehoedsmiddelen. Menige student bij het zwembad herhaalt ze vol overtuiging. Je krijgt er kanker van, er zitten 'poriën' in het rubber en wie ze gebruikt is zondig. Ze zijn enkel bestemd voor prostituees, verzekert een eenentwintigjarige leerling-verpleegster me. Ongelovig staar ik de toekomstige verpleegkundige aan: dit kan ze toch niet menen? Maar dan bedenk ik hoe hoog het percentage hiv-besmettingen ook onder medisch personeel en onderwijzend personeel is, allemaal mensen die beter zouden moeten weten. Zelfs goed geïnformeerd zijn weerhoudt niet iedereen van risicovolle seks.

Ssempa haalt op het podium terloops nog eens uit naar homo's en prostituees. Alle in zijn ogen verwerpelijke zaken – homoseksualiteit, abortus, prostitutie – komen uit de westerse wereld. De Afrikaanse cultuur staat voor maagdelijkheid en kuisheid, meent de Oegandees. Dat er in de meeste lokale Oegandese talen niet eens een woord is voor onthouding of huwelijkse trouw, doet niet ter zake, net zomin als de traditionele polygamie onder veel bevolkingsgroepen. Ssempa is niet de enige die alles wat als pervers wordt beschouwd als westerse import bestempelt: in veel Afrikaanse landen leeft de overtuiging dat deze verschijnselen niet bestonden voor de kolonisatie.

Na een paar uur tussen de wedergeboren maagden heb ik het wel gehad. Hoog tijd voor een avond stappen met minder religieus bevlogen Oegandese vriendinnen. Diezelfde avond nog dans ik in Rouge, een ingetogen industrieel ingerichte nachtclub in downtown Kampala waar je ook als vrouw alleen kunt swingen zonder al te veel lastige aandacht.

Voor een seksloos tijdverdrijf werd er vanavond bij de *abstainers* wel bijzonder veel over seks gepraat, bedenk ik me terwijl ik meedein op de lome, overal in Oost-Afrika populaire Congolese ritmes. Ik grinnik om het commentaar van Stella op de hun maagdelijkheid etalerende jongeren op het campusterrein. Ik bewonder haar om haar vrije geest en onconventionele levensstijl. 'Geen seks, zeggen ze? Niet sinds gisteravond zeker. Allemaal leugens die geen mens kan controleren.'

Met de Oegandese kunstenares Stella kwam ik in contact via een bevriende Nederlandse collega. Natuurlijk mocht ik bij haar in Kampala komen logeren, ze kwam me zelfs ophalen van het busstation na mijn nachtrit vanuit Kenia. Toen de kleine zwarte vrouw in haar gigantische afgetrapte fourwheeldrive kwam voorrijden zonder zich iets aan te trekken van het verkeer achter haar, was ik verkocht. Deze dame laat zich niet gek maken.

In de ateliers achter Stella's rode bakstenen huis ruikt het naar verf. Een zus, haar oudste broer en een handvol neefjes lopen in en uit, het huis is altijd vol.

Stella stelt me voor aan haar vriendinnen en neemt me mee uit. Als ik briesend terugkom van een gesprek met een van de Oegandese moraalridders, maakt één laconieke opmerking van haar me weer aan het lachen. Verder tekent ze met artistieke precisie plattegrondjes voor me als ik naar een interview moet op een locatie die ik nog niet ken. Stella's huis wordt mijn toevluchtsoord in Oeganda. 'Welkom thuis!' roepen haar neefjes enthousiast nadat ik een week ben weggeweest naar het oosten van het land. En zo voelt het ook.

De dag na Ssempa's reli-show ontmoet ik een heel ander soort geestelijke op een voorlichtingsbijeenkomst voor ouders in de basisschool van Bbibo, een dorp ten noordoosten van Kampala. Druk gesticulerend loopt Father Eddy op en neer voor het klaslokaal, zich weinig aantrekkend van zijn slepende linkerbeen, een overblijfsel van kinderpolio. De houten banken zitten vol volwassenen. Edward Bilagonzaki weet zijn publiek moeiteloos te boeien. De pastoor van de Bible Gospel Temple windt er geen doekjes om: hij is hier om te praten over seks. Dat doet hij met een openheid die mijn biologieleraar op de middelbare school – de arme man was waarschijnlijk tegen zijn zin met seksuele voorlichting belast – tot in zijn nek zou doen blozen.

Of de prikpil ook beschermt tegen aids, wil een van de moeders weten. En of je man besmet kan raken als hij je likt van onderen. Is vingeren veilig als je een wondje aan je hand hebt? De vragen zijn gedetailleerd en Eddy antwoordt nauwgezet. Er zitten vooral vrouwen in het lokaal, merkt een van de aanwezige dames op. 'Wij zijn hier wel, maar onze echtgenoten niet. Hoe kunnen wij hen ervan overtuigen dat we een condoom moeten gebruiken?'

Een van de jongere mannen, ongetrouwd, sputtert tegen dat het net zo goed de vrouwen zijn die zonder voorbehoedsmiddel willen vrijen. 'Als ik mijn verloofde ontmoet en ik heb condooms in mijn zak, vraagt ze me of ik haar misschien niet vertrouw.' Een oudere man, vader van zes kinderen, werpt op dat hij met condoom om geen plezier heeft in seks en dat zijn vrouw dacht dat het voorbehoedsmiddel enkel voor prostituees bestemd was. Als het gelach is verstomd, legt Pastor Eddy het voor de zoveelste keer uit: wie zichzelf niet beschermt, loopt het risico te sterven.

'Getrouwd of niet, mensen bedrijven de liefde, daar verandert geen preek iets aan,' verklaarde Baligonzaki vroeger op de ochtend al, toen we in een rammelende terreinwagen op weg waren naar het kleine dorp. Hij is een van de weinige religieuzen in Oeganda die hardop pleit voor het condoom. 'Meiden, als-ie er niet om zit, laat hem er dan ook niet in!' zegt hij onomwonden op een jongerenbijeenkomst.

De theoloog maakt zich zorgen over de situatie in zijn land. Dat de christelijke moraal allesbepalend is geworden in de bestrijding van aids, vindt hij onverdedigbaar. Hij vreest dat de strategie averechts uitpakt: 'Ik haal morele en wetenschappelijke kwesties niet door elkaar. Mensen vrijen nu eenmaal, dat moet je niet verzwijgen. Jonge mensen weten vaak meer dan we denken. Als ze alles zelf moeten ontdekken, dan is dat veel gevaarlijker dan wanneer je open bent over seks.'

Onder een grote boom op het schoolplein praat ik na de voorlichtingsochtend met Amanja Nakalema Justin Naalongo. De stelligheid waarmee zij tijdens de bijeenkomst de opmerking over de ontbrekende echtgenoten maakte, heeft me nieuwsgierig gemaakt. Amanja staat erop dat ik haar volledige naam opschrijf. Het gaat haar vooral om het laatste deel: Naalongo. Deze eretitel verdient een moeder als zij het leven geeft aan een tweeling. Tweelingen zijn hier een zegen voor de familie. De geboorte van twee kinderen tegelijk maakt hen tot geluksbrengers, soms zelfs heilig. Vaak krijgt het stel speciale namen waaraan iedereen hun bevoorrechte status kan aflezen. De ouders van een tweeling ontvangen extra felicitaties en niet zelden een speciale naam, zoals hier in Buganda, de streek rondom Kampala. Niet overal in Afrika worden tweelingen trouwens als iets positiefs gezien. In sommige streken is hun geboorte een vloek en wordt de moeder als heks verjaagd.

Vlak bij het bankje waar Amanja en ik op zitten, prikt een wit houten bord in het gras. REN WEG OF SCHREEUW ALS IEMAND JE PROBEERT TE MISBRUIKEN, staat er in zwarte blokletters. Op Oegandese schoolterreinen wemelt het van dit soort leuzen. Soms staat er: SEKS IS GEEN LIEFDE, soms: EEN ECHTE VROUW WACHT of simpelweg: COMDOMISE, gebruik condooms. Als ik Amanja op het bordje wijs, haalt ze haar schouders op. Staat er al een hele tijd, zegt ze, ze let er nooit zo op. Oegandezen zijn zo gewend aan deze tekstuele herinneringen aan goed gedrag, dat ze ze niet meer lijken te zien.

Amanja heeft geen man meer. In haar eentje onderhoudt de weduwe haar zeven kinderen. Ze eten van de bonen, cassave en aubergine die ze verbouwt op haar stukje land, en met wat overschiet gaat ze naar de markt. Het geld dat ze daarmee verdient is voor olie om in te bakken, zout en af en toe suiker. Zoals zoveel keuterboeren balanceert ze daarmee op het randje van het bestaansminimum. Bij een goede oogst redt ze het net met haar grote gezin en schiet er ook wat over voor schoolgeld voor de jongsten. In een slecht jaar moeten de kinderen van school – alleen het uniform is dan al te duur – en is de honger vast gezelschap.

Condooms hebben haar leven gered, zegt Amanja. Toen haar man jaren geleden ziek werd, vermoedde de Oegandese meteen dat het aids was: 'Hij was een dronkenlap en ging met andere vrouwen mee.' Vanaf dat moment weigerde ze seks zonder condooms: 'Als hij wilde vrijen, deed ik of ik hem niet hoorde. Of ik schoof dat pakje naar voren. In het begin draaide hij zich dan om en liep weg, maar na een paar maanden liet hij zich toch zo'n ding omdoen.' Vier jaar geleden overleed haar echtgenoot, maar Amanja bleef kerngezond en is nu achtendertig.

Voor een gezondheidsorganisatie begon ze condooms te verspreiden in Bbibo, haar geboortedorp. Iedereen die wilde kon bij haar voor een voorraadje terecht. Twee jaar geleden stopte ze daar weer mee. In dat jaar werd zij *born again christian*. 'Er werd steeds vaker gepreekt tegen condooms. Toen besefte ik dat ik zondigde en heb ik ze nooit meer uitgedeeld.' Ze kijkt me vriendelijk aan en ik weet even niet wat ik moet zeggen.

Als ik door de drukke binnenstad van Kampala loop, zie ik zijn gezicht overal aangeplakt. De rieten hoed op zijn hoofd moet de zittende president een vertrouwde boerenuitstraling geven voor het grotendeels uit agrariërs bestaande electoraat. De verkiezingen staan voor de deur en president Museveni van Oeganda hoopt op een derde termijn.

In de aanloop naar de verkiezingen zijn er relletjes op straat, omdat het regime Kizza Besigye, de enige serieus te nemen tegenstander, op allerlei manieren het politieke leven onmogelijk maakt. Vlak voordat het verkiezingsproces begint, wordt de politicus opgepakt, in het gevang gegooid en beschuldigd van verraad, verboden wapenbezit en verkrachting. De Besigye-aanhangers zijn daar niet gelukkig mee en noemen de aanklachten een politiek proces. In het heetst van die strijd – de politicus zit nog vast en moet om de haverklap voorkomen in het gerechtsgebouw vlak bij het centrale minibusstation – ben ik in Kampala.

Om de andere dag moet ik wel een blokje om omdat de politie de straat heeft afgezet, of ik stuit op de koperblazers die het soort swingende demonstratie begeleiden dat zo verraderlijk snel kan omslaan in meppende agenten, stenen gooiende demonstranten en persbureaus die melden dat 'het kiesproces in Oeganda wordt overschaduwd door geweld'.

Ook in de bar van de Blue Mango, het lodgehotel vlak bij Stella's huis waar ik af en toe een gin-tonic drink, gaat het over de rivaliteit tussen de twee politieke heren. Oegandezen zijn dol op een goede roddel en deze is te smakelijk om voor me te houden. Winnie, de echtgenote van Besigye, was ooit de minnares van Museveni. De politica – een dame met uitgesproken meningen en hart voor de vrouwenzaak – voert intensief campagne voor haar gevangen eega. Oegandezen zijn ervan overtuigd dat de president het nog steeds niet kan verkroppen dat Winnie de voorkeur gaf aan zijn rivaal en dat hij hem daarom het leven zo zuur maakt. Gaat het allemaal toch weer om een vrouw?

Ooit was de zittende president Yoweri Museveni van Oeganda de knuffelbeer van westerse donoren. Hij leek toen hij in 1986 door een staatsgreep aan de macht kwam, een wonder van pragmatisme en redelijkheid. De politieke geschiedenis die aan hem voorafging, was sinds de onafhankelijkheid dan ook wel erg gruwelijk.

Het moorddadige martelbewind van Idi Amin stortte Oeganda in de jaren zeventig in een neerwaartse spiraal. Amin regeerde van 1971 tot 1979. Zichzelf 'Zijne excellentie, president voor het leven' noemend, liet hij vermoede tegenstanders meedogenloos martelen en afmaken. Oudere inwoners van Kampala herinneren zich nu nog de kreten die klonken uit de gevangenissen van Amin. Bijna een half miljoen mensen joeg de militair in acht jaar over de kling. De machthebbers die volgden, verdienden net zo'n beroerd mensenrechtenrapport.

Museveni vestigde in 1986 een 'geenpartijenstelsel', als 'Afrikaanse oplossing voor een Afrikaans probleem'. Politieke partijen, verdeeld volgens tribale lijnen, hadden zijn land enkel burgeroorlog en bloedvergieten opgeleverd, zo redeneerde hij. Dus installeerde hij zijn 'Beweging', waar iedere Oegandees bij hoorde, om korte metten te maken met de interne verdeeldheid. Tegelijkertijd maakte hij een einde aan de mensenrechtenschendingen en kwam er persvrijheid. Toen het ooit door de nieuwe president beleden marxisme geen al te concrete uitwerking kreeg en hij daarentegen een gewillig oor had voor de liberaliseringsadviezen van de Wereldbank en het IMF, was het Westen om. Oeganda werd van verguisd en gemeden land een klassieke 'donordarling'.

In het noorden kreeg de nieuwe president wel te maken met de *Lord's Resistance Army* (LRA). Toen Museveni aan de macht kwam, een zoon van het zuiden, zagen de noorderlingen hun politieke invloed tanen. Daarom kwamen ze in opstand. Deze rebellen zeggen het land te willen besturen volgens de tien geboden, om deze vervolgens zelf met voeten te treden met martelingen, het gruwelijk verminken van burgers, verkrachtingen en slachtpartijen. Angst regeerde sindsdien in het noorden.

De LRA ontvoerde jongens en meisjes en maakt hen tot kindsoldaat of seksslaaf. Kinderen uit de hele regio kwamen iedere avond naar de steden om daar samen te overnachten. In de dorpen liepen ze een te groot risico om te worden ontvoerd. Deze nachtforenzen werden het symbool van een van de langstdurende conflicten ter wereld.

Er zit echter schot in de zaak. In 2006 ondertekenden de Oegandese regering en de LRA een bestand. Het rebellenleger onder leiding van Joseph Kony zou worden ontmanteld in ruil voor amnestie. Het is te vroeg om te zeggen of dit definitief een einde maakt aan de ellende, maar het is een hoopvolle stap richting vrede.

Het Westen bekritiseerde Museveni nog weleens, omdat hij te weinig interesse zou tonen voor het oplossen van de problemen in het noorden. Op andere gebieden behield de president, een van de weinige Afrikaanse leiders die ooit beloofde dat hij na zijn tweede regeringstermijn zou aftreden, lang het voordeel van de twijfel. Pas de laatste jaren is de verhouding tussen hem en het Westen flink bekoeld.

Dat hij in 2005 de grondwet liet veranderen waardoor hij voor een derde termijn als president op kon gaan, bleek een teken aan de wand. De manier waarop hij sindsdien met zijn politieke concurrenten omsprong, verminderde zijn populariteit ook behoorlijk. Inmiddels zit hij muurvast in het zadel voor een derde termijn tot 2010 nadat hij Besigye in 2006 met overmacht heeft verslagen. Verschillende landen hebben hun subsidies stopgezet uit onvrede over Museveni's ondemocratische optreden.

De plotselinge omslag in zijn opvatting over aidsbestrijding heeft hem bij donoren ook niet populairder gemaakt. Stomverbaasd zijn de toehoorders op de Internationale Aids Conferentie in 2004 in Bangkok, als president Museveni het woord voert. Altijd een warm pleitbezorger van condoomgebruik, bagatelliseert hij plotseling de rol van dit voorbehoedsmiddel in de bestrijding van het aidsvirus in zijn land. Condooms passen niet in de Afrikaanse traditie, houdt hij het verbijsterde gezelschap voor. Het blijkt het startsein voor de ommezwaai in Oeganda.

Hoe kon dit gebeuren? De beschuldigende vinger wijst naar het President's Emergency Plan For Aids Relief (Pepfar) dat president George W. Bush in 2003 in het leven riep. Pepfar keert honderden miljoenen uit voor aidsbestrijding in derdewereldlanden. Alleen organisaties die werken volgens de formule onthouding, trouw en condoomgebruik voor 'risicogroepen', kunnen een beroep doen op het geld.

Oeganda is echter niet het enige land dat geld krijgt van het fonds waarvoor Bush vijftien miljard dollar heeft uitgetrokken. Ook landen als Botswana, Rwanda en Haïti ontvangen van de Amerikanen miljoenen voor aidsbestrijding. Toch is het effect in die landen niet desastreus, omdat de overheid er vasthoudt aan de brede aanpak en condooms blijft propageren.

Dat de lokale uitleg van Pepfar in Oeganda veel verder gaat dan de Amerikanen hadden kunnen denken, heeft vooral te maken met één vrouw: Janet Museveni. Voor haar zijn de aidsbestrijders in Oeganda pas echt bang. 'Ze kan je maken en breken,' vertrouwde een medewerkster van een niet-gouvernementele organisatie me toe. De zin die ze daarop liet volgen, hoorde ik altijd als iemand zich binnenskamers kritisch durfde uit te laten over de presidentsvrouw: 'Daar mag je me niet op citeren.'

De First Lady bemoeit zich sinds een paar jaar intensief met het lokale aidsbeleid. Als wedergeboren christen begon ze een kruistocht tegen het condoom. De vele billboards die seksuele onthouding aanprijzen, dragen het stempel *Office of the First Lady*. Zo bepaalde ze mede de nieuwe aartsconservatieve koers, met in haar gevolg de religieuze organisaties, die ze een warm hart toedraagt. De moraal heeft het aidsdebat gekaapt en seks is weer een vies woord in Oeganda.

Natuurlijk zet ik er mijn zinnen op de First Lady in levenden lijve te ontmoeten. Urenlang zit ik in het kantoor van haar voorlichter, een aimabele grote man met een bankschroef als handdruk, die mij steeds vriendelijker welkom heet. Vanzelfsprekend wil hij de westerse media van dienst zijn, natuurlijk gaat hij een goed woordje doen bij Mrs Museveni om tijd voor me vrij te maken. Maar steeds komt er iets tussen, blijkt ze niet bereikbaar op het moment dat de afspraak definitief gemaakt moet worden of is er iets urgenters aan de hand.

Op mijn laatste dag waag ik me nog één keer in het kantoorgebouw van meneer bankschroef. Stralend komt hij op me toegelopen: nu gaat het er dan toch echt van komen. Als ik morgenvroeg om zes uur klaarsta, kan ik mee het binnenland in, waar de presidentsvrouw op vierhonderd kilometer van de hoofdstad op me zit te wachten. Ach, ik vlieg morgenvroeg al naar Nederland? Dat was hij helemaal vergeten! Hij roept het zo oprecht uit dat ik begin te twijfelen of hij het serieus meent. Maar hij weet heel goed hoe laat en op welke dag mijn vliegtuig vertrekt, dat heb ik hem vanaf het eerste gesprek ingepeperd.

Ik ben dit soort plagerijtjes van de ambtelijke macht inmiddels gewend. Zo heb ik op precies dezelfde manier in Burundi triljoenen keren tevergeefs achter de nieuwe president aan gebeld, en heb ik ook vier keer voor niets op de stoep gestaan bij het ministerie van Onderwijs in Kampala, omdat ze me daar door de vs betaald Oegandees lesmateriaal zouden geven waarin gewaarschuwd wordt voor masturbatie (ziekelijk) en homoseksualiteit (zondig). Nooit een snipper papier gezien natuurlijk.

Ik heb een eigen strategie ontwikkeld tegen de kleine pesterijen van de Afrikaanse bureaucratie. Wanneer ik weer eens oeverloos aan het lijntje word gehouden, doe ik alsof het me allemaal niets uitmaakt en lach de weigerambtenaar in kwestie tot misselijk wordens vriendelijk toe. Ik heb veel westerlingen in vergelijkbare omstandigheden volkomen terecht zien ontploffen, maar ik heb het idee dat het de ambtenaren daar om te doen is. Het geeft ze het soort bureaucratische macht over anderen waarmee ze hun functie en status verantwoorden. Ze hebben dezelfde ellende hoogstwaarschijnlijk ook te slikken van hun superieuren. Dus neem ik als ik me weer eens in ministeries of gemeentehuizen begeef, standaard een aantekeningenschrift en een telefoon mee, en ga doodgemoedereerd zitten schrijven of bellen totdat iemand zich verwaardigt notitie van me te nemen. Of niet.

Voordat ik naar Oeganda ging, wist ik dat ik me speciaal op één groep vrouwen wilde richten. Want wat is het effect van de omslag in het land op de vrouwen die dagelijks condooms nodig hebben? Krijgen prostituees het dubbel zo moeilijk door de christelijke revival? Ik nam me voor in Oeganda extra naar deze beroepsgroep te kijken.

Prostitutie is in Afrika een moeilijk te definiëren fenomeen. Vrijen in ruil voor dollars, voor een paar flesjes bier, een nieuwe jurk of een maand schoolgeld: wanneer is er sprake van betaalde seks en wanneer is een man gewoon aardig voor zijn vriendinnetje? In landen waar de economische verhoudingen zo scheef liggen, komt het financiële aspect bij romantische verhoudingen al gauw om de hoek kijken. Mannen, zwart en blank, doen over het algemeen graag iets extra's voor hun minnares. Deze vrouwen hopen daar maar al te vaak op als ze iemand aan de haak slaan, ze meten er zelfs de waarde van hun relatie aan af. Meer dan eens hoorde ik vriendinnen hun vriendjes vergelijken aan de hand van de cadeautjes die ze van hen kregen. Een kennis uit Mozambique wees ooit een man de deur die terugkwam uit Japan met slechts een lollig paar sokken met een aparte grote teen (voor in Japanse slippers) als cadeau. 'En hij komt nog wel uit een rijke familie!' legde ze me haar verontwaardiging uit toen ze hem aan de kant zette.

Relaties draaien om harde valuta, al dan niet omgezet in welwillende, dure cadeaus. Dat geeft flirten, uitgaan en romantiek een volkomen andere lading die voor een westerling moeilijk te accepteren is. Ik sprak ook Afrikaanse jongemannen die daardoor geen vrouw meer durven vertrouwen. 'Het gaat ze toch alleen maar om mijn centen,' verzuchtte een Zuid-Afrikaanse Zoeloe in diplomatieke dienst ooit tegen me.

Relaties draaien weliswaar om geld, ook bij sommigen van mijn vriendinnen, maar prostituee zouden ze zichzelf onder geen beding noemen.

Anders ligt dat met de vrouwen van Naluwerene, op de doorgaande route van Nairobi naar Kampala. Het is maandagmiddag en een paar opleggers staan al langs de weg geparkeerd. Verder is het nog rustig. Irene, Sarah en Halima wachten op een rieten mat op het bordes op hun eerste klant, hun blikken gericht op het van de hitte spiegelende asfalt. De weg tussen Kenia en Oeganda brengt de vrouwen menige eenzame vrachtwagenchauffeur. Vanaf een uur of zes 's avonds trekt de klandizie aan, weten de prostituees. Naluwerene bestaat uit een halve kilometer aaneengeschakelde barretjes, peeskamertjes en winkels langs een rechte weg in Oost-Oeganda. Een op zichzelf staande wereld van passerende truckers en sekswerk dat overgaat van moeder op dochter.

Halima draagt een blauw met gele Afrikaanse jurk. Uit het lijfje zijn ontraditioneel grote ruiten geknipt waardoor de aanzet van haar borsten zichtbaar wordt. De achtentwintigjarige sekswerker is een van de meest ervaren vrouwen in de straat. Bij haar kloppen nieuwe meisjes aan om raad, en tot in de rosse buurten in de andere steden kennen vrouwen haar naam. Ze werkt al jaren in Naluwerene en maakt zich zorgen. De condooms worden steeds duurder. Een jaar geleden kostten ze nog honderd shilling, nu vijfhonderd tot duizend. Voor een beurt van maximaal een uur betaalt de klant vijfduizend Oegandese shilling, omgerekend 2,25 euro. De man trekt bijkomende kosten, zoals voor condooms, af van het geld voor de prostituee. Met die dure preservatieven blijft er weinig over, rekent Halima voor. 'Vrouwen genoeg die het dan maar zonder doen.'

Volgens Halima zijn er niet voldoende condooms meer voor alle sekswerkers langs de weg. De enige organisatie die ze gratis uitdeelt, is bijna door haar voorraad heen. Ze wijst op de twee collega's naast haar. Voor Irene is het te laat: onlangs bleek de zesendertigjarige sekswerker seropositief. Halima is bang dat Sarah hetzelfde gebeurt: 'Straks gaat zij ook dood en kan haar dochter niet anders dan de straat opgaan en prostituee worden.'

Sarah heeft geen keus, zegt ze. Voor haar winkeltje met lipgloss, nagellak en tweedehands T-shirts is nauwelijks belangstelling. Iedereen zit op zwart zaad in Naluwerene. Haar land is straatarm en eenderde van de inwoners moet overleven van minder dan een dollar per dag. De prostitutie is de enige manier voor de zesentwintigjarige moeder om het hoofd boven water te houden.

Sarah doet soms noodgedwongen aan *live sex*, zoals vrijen zonder condoom in jargon heet. 'Alleen met een paar vaste klanten. Sommigen van hen ken ik al drie jaar. Natuurlijk weet ik dat dat riskant is, maar anders gaan ze naar een ander. Mijn dochter en ik moeten toch eten.' De keus is voor deze vrouwen niet zo makkelijk als het lijkt. Of je gaat dood van de honger, of je sterft door het aidsvirus.

De Oegandese overheid schat dat er in de steden vele duizenden prostituees werken. Toch is prostitutie nooit een veelbesproken onderwerp geweest in het conservatief christelijke land. Een paar jaar geleden leek het debat opener te worden, in de tijd dat aidsbestrijders seks en daarmee ook prostitutie bespreekbaar probeerden te maken. De politiek debatteerde zelfs over legalisering van het vak.

Sinds de moraal de overhand kreeg en God opduikt in alle discussies, is prostitutie weer een taboe en zijn prostituees zondig. Ook de Amerikanen, een grote donor in de aidsbestrijding, laten er geen twijfel over bestaan wat zij vinden van prostitutie: zij zijn er faliekant tegen. Organisaties die geld krijgen van de vs moeten hierover een verklaring ondertekenen. Zij mogen de fondsen niet gebruiken om legalisering van prostitutie, noch het beoefenen ervan te bepleiten. Daarnaast moet hun beleid over de hele linie antiprostitutie zijn; dat geldt ook voor de activiteiten die niet worden betaald door de vs. Brazilië heeft het Amerikaanse geld om deze reden geweigerd.

'Bijna niemand durft meer op te komen voor sekswerkers,' stelt Grace Luwana. Met haar ziekenfondsbril voor op haar neus is de Oegandese het prototype strenge schooljuf. Het viel de middelbareschooldocente in Jinja, de tweede stad in Oeganda, de afgelopen jaren op hoe sommige meisjes in haar klas van de ene op de andere dag veranderden. Dat ze plots duurdere kleren droegen en zich afstandelijker gedroegen. Ze ontweken meestal Luwana's vragen over wat er aan de hand was. 'Als ik zo'n leerlinge beter in de gaten ging houden, werd alles duidelijk. Dan zag ik hoe een of andere man haar naar school bracht die bij navraag haar schoolgeld bleek te betalen. Of hij betaalde de medicijnen voor een ziek familielid.' *Sugar daddies* heten deze vrijgevige mannen, suikerooms die van het meisje een seksuele tegenprestatie verwachten. Het fenomeen *sugar mummies* doet ook al opgeld: oudere vrouwen die op dezelfde manier met jongens omgaan. Op deze wijze zag de docente menige leerling op den duur in de prostitutie belanden.

Omdat weinigen zich om deze meisjes bekommerden, nam de onderwijzeres zelf het heft in handen. In 2003 richtte ze de Ugandan Association for Prostitutes (UAP) op. Deze geeft voorlichting aan sekswerkers over veilig vrijen en begeleidt hen bij het zoeken naar andere manieren om geld te verdienen. 'Het wordt de organisatie niet makkelijk gemaakt,' zegt Luwana. Veel van haar tijd gaat verloren aan uitleggen aan politici dat ze geen campagne voert om prostitutie te promoten. 'Ik wil enkel vrouwen helpen die het toch al moeilijk hebben.' Dat wordt steeds lastiger in het huidige maatschappelijke klimaat. Zo veranderde UAP onlangs zelfs van naam en schrapte het woord prostituee uit de titel in de hoop zo minder tegen het zere been te schoppen. De doelgroep heet nu 'gemarginaliseerden'.

Uit een onderzoek van UAP onder zo'n tweehonderd prostituees in de regio bleek dat bijna eenderde lang niet altijd condooms gebruikt. De misvattingen over condooms zijn ook onder prostituees wijdverbreid. Zo was menige werkende vrouw ervan overtuigd dat er gaatjes in het rubber zitten of dat ze ziektes verwekken.

De gevolgen van de verslechterde reputatie van het condoom merken Luwana en haar medewerkers aan den lijve. Seksueel overdraagbare aandoeningen en ongewenste zwangerschappen zijn aan de orde van de dag en vijfenveertig procent van de geïnterviewde vrouwen heeft al eens een seksueel overdraagbare aandoening opgelopen, bleek uit het onderzoek. Luwana's mobiele telefoon, een soort hotline waar vrouwen in de problemen terechtkunnen, gaat sinds de anticondoomstemming opkwam steeds vaker: 'Ik krijg tegenwoordig wekelijks drie, vier belletjes van vrouwen die onveilig hebben gevreeën.'

Jinja's *Main Street* wordt pas in de loop van de avond wakker. Na tienen komt het nachtleven op gang in de stad aan de bron van de Nijl, waar het leven trager loopt dan in de hectische hoofdstad. De meisjes slapen tot vier uur 's middags en hangen vervolgens de hele nacht in de broeierige clubs en cafés met namen als Babe's, Amigo's en Milano. Allemaal azen ze op de hoofdprijs: een blanke klant. Niet alleen omdat witte mannen vrijwel altijd zonder morren met condoom vrijen, maar ook omdat ze beter betalen. Een zwarte klant levert tien-, hooguit vijftigduizend shilling op. Een *mzungu* kun je met wat geluk honderd dollar vragen: ruim twee keer zoveel.

Bij de binnenkomst van iedere blanke kerel in beige afritsbroek, het westerse tropenuniform, draaien de vrouwenhoofden zijn kant op. Mercy, een twintigjarige met een poppengezicht en een witte pet op haar brillantinekrullen, heeft om elf uur al beet. Vastberaden stapt ze af op de blonde jongen die net aan komt waaien, type marinier op vakantie. Al snel schuifelen ze dicht tegen elkaar aan op het liedje 'African Queen'.

Mercy's collega Sara zit in een hoekje op de zwarte bank en kijkt het tafereel aan. Zij is veroordeeld tot een zwarte klantenkring, zegt ze: 'Ik ben te dik. Daar houden blanke mannen niet van.' De tweeëntwintigjarige heeft twee kinderen van klanten, ze weet niet van wie. 'Je kunt niet altijd weigeren het zonder te doen. Soms doet een man net alsof hij een condoom omdoet, maar dan haalt hij het er stiekem weer af.'

Naast haar zitten Sylvia en Kapaaps, het vriendje van Mercy die op de dansvloer steeds intiemer om de marinier heen kronkelt. Ze willen me best vertellen over hun nachtelijke bestaan.

De ongeschreven regel blijkt dat ik af en toe zorg voor een nieuw rondje, dus bestel ik als de bodems in zicht komen een nieuw Club-biertje of een Red Bull. Het lijkt me een kleine moeite voor de tijd die ze niet aan het werk kunnen.

Sylvia is vijfentwintig en werkt sinds twee jaar als prostituee. Haar ouders schopten haar het huis uit toen ze op haar twintigste zwanger werd van haar eerste vriendje. In één klap was ze alles kwijt, want hij wilde ook niets meer van haar weten. 'Hij ontkende dat het zijn kind was. Ik kreeg een dochter om voor te zorgen en verder had ik niemand.' Ze vond een baan als secretaresse, maar werd vaak niet betaald en had daardoor te weinig geld voor de kinderopvang.

Op een avond ging ze uit met een man die ze via via kende. De volgende ochtend liet hij zomaar twintigduizend shilling achter. 'Ik wist helemaal niet dat hij me zou betalen, besefte nauwelijks wat er gebeurde. Maar ik dacht wel: da's gemakkelijk verdiend. Dat was mijn eerste keer.'

De jonge vrouw is sindsdien heel wat wijzer geworden. Na twee keer met een pistool op haar hoofd tot seks te zijn gedwongen, mijdt ze nu alle militairen en politieagenten. Bij klanten die zonder condoom willen neuken, gebruikt ze stiekem Femidoms, het vrouwencondoom. 'Doe ik snel in als hij toch al opgewonden is. Merkt-ie vaak niet eens.'

Mercy's vriendje Kapaaps draagt een dikke gouden ketting om zijn nek en de nieuwste gympen. Hij handelde vroeger in tweedehands auto-onderdelen maar is al twee jaar werkloos, zegt hij. Dat zijn vriendin het vuile werk moet doen, vindt hij wel sneu, 'maar iemand moet het geld verdienen.' Als de automarkt aantrekt, levert hij ook weer zijn bijdrage. Bovendien beschermt hij de meisjes tegen lastige klanten.

Wat wil ik eigenlijk, vraagt hij zich af. Ben ik echt alleen maar geïnteresseerd in praten? Hij kan me alles laten zien, de meisjes van veertien die zich aanbieden in de steegjes achter de uitgaansgelegenheden, de afwerkplekken waar de minst betalende klanten aan hun gerief komen en de peeskamers. 'Of wil je een avond met een zwarte man? Het is waar, weet je, wat ze over ons zeggen...'

Buiten op het terras ruziën drie vrouwen over blanke potentiële klanten. Wie zag hen het eerst? Aanvankelijk kibbelen ze nog in het Engels, dan gaat het gebekvecht over in de lokale taal Lusoga. De twee roodverbrande twintigers om wie het gaat, draaien ongemakkelijk op de doorgezakte fauteuils op het bordes voor de kroeg. Zoveel belangstelling is niet leuk meer. Als de uitsmijter van Amigo's zich ermee bemoeit, druipen de vrouwen af en keert de rust terug.

Een week later kost het me in Kampala meer moeite om aan de praat te komen met vrouwen in de prostitutie. De werkende vrouwen in de hoofdstad zijn argwanender dan hun collega's in Jinja. Ze zitten dichter bij het vuur van de landelijke politiek en voelen de hitte van het debat. De politie houdt er vaker razzia's, de concurrentie is moordend.

Voordat ik de openluchtnachtclub Capital Pub in mag, moet ik bewijzen dat ik geen fototoestel bij me heb. De uitsmijter is streng. De pers is deze tent al menigmaal binnengedrongen met camera's en de Oegandese roddeljournalisten van ranzige bladen als de *Red Pepper* zien er geen been in vrouwen in compromitterende posities herkenbaar op hun pagina's af te drukken. De Britse tabloids zijn er niets bij.

In Capital Pub wemelt het avond aan avond van de meisjes op zoek naar verdiensten. 'Noem me maar Juliette,' zegt een vierentwintigjarige in zwart topje met bungelende strasoorbellen. Ze doet zuinig aan met de halve liter bier die ze net kreeg van een vaste klant. Je weet nooit wanneer je je volgende drankje krijgt voorgezet. Juliette werkt al drie jaar in Kabalagala, de hoofdstedelijke rosse buurt. Ze kent alle kneepjes van het vak en vertelt er met smaak over. 'Een blanke zeg ik vaak dat ik helemaal geen geld wil, dat ik zo wel met hem meega. Maar de volgende ochtend vertel ik hem over mijn leven, de broers en zussen die ik moet onderhouden, mijn vader die overleed. Dan krijgt hij medelijden en geeft me veel meer dan wanneer ik het de avond van tevoren had gevraagd.'

De dansvloer van de drukbezochte club ligt rondom een enorme boom waaromheen de bar is getimmerd. Daar deint het publiek op de dancehall-muziek. Het is halfvier en de meeste koppeltjes hebben elkaar gevonden. 'Sommigen van de meisjes spreken niet eens Engels,' zegt Juliette. 'Die komen aan mij vragen hoe ze moeten uitleggen dat ze geld willen.' Deze vrouwen hopen op een man die een cursus Engels voor hen betaalt, andere collega's mikken op een klant die hen helpt met de huur. Juliette droomt nog steeds van een opleiding tot stewardess.

De grond wordt de vrouwen wel heter onder de voeten. Sinds de moralisten om het hardst schreeuwen, treedt de politie steviger op en neemt de hulpverlening af. 'Dat verandert niets aan onze aanwezigheid. We moeten wel. Dacht je dat ik hier zou zijn als ik een andere keus had?' Juliette draait zich om en loopt heupdraaiend de dansende menigte in, op zoek naar een klant voor de nacht.

Ik wandel naar buiten, waar straatverkopers leuren met hun koopwaar op opengesneden kartonnen dozen. Tussen de pakjes sigaretten en papieren zakdoekjes liggen volop condooms. De verkoper zegt dat ze binnen een jaar twee keer zo duur zijn geworden.

Ik ga op zoek naar een manier om naar Stella's huis aan de andere kant van de stad te komen. Er blijkt weinig keus. De chauffeur van de enige motortaxi in de wijde omgeving ligt met zijn voeten op het stuur achterover te pitten. De *boda-boda's*, zoals de motorfietstaxi's heten, zijn mijn favoriete vervoersmiddel in Kampala. De naam stamt uit de tijd dat de motorfietsen de enige vervoersmiddelen waren waarmee je naar de grens, de *border,* kon komen. Het verkeer in de hoofdstad is krankzinnig druk en staat het grootste deel van de tijd vast. De boda-boda's weten als enige vervoersmiddelen om de opstoppingen heen te slalommen. Stalen zenuwen moet je wel hebben om de halsbrekende toeren van deze tweewielige taxi's te doorstaan, maar evengoed geef ik de voorkeur aan de wind door mijn haren achter op een motor. Alles beter dan puffend in een gestripte zesdehands autotaxi belanden waarvan de ruiten al jaren niet meer open kunnen.

De boda-bodarijders zijn ook belangrijke verspreiders van het aidsvirus, blijkt uit allerlei statistieken: ze hebben altijd een beetje geld en nogal wat wisselende contacten. Ik prik de soezende chauffeur in zijn middel om hem wakker te krijgen en vraag hem wat hij hebben wil voor een ritje naar mijn logeeradres. Zoals gewoonlijk vraagt hij vier keer zoveel als gebruikelijk, maar als ik lachend wegloop, daalt zijn bedrag aanzienlijk.

Onderweg raken we aan de praat. Zijn Engels blijkt heel redelijk, in tegenstelling tot dat van het merendeel van zijn collega's, die ik nogal eens met handen en voeten heb moeten uitleggen waar ik heen wil. We praten over zijn werk in het nachtleven. De meeste meisjes uit de nachtclubs kent hij bij naam. 'Zeker de mooiste,' voegt hij daaraan toe. Hij heeft ze allemaal al eens naar huis gebracht in de vroege ochtend. Lang niet altijd hebben ze iets verdiend. Dan gunt hij ze een gratis ritje of ze beloven hem de volgende keer te betalen. 'Of ze doen me een aanbod dat geen enkele man kan weigeren,' vervolgt hij eerlijk. Of hij het dan wel veilig doet, vraag ik bezorgd. 'Natuurlijk,' zegt hij lichtelijk gepikeerd. Trouwens, ik moet hem vooral de les lezen over veiligheid: 'Jij stapt midden in de nacht bij een vreemde op de motor.'

Een eerdere uitgaansavond, aan de rand van het stadscentrum. Alice, laat ik haar zo noemen, buigt over het biljart om de witte bal te raken. De tl-bak boven het groene vilt is zo'n beetje het enige licht in de kroeg in een buitenwijk van Kampala. Alice is in de dertig en ongetrouwd. Ze geeft de voorkeur aan vrouwen. Ze staat niet voor niets te poolen in de enige pottenbar die de hoofdstad rijk is. Om de andere dag komt ze na haar werk als bewaker naar het uit golfplaten opgetrokken café, dat in veel opzichten lijkt op de andere cafés in de stad. Alleen bestaat hier de meerderheid van het publiek uit vrouwen.

In het openbaar zie je er nauwelijks aanrakingen. Alleen op de drukbezochte karaoke-avonden kun je op een onbewaakt moment nog weleens een stelletje betrappen op een streling. Je weet toch nooit wie er binnenkomt. Niemand in haar familie weet van haar liefdesleven, bekent Alice. 'Als ze vragen waarom ik nog niet getrouwd ben, zeg ik dat ik de juiste man nog niet ben tegengekomen. Of ze me geloven, weet ik niet. Maar ze vragen niet verder.'

Bij de nonnen op de middelbare school raakte ze verliefd op een medeleerlinge. Zoals veel Oegandese kinderen zaten de twee meisjes intern, hun families ver weg. Ze vonden troost bij elkaar en beseften niet dat ze iets deden waarvan de maatschappij vond dat het niet door de beugel kon. Totdat een andere studente de twee betrapte in de tuin en dreigde naar moeder-overste te gaan. Alice draait haar ogen bij de herinnering aan de schrik: 'Toen merkte ik dat ik op mijn tellen moest passen. Ik heb dat vriendinnetje uit schaamte nooit meer aangekeken. Vanaf dat moment zwijg ik over relaties.' De enige reden dat ze er met mij wel open over is – let wel, haar echte naam geeft ze me niet – is omdat ik een blanke ben. Westerlingen gaan een stuk relaxter om met homoseksualiteit, weet ze.

Niet dat ze nu niets heeft uit te leggen aan de buitenwereld. Een vrouw van haar leeftijd zonder kinderen is al heel raar. Dat kan ik alleen maar beamen. Ik ben zelf midden dertig en ik krijg in Afrika altijd een spervuur van vragen. Of ik getrouwd ben en kinderen heb, en zo nee, waarom niet. Ben ik misschien ziek? Wat ik ook zeg, het levert me steevast medelijdende blikken op, en op zijn tijd een vruchtbaarheidsamulet. Wat het voor een zwarte vrouw in Afrika betekent geen kinderen te hebben, kan ik dus enigszins vermoeden.

Net als prostituees hebben homoseksuelen weinig goeds te verwachten van de alomtegenwoordige christelijke moraal. In Oeganda is homoseksualiteit strafbaar. Tenminste, een man die wordt betrapt op seks met een andere man, riskeert een levenslange gevangenisstraf. Over vrouwen die het met vrouwen doen, rept de wet niet. Of de Oegandees kan zich simpelweg het bestaan van lesbiennes niet voorstellen, of het heeft een andere achtergrond. Ik heb het idee dat Afrikanen traditioneel minder geneigd zijn vrouwenseks in het lesbohokje te stoppen.

In Rwanda bijvoorbeeld bestaat het gebruik dat jonge meisjes aan elkaars schaamlippen trekken omdat langere schaamlippen de man later meer zouden behagen, maar je maakt mij niet wijs dat dit nooit tot een fijn orgasme leidt. Stella vertelde over de Oegandese traditie van de *aunties*, tantes die aan meisjes in de puberteit uitleggen hoe seks en klaarkomen werken. En hoe je je man aan zijn gerief kunt brengen. Een praktijk die trouwens in onbruik is geraakt doordat jongeren wegtrekken van hun families, de stad in. Een bron van seksuele voorlichting gaat zo verloren. Je ziet ook weleens dat Afrikaanse vrouwen elkaar publiekelijk bij de borsten grijpen, maar dat heeft te maken met de geringe erotische lading van die lichaamsdelen in Afrika: die zijn voor de baby en het betasten ervan is niet veel anders dan bijvoorbeeld het aanraken van iemands arm.

Dat lichamelijk contact onder vrouwen vanzelfsprekend kan zijn, betekent niet dat een lesbische relatie dat is. Lesbiennes worden met net zoveel schande overladen als homo's. Homoseksuelen in Oeganda, mannen en vrouwen, blijven niet zelden een leven lang in de kast. In de ondergrondse scene wordt wel gefeest, gedanst en gepraat, maar voor de buitenwereld zijn ze vaak keurig getrouwd. Zeker de mannen, die niet de cel willen riskeren.

Ondertussen weten ze vaak gevaarlijk weinig van de risico's

die ze in hun seksleven lopen. Lesbiennes denken dat hun niets kan overkomen omdat er geen sperma aan hun liefdesleven te pas komt. En menige homo gebruikt het standaardcondoom voor anale seks, terwijl het rubber van die dingen daar niet stevig genoeg voor is. Dit soort onwetendheid is begrijpelijk, want niemand legt hun die zaken uit. Homo's bestaan officieel immers niet.

Meermaals krijg ik het verhaal van koning Mwanga opgedist; het blijkt het historische stokpaardje van menige Oegandese homo. Deze jonge Buganda-koning uit de negentiende eeuw was namelijk de herenliefde toegedaan. De pages in zijn hofhouding deden meer dan alleen zijn avondmaal brengen. Omdat hij door zijn onderdanen werd gezien als een halfgod, kon de man met vele minnaars zijn gang gaan. Kleurrijke verhalen doen in homokringen de ronde over de homoseksuele escapades van dit lid van het koningshuis. Pas toen de christelijke missionarissen tegen zijn seksuele praktijken begonnen te prediken, kwam er een einde aan.

Na mijn omzwervingen in het uitgaansleven wil ik weleens zien hoe de gewone Ugandees denkt over de risico's en preventie van aids. Ik ben benieuwd hoe eenvoudige dorpelingen, ver weg van het regeringscentrum, reageren op de opleving van de christelijke moraal. Daarvoor ga ik met een gezondheidsorganisatie naar het oosten, het platteland op.

In Isakabisolo, een dorpje niet ver van de Keniaanse grens, is een grootscheepse testcampagne aan de gang. Het hele dorp is uitgelopen om zich in de plaatselijke basisschool te laten testen op hiv. De klaslokalen zijn verdeeld in ruimtes voor inschrijving, voorgesprekken, tests en de uitslag en onder de mvule-boom op het grasveld staan nog honderden wachtenden. De urgentie van het aidsprobleem is er onder de dorpelingen blijkbaar goed ingeprent.

Wilber, een vijfendertigjarige verpleger die als vrijwilliger de voorlichtingsgesprekken voert, is blij met de opkomst. Over de toekomst van de aidsbestrijding is hij minder enthousiast. Sinds een jaar moet hij heel voorzichtig zijn met de voorlichting die hij geeft. 'Over onthouding en trouw kan ik nog wel praten, maar over condooms zeg ik pas iets als ze er uitdrukkelijk zelf mee komen.' De kennis over de verspreiding van het virus laat veel te wensen over. 'Velen zijn ervan overtuigd dat aids toverij is.' Hij kan niet zoveel met de nieuwe moralistische benadering, verzucht hij: 'Hoe moet ik aan een man die langskomt met drie echtgenotes uitleggen dat huwelijkse trouw de beste manier is om geen aids te krijgen?'

Vroeger kon je het hele scala aan beschermingsmogelijkheden doornemen, dat is nu niet meer mogelijk. Na een aidstest krijg je ook geen condooms meer mee. De medewerker van de gezondheidsinstelling die de tests organiseert, knikt en haalt machteloos zijn schouders op. Er zijn al maanden geen nieuwe voorbehoedsmiddelen meer gedistribueerd en de lokale overheid houdt alle organisaties aan het lijntje. Ze zijn bijna door hun voorraad heen.

We lopen naar buiten, langs de mensenrij, en raken aan de praat met een jongen van zeventien die klaagt dat de condooms vier keer zo duur zijn geworden. Zijn iets te hard uitgesproken aanklacht krijgt meteen respons: om ons heen begint het publiek zich met de arme puber te bemoeien. Driftig gaat het gekibbel heen en weer. Hij krijgt er aan de toon te horen flink van langs. Naderhand vertaalt de gezondheidswerker de strekking van de discussie: condooms zijn voor mensen die iets te vrezen hebben. Niet voor fatsoenlijke burgers. Dus waar maakte de jongeman zich druk om?

De gezondheidswerker neemt me mee om te praten met Fred. Fred kwam niet naar de school om zich te laten testen. De dertigjarige Oegandees weet de uitslag al: hij kwam er een halfjaar geleden achter dat hij seropositief was. Zijn moeder pleegde zelfmoord toen ze het hoorde.

Had hij maar geweten hoe belangrijk condooms waren, zegt de magere man. Hij heeft zijn hele leven zonder gevreeën. Maar de abstinencecampagne is ook aan hem niet ongemerkt voorbijgegaan, want een minuut later zegt hij: 'Als de regering heeft besloten dat condooms geen goed idee zijn, zullen ze wel gelijk hebben. Dan zijn de mensen die zich niet kunnen inhouden en toch onveilig vrijen er zelf schuldig aan als ze ziek worden.'

Laten de Oegandezen hun keuzes bepalen door de moralistische opleving of gaan ze hun eigen gang? Ik kom genoeg mensen tegen die lak hebben aan de propaganda voor onthouding en huwelijkse trouw. Maar het merendeel van de bevolking – analfabeet, arm en met beperkte toegang tot informatie, een categorie waarin vrouwen oververtegenwoordigd zijn – denkt minder onafhankelijk. 'Als de president het zegt, zal hij wel gelijk hebben.' Het staat in diverse varianten als citaat in mijn opschrijfboekjes.

Sinds de Oegandese omslag is het percentage hiv-besmettingen gestegen. Van de jonge mensen met hiv in Afrika ten zuiden van de Sahara is 74 procent van het vrouwelijk geslacht.

Tijdens het vrijen loopt een vrouw meer risico op besmetting dan een man. Het oppervlak dat besmettingsgevoelig is – de vagina – is simpelweg veel groter dan bij mannen en in besmet sperma zitten veel meer viruscellen dan in vaginaal vocht. Maar er speelt meer. Zoals de jonge leeftijd waarop meisjes in veel landen trouwen: hun onvolgroeide geslachtsdelen zijn kwetsbaarder. Ze krijgen bovendien een bedgenoot die vaak al vele partners heeft versleten. Daarnaast manoeuvreert armoede vrouwen in een positie waarin betaalde seks vaak de enige overlevingskans biedt. De ongeschoolde, arme Oegandese vrouw is de dupe van het zwalkende aidsbeleid.

Na de tocht over het platteland besef ik eens te meer dat de vriendinnen die ik bij Stella thuis ontmoet niet de doorsnee Oegandese vrouw zijn. De vrouwen die zich op vrijdagavond verzamelen in haar huis in Kampala, zijn bijna als mijn vriendinnen thuis. Een kunstenares, een eigenares van een ijssalon, een advocate, een collega-journaliste en ik, urenlang zitten we op de veranda te kletsen. Mannen, politiek, seks en werk, het passeert allemaal de revue.

Vooral de ijssalonhoudster windt zich op over de hypocrisie van de machthebbers. Met name de fabel van de huwelijkse trouw moet het ontgelden. Het grootste deel van de vrouwen loopt het aidsvirus op bij haar eerste partner die een scheve schaats rijdt. Ze vraagt zich af waarom er dan zo zalvend wordt gedaan over de zegeningen van huwelijkse trouw. Stella somt op haar beurt alle seksuele escapades van de schuinsmarcheerders aan de top op, om te laten zien dat de heren politici het zelf ook niet zo nauw nemen. Alle minnaressen van politici passeren de revue.

Een neef wordt erop uitgestuurd om flessen koud bier en cola te halen. Dan plunderen de dames de barbecuekraampjes op de markt die vanaf twee uur 's middags hun roostergeur in vette wolken de hemel in walmen. Er gaan heel wat brochettes doorheen voordat we met z'n allen Stella's jeep induiken om te gaan dansen. Deze vrouwen trekken zich weinig aan van het moralistische debat dat is uitgebroken en leiden hun eigen, zelfstandige bestaan.

Stella's leven van succesvol kunstenares en bewust alleenstaande moeder is daarvan een mooi voorbeeld. Doordeweeks zijn er in haar atelier drie, vier mensen voor haar aan de slag. Zij preparen de schildersdoeken en doen het grove verfwerk. Op de vloeren van de werkruimtes staan rijen lichtblauw en oranje beschilderde waxinehoudertjes, en langwerpige schilderijen met gestileerde Afrikaanse figuurtjes bedekken iedere vierkante centimeter muur. Met haar schilderijen en het versierde aardewerk kan Stella zichzelf en haar negen maanden oude dochtertje Anita prima onderhouden. 'Waar heb ik een man voor nodig?' vraagt de achtentwintigjarige schilderes zich af. 'Het huwelijk in Afrika heeft zijn waarde verloren. Een man trouwt alleen omdat hij een vrouw wil die voor hem kookt en het huishouden doet. En op de bruiloft nodigt hij al zijn vriendinnen uit.'

Stella groeide op met een keihard werkende moeder, hoofd van steeds weer een andere basisschool. Haar vader was zo goed als afwezig: 'Hij betaalde niet eens ons schoolgeld.' Misschien dat ze daarom nooit veel interesse had in het andere geslacht. Op haar twintigste liep ze de eerste man tegen het lijf die ze wel wat vond. Dat hij in Engeland woonde en getrouwd was, was wat haar betreft een voordeel: 'Ik wil geen vaste man in mijn leven. Ik heb mijn privacy nodig, ik wil vrij zijn om mijn eigen leven te leiden.'

Een kind heeft ze wel altijd gewild. Na een onvoorzichtige vrijpartij – aangeschoten thuiskomen na een feestje en ontdekken dat de condooms op zijn – raakte ze zwanger van haar Britse minnaar. 'Het was de eerste en enige keer dat het misging en we onveilig vreeën,' zegt ze nog steeds wat ongelovig. Ze had nog een paar jaar willen wachten met kinderen, maar wist meteen dat het goed was. Ze knikt glimlachend naar de mollige baby die op de grond voor de wijnrode bank zit te spelen. 'Anita is het beste dat me kon overkomen.' Haar familie is het daarmee eens. Haar zus, haar neefjes, haar moeder, ze springen allemaal bij en overladen het meisje met liefde. Af en toe logeert Anita bij Stella's moeder in het dorp een kleine twintig kilometer van de stad. Daar speelt ze met de dieren op het erf. Geiten, kippen en konijnen vindt ze geweldig, alleen is ze bang voor de varkens. Doordat Stella's familie vanzelfsprekend bijspringt, kan zij gewoon op zakenreis naar Nairobi, naar de opening van een galerie of de stad in met vriendinnen. Er is altijd iemand die voor Anita zorgt. Wat dat betreft hebben werkende jonge moeders het in Afrika makkelijker dan die in het westen.

Stella gaat met haar levensstijl volkomen in tegen de oerconservatieve Oegandese tijdgeest, maar dat deert haar niet: 'Laat ze roddelen. Mijn leven is mijn beslissing. Mijn vrienden respecteren dat.' Aan de preken over seksuele onthouding en huwelijkstrouw heeft zij geen boodschap. 'Ik hoef geen voorbeeld te zijn voor anderen. Wat ik echt belangrijk vind, is trouw zijn aan mezelf.'

Maar het merendeel van de Oegandese vrouwen lapt de sociale conventies niet zo makkelijk aan hun laars. Zelfs al vinden ze de moralistische predikers van seksuele onthouding irreëel en gevaarlijk.

Zo kan radiojournaliste Pam zich enorm opwinden over de vrome boodschappen over kuisheid waar het in Kampala van wemelt. Ze herinnert zich nog haar woede de eerste keer dat ze zo'n billboard zag in de stad. Een vrouw van haar eigen leeftijd, gelukzalig in de camera kijkend. 'Zij bewaart zichzelf voor het huwelijk, en jij?' is erop te lezen. Pam wordt er weer boos om: 'Zo stigmatiserend voor de jonge mensen die wel vrijen, ook al zijn ze niet getrouwd. Alsof je je daarvoor moet schamen!'

Pam en ik hebben afgesproken een terrasje te pikken. Ik haal haar in de namiddag op in de studio van Straight Talk, een Oegandese organisatie die jongeren met radioprogramma's en krantjes informeert over gezondheid en seksualiteit. Pam presenteert een radioshow waarin ze ingaat op vragen van jonge luisteraars over dit onderwerp.

Voorlichting en openheid over seksualiteit zijn broodnodig, weet ze uit ervaring. 'Ik krijg brieven van jongens die zelfmoord willen plegen omdat hun borsten opzwellen. Terwijl dat heel gewoon is in de puberteit.' Dat seksuele onthouding het nieuwe toverwoord is in de strijd tegen aids vindt ze onrealistisch en gevaarlijk. 'We zijn allemaal mensen. Je weet nooit wanneer de hartstocht je overmant en je ineens aan het vrijen bent. Dan moet je wel voorbereid zijn en condooms bij de hand hebben.'

Het terras van de Spot After Club in het noordoosten van de stad biedt een schitterend uitzicht op Kampala. De zachte namiddagbries kan het stof in de lucht niet wegblazen waardoor over de heuvels een dromerige waas hangt. Uit de boxen klinkt Kylie Minogue. Sinds tien jaar woont de zesentwintigjarige Pam in de hoofdstad, maar haar hart bleef in haar geboortestreek, vertelt ze boven de muziek uit: 'Als ik over thuis praat, dan bedoel ik niet Kampala, maar het dorp waar mijn familie is. Ook al woon ik daar niet meer. Thuis is de grond vruchtbaar, zijn de bananen zoeter en de mensen vriendelijk.' Pam komt uit West-Nile in het westen van het land, niet ver van de Congolese grens. Haar vader ging na zijn pensioen terug en Pam hoopt dat op een dag ook definitief te doen.

De journaliste maakt uitzendingen voor haar geboorteregio en reist eens in de maand af naar de streek waar ze opgroeide om met jongeren te praten over seks. Hun vragen gaan over de meest uiteenlopende zaken, van de veranderingen van hun lichaam tot abortus en aids. Pam maakt de programma's in het Lugbara, de lokale taal van haar geboortestreek. Daarom kan ze onomwonden praten over condooms zonder dat daar problemen van komen: de meeste politici in de hoofdstad kunnen die taal niet volgen.

Ze heeft niet altijd zo makkelijk over seks gepraat. Haar eerste dag aan de universiteit in Kampala, waar ze onder andere massacommunicatie studeerde, schaamde ze zich dood toen de eerstejaars uitgelegd kregen hoe een condoom werkt. 'Maar het was hartstikke nuttig. Sommige studenten gingen volkomen uit hun dak toen ze eindelijk uit huis waren.' Het eerste jaar zat ze met drie andere meiden op een kamer in een studentenhuis. Als een van de kamergenotes een vriendje op de kamer ontving, zorgde de rest voor activiteiten elders zodat het stel zijn gang kon gaan. '*Beaning* heet dat. Had ik nog nooit van gehoord, natuurlijk,' zegt de journaliste lachend.

Niet dat zij seksueel actief was. Ze ging aan de slag bij de universiteitskrant en noemt haar rol in die tijd vooral die van waarnemer. Met mannen liet ze zich niet in. Wel raakte ze gewend aan praten over seks. 'We zaten met vrienden bij elkaar en kletsten over vrijen. Er werd veel gelachen, maar ook heel serieus gepraat. Soms ging het over aids. Dan dacht je heel ernstig na over je leven.' Dat kon niet voorkomen dat er ook bij Pams afstuderen een flinke lijst met namen werd voorgelezen van studenten die aan aids stierven voordat zij hun studie hadden kunnen afronden. In Oeganda ontkomt niemand aan een confrontatie met het hiv-virus van dichtbij.

Hoe ging Pam in die tijd zelf met seks om? 'Mijn eerste serieuze vriendje vertelde ik op mijn eenentwintigste verjaardag dat ik graag met hem wilde vrijen. Ik was nog maagd. Hij was verrast en vroeg of ik het zeker wist. Ik vond mezelf oud en wijs genoeg. Natuurlijk was ik hartstikke bang, pas na drie maanden kon ik ervan genieten. Maar ik heb er nooit spijt van gehad. Ik weiger me daarvoor te schamen. Ik bepaal zelf wel of ik vrij of niet.'

Inmiddels is ze twee serieuze relaties verder. Haar huidige vlam noemt haar een workaholic. Omdat ze allebei een veeleisende loopbaan hebben, zien ze elkaar alleen in het weekeinde. 'Het is belangrijk je eigen leven te leiden. Te veel vriendinnen heb ik de fout in zien gaan. Dan dachten ze ineens dat hun leven afhing van die ene man. Ik hou van hem, maar ik blijf mezelf.'

Pam leidt het drukbezette leven van een carrièrevrouw. Iedere ochtend om zeven uur stapt ze in een van de vele geblutste witte minibusjes die Oeganda's hoofdstad doorkruisen, op weg naar de redactie. Ze woont alleen in een klein tweekamerappartement, op de begane grond aan een onverharde zandstraat. Voor zessen 's avonds is ze nooit thuis. Vaak heeft ze niet eens tijd om te koken, dan haalt ze varkensspiesjes van de barbecuestand op de markt verderop.

Haar vriend vindt het geweldig dat ze zo ambitieus is. Ze kent hem ruim een jaar, maar haar ouders weten dat nog niet. Die zien haar nog als hun kleine meisje. Ze vreest de dag dat zij beginnen over het huwelijk. Ze zou best met haar lief willen trouwen, benadrukt ze. Maar het probleem is de bruidsschat.

Volgens de Oegandese traditie stellen de ouders van de bruid de prijs vast die ze van de schoonfamilie willen voor hun dochter. Tien koeien, acht koeien, zes... Als Pam erover nadenkt, raakt ze in paniek. Wat als ze meer vragen dan haar schoonouders willen geven? Zouden haar ouders redelijk blijven? Zouden ze zich niet laten ophitsen door ooms die meer geld eisen? 'Ik haat het idee, het voelt alsof ze me verkopen. Alsof ik iemands eigendom ben. Sommige mannen zien hun echtgenote ook zo, ze hebben immers betaald. Het is de basis van heel veel huiselijk geweld. Als ik een keus had, zou ik het helemaal laten zitten. Maar ik maak mijn ouders te schande als ik zomaar ga samenwonen.'

Haar vader, niet eens zo'n traditionele man, heeft al laten doorschemeren dat hij er prijs op zou stellen als ze officieel zou trouwen. Van andere dochters die ongehuwd samenwonen, zeggen de mensen toch: 'Die is voor niets weggegeven, haar goede opleiding is weggegooid geld.'

Ze ligt er soms wakker van: 'Ik wil mijn hart volgen, maar de traditie weerhoudt me ervan. Het maakt me bang voor het huwelijk. Ik zou binnen een paar jaar minstens twee kinderen moeten hebben. Daar denk ik liever niet te lang over na.' Hoe blijf je respectabel voor de gemeenschap zonder je zelfrespect te verliezen? Pam is niet de enige moderne Afrikaanse vrouw die met dit dilemma worstelt. De onmogelijke spagaat tussen moralistische ideologie en alledaagse werkelijkheid in Oeganda maakt hun leven nog ingewikkelder.

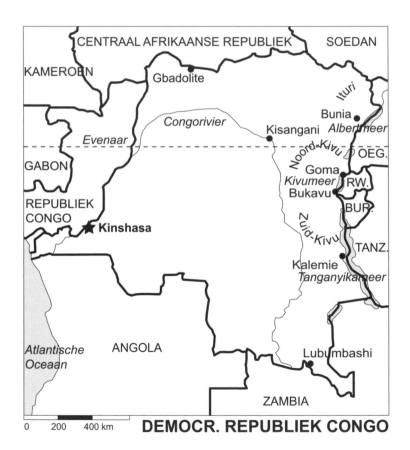

DEMOCR. REPUBLIEK CONGO

6

Op vrouwenschouders

DE OORLOG IN CONGO

Au! Ik zak door mijn knieën om de pijnlijke druk op mijn rechterarm te verminderen. Vénantie is een kop kleiner dan ik, maar ze kent haar vechttechnieken. De Congolese in zwarte kimono slaat mijn aanval moeiteloos af en draait meteen de rollen om. Greep ik haar net nog bij de keel, binnen een halve seconde heeft Vénantie mijn arm te pakken en draait die dusdanig om dat ik geen kant meer op kan. Pas als ik afklop, laat de vijftigjarige docente zelfverdediging los.

Het is zondagmorgen halfzeven in Bukavu, Oost-Congo. De lucht is knisperig koel van de nachtelijke regenbuien. Chouchou, de Congolese collega bij wie ik logeer, en ik stonden vanochtend vroeg op voor Vénanties cursus. Ik ontmoette Chouchou voor het eerst in Duitsland, op een congres over de rol van sport in ontwikkelingslanden. De goedlachse journaliste vertelde me toen over de lessen zelfverdediging voor vrouwen in haar geboortestad en ik grapte dat we er met z'n tweetjes aan mee zouden doen als ik naar Bukavu kwam. Nu ik in Congo ben, is het tijd deze halfserieuze belofte in te lossen.

De Democratische Republiek Congo (DRC) in Midden-Afrika is een van de armste, minst ontwikkelde naties ter wereld. De afgelopen jaren woedde er een oorlog die met vier miljoen doden het bloedigste conflict is sinds de Tweede Wereldoorlog. Seksueel geweld is in Congo op brede schaal toegepast als oorlogswapen. Milities, militairen van het nationale leger, loslopende bandieten, met name het oosten van het land wemelt ervan, en ze vergrijpen zich massaal aan vrouwen en meisjes. De cijfers zijn verbijsterend. Een op de drie vrouwen in Oost-Congo is tijdens de oorlog verkracht.

Anderhalf jaar geleden vond Vénantie het tijd om hiertegen in het geweer te komen. Vrouwen moeten zichzelf kunnen verdedigen, meende ze. De sportieve Congolese besloot hen daarbij te helpen. Met assistentie van de plaatselijke judomeester en een handvol deugende mannen die wel als oefenobject wilden dienen, startte ze een unieke cursus zelfverdediging voor vrouwen. Binnen de kortste keren waren de gratis lessen een hit: elke zondag vóór het kerkbezoek doen tientallen vrouwen en kinderen mee.

Op deze druilerige ochtend zijn Chouchou en ik echter de enige dames die ondanks de regen komen opdagen. De meeste deelneemsters moeten minstens een uur lopen om de binnenplaats te bereiken achter het koloniale schoolgebouw aan het Kivumeer, waar de lessen plaatsvinden op twee witte zeilen op de grond. De onverharde wegen veranderen bij de minste regenbui in modderglijbanen en verdubbelen de reistijd. Vandaar dat het op natte dagen rustig is achter de school.

Vénantie besluit ter plekke dat Chouchou en ik vandaag haar privéproject zijn. Ze heeft er zin in. In eerste instantie nog wat giechelig – we hebben nog niet eens koffie op en het stappen van de avond ervoor zit nog in de kop – vergaat het lachen ons al snel als de juf begint met de warming-up. Eerst moeten we uit elkaar getrokken en gekneed worden. Chouchou is als eerste aan de beurt en Vénantie gaat boven op haar zitten. Ongelovig kijk ik toe hoe ze de ruggengraat van mijn vriendin achterwaarts dubbelvouwt. Chouchou neemt mij daarna onder handen, ze doet dat tot mijn opluchting een stuk zachtzinniger. Die opluchting duurt slechts tot Vénantie een serie push-ups inzet waar mijn lerares danscondatie in Nederland nog moeite mee zou hebben. Ik zak dan ook na nog niet de helft van de exercitie amechtig door mijn ellebogen.

De grepen die ze ons daarna aanleert zijn uiterst nuttig. Hoe je zonder al te veel kracht de pols van je belager in zo'n hoek kunt wringen dat hij het uitschreeuwt van de pijn. Dat je alleen door te ontwijken je aanvaller al uit zijn balans kunt brengen, zodat je je daarna uit de voeten kunt maken. Ze laat ook zien hoe je met een tegengestelde draai je handen loswrikt uit iemands greep. Mijn Congolese collega en ik beginnen ons bepaald gevaarlijke vrouwen te voelen.

Het laatste deel van de les is lichamelijk het minst intensief. Toch is dit stuk van de training het belangrijkst: dan wordt er gepraat. De instructrice benadrukt dat het bij zelfverdediging vooral gaat om houding. Hoe straal je uit dat mensen met hun poten van je af moeten blijven? 'Het is een kwestie van geestkracht. Ook de kleine meisjes moeten "nee" leren zeggen op zo'n manier dat duidelijk is dat ze "nee" bedoelen.' Vénantics grootste voldoening is te zien hoe moeders na een paar weken zelfbewuster worden en meer rechtop gaan lopen: 'Ze keren terug naar hun dorpen en laten hun buurvrouwen en vriendinnen de trucs zien. De vrouwen die mijn lessen volgen, laten niet met zich sollen.'

Oorlog maakt vrouwen vaak driedubbel slachtoffer. Ten eerste moeten zij het stellen zonder man – want die is vermoord, op de vlucht of mee met de rebellen – wat hun toch al aperte armoede nog eens vergroot. Daarnaast verdrijft de strijd hen met kinderen en al uit hun dorpen, weg van het stukje land waarmee ze zich voedden en regelrecht de honger in. Bovendien ligt altijd het gevaar van verkrachtingen op de loer, bij voorkeur in het bijzijn van de eigen gemeenschap.

Ook ik heb de rapporten over oorlog en seksueel geweld gelezen en de vrouwen erover geïnterviewd in Darfur, in Burundi en op alle plekken waar de wapens heersen. Maar steeds vaker begon er bij mij iets te wringen bij die verhalen. Meestal portretteren ze vrouwen uitsluitend als slachtoffer. Dat doet hun geen recht. Ze zitten niet te wachten totdat hun iets overkomt, integendeel. In de harde nieuwsjournalistiek is vaak geen plaats voor verhalen over de veerkracht waarmee vrouwen hun lot te boven komen, voor de onderlinge solidariteit en humor waardoor ze overleven.

Eindelijk ben ik dan in de Democratische Republiek Congo. Na jaren om het land heen te hebben gecirkeld en vele buurlanden te hebben bezocht, is het er nu van gekomen. De eerste ronde van de presidentsverkiezingen – de eerste democratische verkiezingen in ruim veertig jaar in het gigantische land – volg ik in Bukavu en Kinshasa, de hoofdstad in het westen. Dat smaakt onherroepelijk naar meer: binnen twee maanden keer ik terug naar Congo.

Het uitgestrekte land in Midden-Afrika prijkt in zo'n beetje alle oneervolle landenrijtjes die er bestaan; volgens de Human Development Index van de VN behoort het tot de slechtst presterende ontwikkelingslanden ter wereld. Onderwijs, gezondheidszorg, economische ontwikkeling, het is er allemaal ver beneden peil. Met nog geen 3000 kilometer verharde weg heeft het land niet eens een noemenswaardige infrastructuur. Om een idee te geven: in Nederland ligt 143.000 kilometer verharde weg, en Congo is zeventig keer zo groot. Sommige steden zijn alleen bereikbaar door de lucht of over de Congorivier.

Maar liefst negen Afrikaanse landen mengden zich in de oorlog die de afgelopen jaren woedde in het oosten van Congo. Daarom wordt het ook wel de eerste Afrikaanse Wereldoorlog genoemd. Naast een flinke illegale greep in 's lands bodemschatten maakten de door buurlanden als Rwanda en Oeganda gesteunde milities en de Congolese militairen zich schuldig aan verkrachting, plundering en moord. Unicef rapporteerde in

2006 dat nog dagelijks twaalfhonderd mensen stierven aan de directe en indirecte gevolgen van het oorlogsgeweld.

Reizend in het Grote Merengebied – de Centraal-Afrikaanse landen rondom onder andere het Victoria-, Kivu- en Tanganyikameer – zie ik steeds meer dwarsverbanden. Grensoverschrijdende politieke vetes, oorlogen, vluchtelingenstromen, ze creëren in het gebied een haast onontwarbare kluwen problemen.

Na de Rwandese genocide in 1994 trokken Hutu-vluchtelingen uit Rwanda massaal de grens over naar Congo. Onder hen ook de extremistische Hutu's, die bergen bebloede machetes en knuppels achterlieten bij de grensovergang als stille getuigen van de volkerenmoord. Dat die Interahamwe-milities zich konden hergroeperen en herorganiseren in de vluchtelingenkampen in het oosten van Congo, was het Rwandese regime een doorn in het oog. Toen daar naar de zin van Rwanda te weinig tegen werd ondernomen, greep het kleine buurland zelf in en viel Congo binnen. Het was het startsein voor de jarenlange oorlog die bijna niemand in het heuvelachtige gebied ongemoeid liet.

In Bujumbura ontmoette ik bijvoorbeeld Jacques, de aangetrouwde neef van een collega. De Congolees ontvluchtte zijn land omdat hij er zijn leven niet meer zeker is. In Goma, zijn geboortestad aan het Kivumeer, kan hij niet meer over straat. Iedereen weet dat hij familie is van Laurent Nkunda, een voormalige generaal van het Congolese leger die zich tegen de machthebbers in Kinshasa heeft gekeerd en sindsdien de regio onveilig maakt met zijn troepen. Jacques heeft nog nooit een wapen aangeraakt, zegt hij, maar alleen al zijn familiebanden maken hem tot doelwit.

Daarom migreerde hij in eerste instantie met zijn vrouw en kind naar Rwanda. Daar voelt hij zich het meest op zijn gemak, want hij kan er als Banyamulenge – Congolese Tutsi – uiterlijk voor een Rwandees doorgaan. Totdat hij zijn mond opendoet, dan is iedereen duidelijk waar hij vandaan komt en wordt hij ook daar met de nek aangekeken. De Rwandezen hebben weinig achting voor hun westerburen en dat steken ze niet onder stoelen of banken. Werk vinden was daarom moeilijk.

Nu probeert hij zijn geluk in Burundi. Sinds een maand logeert hij met zijn gezin bij een tante van zijn vrouw. Zijn dagen brengt hij door met wat lamlendig spelen met zijn zoontje, want een baantje heeft hij nog niet gevonden. Jacques' zoektocht naar een bestaan van Congo via Rwanda naar Burundi laat zien hoezeer de buurlanden met elkaar verbonden zijn. De groene heuvels van Burundi en Rwanda en de hoogvlakten van Oost-Congo zijn weliswaar door landsgrenzen gescheiden, de volkeren die er al eeuwen wonen trekken zich daar weinig van aan.

Dat ik eerst door de twee kleine buurlanden heen moet reizen als ik de tweede keer de Democratische Republiek Congo bezoek, is dan ook uitermate toepasselijk. In het centrum van Bujumbura wring ik me 's ochtends in een van de busjes die dagelijks naar het Congolese Bukavu pendelen. Het Burundese hobbelwegdek houdt het reistempo aanvankelijk behoorlijk op, maar zodra we Rwanda bereiken kan de vaart erin. In een volgeladen minibusje razen we over de smetteloze Rwandese wegen. Zestig dollar mag ik als Europeaan neertellen voor een doorreisvisum: nog geen uur zal ik in Rwanda zijn, maar de douanier is meedogenloos.

We komen onderweg heel wat lege minibussen tegen die naar Burundi rijden. Lege transportmiddelen zie je zelden in Afrika, dus ik vraag verbaasd aan mijn medepassagiers waarom er niemand in de tegenliggers zit. De eigenaar van de busmaatschappij blijkt de echtgenoot van een kandidate voor de provinciale verkiezingen die dat weekeinde plaatsvinden. Door hordes Congolese expats deze week gratis naar Bukavu te brengen, hoopt deze trouwe eega stemmen voor zijn vrouw te genereren. Een verkiezingscampagne op zijn Congolees.

Ik heb iets met fysieke grensovergangen, voel me altijd een tikje plechtig als ik ergens in Afrika over een landsgrens wandel. Het gevoel is veel tastbaarder dan wanneer je een land binnenkomt op een internationale luchthaven – en de stempels in je paspoort zijn veel leuker, want ze dragen namen van obscure plaatsen waar anders niemand het bestaan van zou kennen. Geamuseerd aanschouw ik het gesjacher bij de Congolese grens, waar je via een houten bruggetje in Bukavu belandt. De eigenaars van veel te zwaar beladen trucks die van ijzerdraadjes aan elkaar hangen, trachten zichzelf en hun vracht het land in te marchanderen. Het is dringen, want de dag voor iedere verkiezingsronde gaan de grenzen dicht om te voorkomen dat kwaadwillenden het kiesproces verstoren.

De twee zusjes van Chouchou zitten thuis op me te wachten. Ik logeer weer bij mijn Congolese collega en haar Belgische echtgenoot. Zelf zijn ze op familiebezoek in België, maar de nog schoolgaande zusjes die bij hen wonen zijn wel thuis. Ik bak pannenkoeken voor ze, ga met de meiden naar de markt en kijk als ik eens een avond thuis ben mee naar de Frans nagesynchroniseerde Harry Potter-dvd's totdat de elektriciteit uitvalt – wat iedere avond onherroepelijk gebeurt.

Ik sleep de twee zussen op zondagmorgen ook mee naar Vénanties zelfverdedigingscursus. Ze vinden het aanvankelijk maar eng en kijken de kat uit de boom vanaf het lage muurtje aan de rand van het grasveld. Dat laat Maître Kodi – tenger maar gespierd, zwarte band – niet gebeuren: hij trekt de twee zonder pardon van hun stenen muur en leidt hen naar de grondzeilen waar een groepje al druk aan het sporten is. Omdat Vénantie met haar eigen training bezig is, ontfermt de judomeester zich vandaag over de vrouwen. En dat zullen we weten: de les is nog intensiever dan ik me herinner van de vorige keer.

Vénantie komt bezweet aanlopen. Ze is klaar met haar training en gaat naar huis om zich om te kleden. We spreken af dat ik haar bij haar thuis tref. De Congolese heeft behalve sport vandaag ook politiek op haar programma staan, want ze dingt mee naar een van de plaatsen in het provinciale parlement. Behalve voor de tweede ronde van de presidentsverkiezingen gaan de Congolezen vandaag ook naar de stembus voor de provincie. Toen we om zeven uur 's ochtends aan kwamen lopen voor de les zelfverdediging, stond er al een dikke rij kiezers te wachten bij het koloniale schoolgebouw dat nu even fungeert als stembureau.

Als ik later die ochtend bij Vénantie binnenkom, herken ik haar bijna niet. Het sporttenue waarin ik de kleine, stevige vrouw steeds heb gezien, vormt nogal een verschil met de Afrikaanse jurk met pofmouwtjes die ze nu draagt. We ontbijten met sneetjes witbrood en honing op het terras dat uitkijkt over een baai van het Kivumeer. Zestien jaar hebben haar man, een ecoloog, en zij aan hun huis gebouwd, steeds verrees een nieuwe ruimte naast of op het bestaande bouwwerk dat met zijn witte muren en donkere houtwerk vanbinnen aandoet als een Spaanse koloniale villa. Bij de voordeur naast de drempel is een ijzeren richel geschroefd waarmee bezoekers de modder uit hun zolen kunnen peuteren. Dit is weliswaar een keurige wijk, maar een verharde weg leidt er niet naartoe.

Deze ochtend heeft Vénantie een taxi gehuurd. Ze wil graag zien hoe de verkiezingen verlopen en laat de chauffeur de hele stad doorcrossen. Omdat ze zelf kandidaat is, mag ze zich niet op het terrein van de stembussen begeven, maar ze heeft het slim bekeken en stuurt mij als haar persoonlijk waarnemer. Hoe groot is de opkomst, zijn er veel vrouwelijke kiezers, waren er in de loop van de dag misschien problemen? Ze wil alles weten.

In een volkswijk belanden we in de staart van een opstootje. De schooldirecteur zou voor twee vrouwen het stembiljet hebben ingevuld – en dan niet het hokje waar ze om vroegen. De menigte is woedend en vastbesloten die boosheid te koelen op 's mans hoofd. Dat dreigt dusdanig uit de hand te lopen dat de politie de directeur voor zijn eigen veiligheid meeneemt. Een paar minuten erna is de sfeer alweer landerig zondags. Zo snel als de gemoederen hier oplopen, zo vlug zijn ze soms ook weer afgekoeld.

Het is het enige noemenswaardige voorval die verkiezingsdag. Weer valt me op hoe de Congolezen, die normaal nooit ergens voor in de rij staan, trouwhartig wachten op hun beurt om hun stem uit te brengen. De meerderheid van de kiesgerechtigde Congolezen komt opdagen, nogal een prestatie als je bedenkt dat ze vaak uren moeten lopen door de jungle.

Nog opvallender is het gigantische aantal vrouwen dat hun stem uitbrengt. Vanaf zes uur 's ochtends staan ze in de rij voor de stembureaus, met baby's op de rug, kinderen aan de arm, manden met cassave op hun hoofd. Ze vormen de overgrote meerderheid van de opgekomen kiezers.

Na een paar uur gaan we huiswaarts voor het middageten. Vénantie schopt haar schoenen uit zodra ze binnenkomt. Op de eettafel dampen de schalen *fufu* en *sombe*. Het zijn mijn favoriete gerechten in dit deel van de wereld: een dikke brij van cassavemeel en gestampte cassaveblaadjes met palmolie, een kruidig groentegerecht dat iets weg heeft van gehakte spinazie. Terwijl we eten met onze handen en een fles Primus-bier delen, praat Vénantie over oorlog en vrede.

Verschillende keren zag ze vreemde milities de stad in marcheren. In 1996 waren het de rebellen van Laurent Kabila, op zoek naar militairen van Mobutu's leger. Het bleek het begin van de val van Mobutu, de dictator die in 1965 na een staatsgreep aan de macht kwam.

Mobutu was de man die Congo omdoopte tot Zaïre, omdat hij dat Afrikaanser vond klinken. Verder plunderde hij de bodemschatten van zijn land en liet de bevolking stikken. De sociaaleconomische positie van de Zaïrezen werd onder deze heerser een van de meest uitzichtloze van het Afrikaanse continent.

Toen Kabila het land wist te verlossen van de megalomane president Mobutu, waren de meeste Congolezen dan ook opgetogen. Onder *Mzee* Kabila, zoals hij bekendstond, durfde Congo weer even te dromen van een voorspoedige toekomst. Lang duurde dat niet. Mzee hield de Rwandese troepen die hem bij zijn opmars hadden gesteund niet te vriend. Kabila had alleen bij gratie van Rwanda rebellenleider kunnen worden, en nu kregen de Rwandezen stank voor dank. Zoveel ondankbaarheid konden ze niet velen. De Rwandese soldaten keerden zich tegen hem – wat bijdroeg tot het geweld dat met name in het oosten van het land werd ontketend.

Bukavu is sindsdien meermaals door militairen onder de voet gelopen. Vénantie kent inmiddels de voortekenen van de strijd. 'Een oorlog kondigt zich altijd aan. Het zijn de vrouwen die het best weten wanneer het mis dreigt te gaan. Waarom? Omdat zij de vriendinnetjes zijn van de soldaten, de vrouwen van de generaals. In bed vertellen ze dingen die ze verder aan niemand kwijt kunnen.'

Een Banyamulenge-vriendin van een Tutsi waarschuwde haar in 1998: de Rwandese soldaten komen terug. Veel stadsgenoten vluchtten bij voorbaat de hoogvlaktes op, maar Vénantie bleef met haar gezin in haar eigen huis: 'Ik dacht dat het thuis veiliger zou zijn dan op het platteland, waar we niemand kenden.'

De gebeurtenissen op een regenachtige avond in september 1998 logenstraften die veronderstelling. Ze was bezig in de keuken toen ze hoorde kloppen. Ze zag soldaten met geweren op de rug in de deuropening staan. 'We zijn gekomen om jullie allemaal te doden,' zei de voorste. De rest stormde naar binnen en begon alles van waarde in zakken te laden. Haar man kreeg toen hij wilde opstaan een klap met een geweerkolf.

Een soldaat dwong Vénantie naar de slaapkamer en duwde haar op het bed. 'Het schoot door me heen: hij gaat me verkrachten. Ze hadden mijn man in de andere kamer onder schot en de commandant had al gezegd dat de kinderen neergeschoten moesten worden.' Ze zat op het bed bij het raam dat een beetje openstond. Het fluitje dat ze toevallig een dag eerder op de markt had gekocht, brandde in haar zak. Ze realiseerde zich dat ze niets te verliezen had: of ze zou iets ondernemen, of ze zouden er allemaal aan gaan.

Toen de militair even niet oplette, blies ze met alle lucht die ze in zich had op het plastic fluitje. De soldaten raakten in paniek omdat ze niet een-twee-drie doorhadden wie er gefloten had. Wie weet waren het vijandige troepen. In de verwarring die ontstond vielen schoten, maar doordat het halfdonker was, raakten de kogels niemand van Vénanties gezin. De overvallers gingen ervandoor, de herrie had te veel aandacht getrokken en de buren gealarmeerd.

Sinds ze zo door het oog van de naald zijn gekropen, pakt Vénantie resoluut haar spullen als er geweld dreigt. Omdat haar echtgenoot in die periode in Canada een baan kreeg, stond ze er meestal alleen voor. Ze beschrijft hoe ze de vlucht uit de stad organiseert: ze bindt haar jongste zoon op haar rug en neemt haar andere zoon aan de hand. Haar dochter zeult een zak met rijst en bonen mee en allebei dragen ze twee jurken over elkaar.

Vénantie is geen uitzondering: 'Het is altijd de vrouw die de vlucht van het gezin regelt. Als je dat niet doet, heb je niets voor onderweg. Een man gaat er gewoon vandoor en kijkt niet om. De vrouw kijkt eerst zoekend om zich heen. Waar zijn de kinderen, wat nemen we mee om te overleven? Al te vaak spelen de kinderen ergens anders in het dorp en moet ze die bij elkaar roepen. Ze heeft meer tijd nodig om te kunnen vluchten. Daarom sterven er meer vrouwen op de vlucht.'

Zelfs nadat de strijdende partijen in 2003 in Zuid-Afrika een vredesakkoord ondertekenen, moet Bukavu het nog ontgelden. Op een namiddag in mei 2004 vallen de mannen van de eerder genoemde afvallige generaal Nkunda de stad binnen. Volgens hem komen ze de Congolese Tutsi's beschermen tegen extremistische Hutu's. Ook de vn-vredesmissie die sinds 1999 orde op zaken probeert te stellen in Congo, weet de invasie niet tegen te houden.

Twee weken duurt het beleg van Bukavu en vooral de gewone bevolking moet het ontgelden. Overal in de stad klinken geweerschoten, gehuil en gegil van vrouwen. Zo'n zestienduizend vrouwen zouden in een weekeinde zijn verkracht. Deze 'tweede oorlog' is een zwarte periode voor de stad aan het meer.

Het is voor de vrouwen van Bukavu ook de druppel: ze besluiten massaal dat ze niet meer willen zwijgen bij zoveel misbruik. De beelden van de vrouwenmars die ze dat jaar organiseren, zijn indrukwekkend. Een dikke rij van duizenden vrouwen marcheert door de straten van Bukavu. Ze dragen zwarte hoofddoeken of hebben zwarte vuilniszakken om het hoofd gebonden. Met hun handen op hun hoofd ten teken van rouw protesteren ze tegen het seksuele geweld en tegen de oorlog.

Het is een onvoorstelbaar dappere onderneming. Hoewel de meeste stadsgenoten net zo gruwen van de grootschalige verkrachtingen, is het nog wel wat anders om er hardop tegen te protesteren. Zelfs nu zijn er omstanders die de slachtoffers bestempelen als hoeren van de Rwandezen.

Ondanks de gewelddadige oprisping in 2004 gelooft Vénantie hartstochtelijk in de kans op een definitieve vrede en in het Congolese democratiseringsproces. Vrouwen waren de drijvende kracht achter deze vrede, aldus de Congolese politica, omdat zij geen economisch belang hadden bij de oorlog. Zij profiteerden niet van de Congolese bodemschatten die de vechtende partijen het land uit smokkelden. De vrede in de Democratische Republiek Congo draagt in haar ogen een vrouwenstempel.

Toch waren er niet veel vrouwen onder de afgevaardigde Congolezen die in 2003 in het Zuid-Afrikaanse Sun City onderhandelden over de vrede: slechts 40 van de 340 gedelegeerden. Om hun aantal op te krikken, nodigden de Verenigde Naties ook veertig vrouwen uit als experts en waarnemers. Vénantie was erbij en beschrijft hoe deze vrouwen samen in het vliegtuig naar Zuid-Afrika zaten en kennismaakten: 'Moeders zeiden tegen elkaar: "We hebben allemaal onze kinderen verloren en er niets mee gewonnen." We ontdekten dat de vrouwen in Bunia, Kisangani en Bukavu dezelfde problemen hadden. We besloten te gaan zoeken naar onze overeenkomstige belangen, niet naar de verschillen.'

Hoewel slechts veertig van hen daadwerkelijk aan de onderhandelingstafel zaten, wisten de vrouwen hun stem te doen klinken. Steeds als een van de partijen dreigde op te stappen, kregen ze de vrouwendelegatie over zich heen. 'Als de mannen weer eens wegliepen uit de onderhandelingen omdat iemand iets verkeerds had gezegd, zongen we patriottische liedjes om hun erop te wijzen dat ze een taak hadden. We huilden, we baden, we overtuigden.'

Tot op het laatste moment bleven sommige onderhandelaars twijfelen. Het wantrouwen was zo groot na jaren van verraad, dubbelspel en gebroken beloftes, dat menigeen vreesde dat de tegenpartij hem alsnog zou vermoorden als hij de wapens zou neerleggen. Maar de vrouwen waren onverbiddelijk, memoreert de Congolese: 'Zelfs toen de handtekeningen gezet moesten worden, waren er nog mannen die aarzelden. Maar wij overtuigden hen om te tekenen. Zonder ons vrouwen was er geen vredesakkoord geweest.'

Vénanties oordeel over de Congolese man is meedogenloos. 'Onze mannen zijn lui geworden. Ze wachten op een blanke die hen in dienst neemt en ondertussen laten ze hun vrouwen het werk doen.' Dat hebben vrouwen deels aan zichzelf te wijten, vervolgt ze: 'Congolese vrouwen zien het huwelijk als hun redding. Daarom accepteren ze alles van zo'n vent. Als je maar getrouwd bent, dan kom je uit de armoe, denken ze. Ik zeg tegen hen: "Je kunt ook voor jezelf zorgen en op eigen benen staan." Dan noemen ze me dominant. De vrouwen hier doen zich vaak zwakker voor dan ze in werkelijkheid zijn. Het wordt tijd dat we onze kracht tonen.'

Deze woorden echoën lang na in mijn hoofd. In een eerder gesprek zei gynaecoloog Denis Mukwege iets vergelijkbaars. Mukwege is directeur van Hôpital Panzi, een ziekenhuis in het zuiden van Bukavu waar verkrachtingsslachtoffers worden opgevangen en indien nodig geopereerd. Hoewel hij dagelijks nieuwe patiëntes binnenkrijgt, is hij optimistisch over de toekomst van de Congolese vrouw: 'Vrouwen zijn bezig de macht naar zich toe te trekken. Langzaam maar zeker. De vrouw voedt het gezin en betaalt het schoolgeld. Vrouwen bepalen de gang van zaken op de markt, zij organiseren zich. Ook onder de grote zakenlieden zijn veel vrouwen.'

Volgens de gynaecoloog – vader van vier dochters en een zoon – beseft de Congolese vrouw nog niet dat zij de economische macht allang in handen heeft. Maar zodra dat zo ver is, raadt hij zijn seksegenoten aan zich te bergen: 'Wij mannen brengen dit land al jaren niets dan ellende. Als wij het steeds laten afweten, zal dit land een keer geregeerd worden door vrouwen.'

Ik heb het zo vaak gehoord in Afrika. Mannen deugen nergens voor. In Congo klinkt dit geluid nog wat harder. Overal in Afrika zie je dat de werklast onevenredig over de seksen is verdeeld. Het is vaak de vrouw die het hardst werkt. In dit land is die onevenwichtige taakverdeling verworden tot een karikatuur. De mannen hangen op het dorpsplein en discussiëren over politiek. Of ze spelen een potje *mungula*, een soort damspel, in het zand. Of sluiten zich aan bij een militie. Ze klagen dat ze werkloos zijn, maar vraag ze waar hun echtgenotes zijn, dan is het antwoord steevast: die is aan het werk.

Een vrouw zie je nooit met lege handen. Vrouwen sjouwen enorme takkenbossen de heuvels op en dragen manden vol cassave op hun hoofden. Ze beginnen samen kleine handelscorporaties, ze lenen elkaar geld voor investerinkjes, bewerken het land en verkopen hun groenten op de markt. Zij zijn het die de informele economie draaiende houden, het enige systeem dat een beetje functioneert in het volkomen vervallen land. De Congolese man lijkt te hebben afgedaan. Zelfs hun eigen moeders en vrouwen nemen hen nauwelijks meer serieus. Ook westerse hulpverleningsorganisaties hebben mannen afgeschreven. Bijna alle projecten van ngo's richten zich op de Afrikaanse vrouw. De heren der schepping komen er in Afrika in de publieke opinie bekaaid vanaf.

Dat ik me voor dit boek op vrouwen concentreer, betekent niet dat ik met mannen niets te maken heb in Afrika. Integendeel: de meeste wetenschappers, journalisten, juristen en politici die ik er ontmoet zijn mannen, en ook daarbuiten kom ik hen in het openbaar veel meer tegen dan vrouwen. Ik heb met Afrikaanse mannen gesproken over de meest uiteenlopende zaken, maar zelden over hun man-zijn. Terwijl ik daar steeds meer vragen over heb.

Na het gesprek met Vénantie neem ik me voor ook eens aan mannen te vragen wat er nou eigenlijk aan schort. Ik schakel daarbij de hulp in van Seles, een handelaar in digitale camera's uit Bukavu die een straat bij Chouchou vandaan woont. Seles is een echte mannenman: van het type groot, breed en goedlachs dat nieuw gevonden vrienden joviaal op de schouders slaat, maar niet te beroerd is om zijn indrukwekkende gestalte in de strijd te gooien als hij het gevoel heeft dat hij tekort wordt gedaan. Hij kent half Bukavu – in ieder geval de mannelijke helft, en als ik hem moet geloven na een biertje eveneens de meeste dames – en wil me wel helpen met mijn queeste.

Meer dan wat dan ook zou ik eens een middag rustig willen praten met een Congolese soldaat. Niet over oorlog en geweld, maar over zijn verleden, zijn achtergrond en zijn toekomstdromen. Zijn angsten en nachtmerries. Soldaten zijn in Congo maatschappelijk gezien het laagste van het laagste. Ze hebben vaak jarenlang niet betaald gekregen en scharrelden hun kostje bij elkaar met behulp van hun wapen. De Congolezen zien soldaten inmiddels als de verpersoonlijking van het kwaad.

Juist daarom wil ik zo'n militair van de menselijke kant belichten. Hoe komt een man ertoe zich zo te gaan misdragen, te plunderen, moorden en verkrachten? Als ik begin bij de overtreffende trap van wat er mis kan gaan met mannen, begrijp ik de gewone man die die dingen niet doet misschien wat makkelijker.

Seles knikt begrijpend, hij snapt wat ik bedoel. Geef hem een weekend om het te regelen en hij zorgt ervoor dat ik een maat van hem kan interviewen. We spreken daarvoor af op een maandagmiddag op een rustig, schaduwrijk terras. Het wordt een fiasco.

Als de soldaat aan komt zetten blijkt hij al straalbezopen. Hij is kleiner dan ik en kijkt me met zijn bloeddoorlopen ogen lodderig aan van onder zijn pothelm met camouflagenet. Zijn rechteroog knijpt hij steeds onwillekeurig dicht. De soldaat torst een rugzak die bijna groter is dan hijzelf en lijkt daardoor een gebocheld mannetje. Hij wijst trots op het Belgische vlaggetje op zijn jack. 'De Europese Unie zorgt voor ons,' verklaart de militair. De bij het regeringsleger geïncorporeerde soldaten kregen die dag 'nieuwe' tweedehands uniformen en deze man heeft dat heuglijke feit blijkbaar al danig lopen vieren.

Hij vraagt om eten. Als ik hem een glas water met ijs voorzet, weigert hij met een vies gezicht alsof ik hem voorstel om pis te drinken. Hij grist Seles' halfvolle pakje sigaretten van tafel en steekt het in zijn zak. Hij wacht op zijn bier, zegt-ie.

Hoe krijg ik deze man weg? Er valt geen land met hem te bezeilen, laat staan een interview met hem te houden. Van deze oud Mai-Mai-strijder had ik veel willen weten. Hoe ze zich onschendbaar maken voor geweervuur bijvoorbeeld. Want iedere Congolees weet dat Mai-Mai dat kunnen. Deze lokale milities ontstonden uit verzet tegen de Rwandese invasie – of omdat Congolezen ook een graantje wilden meepikken van de oorlogsbuit. Ik had graag aan hem willen vragen waarom hij ten strijde trok, wat hij heeft meegemaakt, waar hij vandaan komt. Maar dat kan ik vandaag wel vergeten. Met zachte dwang weten Seles en ik van hem af te komen.

Dan komt het hoge woord eruit. Seles heeft de militair om hem over te halen zich te laten interviewen een biertje gegeven. Of twee. Misschien wel drie. Ik zucht en val terug in de tuinstoel. Een hele middag naar de knoppen. Erger nog: in plaats van het cliché van de losgeslagen soldaat te ontkrachten, heeft dit karikaturale optreden van de bochel enkel alle denkbare vooroordelen bevestigd.

We zitten onder een boom waarvan de kleine ovale blaadjes zo dicht op elkaar staan dat ze vrijwel geen zonlicht doorlaten. Omdat vrouwen zich vaak in de schaduw van deze soort nestelen, noemen de Congolezen deze boom de Madamé. Ik besluit van de nood een deugd te maken en dan maar aan Seles voor te leggen wat me zo verbaast aan die Congolese mannen. Hoe kan het dat al die werkloze heren die ik tegenkom vrouwen hebben die het land bewerken, zeep maken of groenten verkopen op de markt? Waarom doen mannen dat niet ook?

De ondernemer kijkt me geschokt aan. 'Dat kan een man toch niet doen,' zegt hij op hoge toon, 'dat is vrouwenwerk!' Ik antwoord dat mannen dus liever sterven van de honger dan dat ze vrouwenwerk doen. Hij: 'Mannen wachten op een echte baan, bij een baas, met een kantoor om naartoe te gaan. Zo lang ze dat niet vinden, is het aan de vrouw om het gezin eten te bezorgen. Behalve de huur en de elektriciteit, die komen altijd voor zijn rekening.' Hoe betaalt hij dat dan? 'Ach, beetje scharrelen, beetje stelen, soms wat oplichten…' De drieëndertigjarige *business man* (spreek uit op zijn Frans) glimlacht verontschuldigend.

Nog steeds begrijp ik niet waarom die mannen niet hun vrouwen helpen op de akkers in plaats van rond te hangen en niets te doen. 'Ja, maar dat is toch geen werk!' roept hij uit. Nu word ik pissig en bijt hem toe dat hij er verdomme wel van vreet. De meeste Congolese families moeten het hebben van wat het kleine lapje landbouwgrond opbrengt. Waar de mannen zich te goed voor voelen, is wat de bevolking in leven houdt.

Ik pluk gefrustreerd met mijn blote voeten aan het gras, trek de brede sprieten met mijn tenen uit de grond. Het lijkt wel alsof er een onzichtbare muur tussen ons in staat waar ik steeds tegenop bons, terwijl hij me van de andere kant niet-begrijpend aankijkt. Waar maak ik me druk over?

Ik probeer het nog een laatste keer en verklaar dat het in mijn ogen de vrouwen zijn die zijn land overeind houden. Wat zou er gebeuren als Congolese vrouwen dat zelf ook beseften en zouden besluiten dat ze die mannen niet meer nodig hebben? Hij kijkt me geamuseerd aan: 'Niet mogelijk. Vrouwen hebben ons nodig. Vanaf hun twintigste worden Congolese vrouwen gek, dan moeten ze een man.' Waarna ik met een grote slok ijswater mijn reactie inslik en overschakel op een ander onderwerp. Het thema mannen moet maar even wachten.

De volgende ochtend neem ik de boot naar Goma, aan de overkant van het Kivumeer. Maar ik kan niet uit Bukavu vertrekken zonder een afscheidsbezoek aan Papa Jérôme in de hooggelegen volkswijk Kadutu. Jérôme en zijn familie heb ik bij mijn vorige bezoek aan Congo leren kennen, toen ik een artikel maakte over drie generaties Congolezen.

Jérôme is drieënzestig, een jaar ouder dan mijn vader toen hij overleed. Bij onze eerste ontmoeting is dat niet zo lang geleden. *Papa* en *Maman* zijn hier gewoon beleefdheidsvormen, maar bij Jérôme spreek ik het uit met extra genegenheid. Ik ben verknocht geraakt aan de kleine, kale man en zijn familie.

Jérôme was de eerste fotograaf van Bukavu. Toen de Belgen in 1960 vertrokken uit Congo en iedereen nieuwe identiteitsbewijzen nodig had, was hij de enige in de stad die pasfoto's kon maken. Op school hielp hij zijn wiskundeleraar 'meester Thijs' in de donkere kamer. Zo leerde hij het vak. Als je tegenwoordig in Kadutu vraagt naar de fotostudio van Jérôme, kan het kleinste kind je de weg wijzen.

Nu ben ik behept met een slecht richtinggevoel en kan ik hun woonhuis midden in de volgens de chaostheorie bebouwde wijk nooit vinden, hoe vaak ik er ook ben geweest. Daarom wacht Papa Jérôme altijd op me in het halfdonker in zijn kantoor vlak bij de grote rotonde. Er hangt een kaal peertje aan het plafond, maar elektriciteit is er vaak niet in Kadutu. De ogen van de kwieke man zijn eraan gewend. Ook in het schemerdonker kan hij me probleemloos de fotoboeken laten zien, vol portretten en reportagefoto's die hij tijdens zijn loopbaan heeft gemaakt.

Hij is een rasverteller en ik breng uren door, luisterend naar zijn verhalen. Over zijn jeugd, toen je op rolschaatsen de Boulevard Lumumba af kon rijden, dwars door de stad. 'Onder de Belgen waren de wegen overal verhard, tot in onze eigen wijk.' Nogal een verschil met de aaneenschakeling van diepe zandkuilen die tegenwoordig het wegdek in Bukavu bepalen. Ook elders in het land ter grootte van West-Europa zijn inmiddels nauwelijks meer fatsoenlijk begaanbare wegen. Dat ontlokt hem vaak de hoofdschuddende verzuchting: 'Niets werkt meer in Congo. Wie dit land ook gaat regeren, hij moet van voor af aan beginnen.'

Ook vertelt hij over de jaren onder Mobutu. Wanneer deze president Bukavu bezocht, werd Jérôme opgetrommeld om als reportagefotograaf mee het meer op te gaan als hij ging vissen. O wee als hij niets aan de haak sloeg. 'Dan moesten wij zorgen voor een grote vis aan Mobutu's hengel voor op de foto. Het kon natuurlijk niet dat de grote man van Zaïre niets gevangen had,' zegt de fotograaf grijnzend.

Hij wil ook alles weten van mijn familie. De paar foto's die ik altijd bij me heb van thuis, gaan van hand tot hand in de schemerige huiskamer. Bij tijd en wijle gedraagt Jérôme zich bijna vaderlijk. De tweede keer dat ik praat over mijn lief thuis, drukt hij me bezorgd op het hart dat ik niet moet spreken over 'mijn vriendje' maar over 'mijn verloofde'. 'Dat maakt een betere indruk,' zegt hij. Op mijn tegenstribbeling dat ik helemaal niet van plan ben te trouwen, schudt hij zijn hoofd. Maakt niet uit, dat hoeven zij niet te weten. Hij waakt er enkel voor dat anderen mij zien als een losbandige vrouw.

Nog één keer drink ik lauw bier bij kaarslicht in het gastvrije huisje. Papa Jérôme zit op zijn praatstoel en evalueert in één adem de hedendaagse politiek, het beleid van Mobutu en de heerschappij van de Belgische koning Boudewijn, de laatste koloniale heerser over het Congolese rijk. De Belg komt er niet eens zo slecht vanaf. Hoewel Jérôme de ideale persoon zou zijn om het Congolese mannenprobleem mee te bespreken, wil ik deze avond niet zijn bevlogen monoloog onderbreken. Het is ook niet de gelegenheid voor dat soort zware kost; Jérômes hele familie kwam langs om dag te zeggen.

Jérômes vrouw Justine zit meestal glimlachend naast hem op de bank, als ze geen gebakken banaan of andere hapjes voor de gasten aan het bereiden is. Dan manoeuvreert ze haar indrukwekkende achterste vervaarlijk dicht langs de kaars op de salontafel en gaat in de keuken in de weer. Ons contact is woordeloos, beperkt zich tot de meest basale dingen en vriendelijke blikken.

Vlak voordat ik opstap, roept Justine me bij zich op de kleine binnenplaats waar pasgegoten stenen liggen te drogen. Ik vraag me af wat er is, misschien wil ze me iets vertrouwelijks vertellen. Maar ze neemt me bij de hand en leidt me naar de wc, gebarend dat ik misschien even moet gaan plassen. 'Je hebt een paar biertjes gedronken,' fluistert ze, 'straks moet je nodig en dan zit je in de taxi.'

Hand in hand begeleiden Jérôme en zijn vrouw me door het donker naar het *Carrefour* met de informele standplaats van de gemeenschappelijke taxi's. Ik schuif na uitgebreide omhelzingen op de achterbank van een wagen waar al vier passagiers wachten tot hij echt mudvol zit. Jérôme regelt nog even dat de jongen naast me die er op dezelfde plek uit moet mij tot Chouchou's huis brengt, steekt ten afscheid zijn hand op en slaat dan op het autodak. De afdaling kan beginnen.

Iedere Afrika-reiziger kan moeiteloos drie boeken volschrijven over bloedstollende taxiritten waar dan ook op het continent. Ik heb me tot nu toe ingehouden en niets geschreven over de Mozambikaanse vehikels waar mijn voeten door het chassis de grond raakten, of Oegandese bijna-ongelukken in de stofmist. Maar de Bukavu-variant is te typerend om onvermeld te laten.

Om benzine te sparen zet de doorgewinterde Bukavuchauffeur namelijk bergafwaarts zijn motor af. In Oost-Congo zijn geen benzinepompen, de autobrandstof wordt verkocht in steeds weer hergebruikte plastic flessen op scheve houten bankjes langs de weg. De benzine is van West-Europees prijsniveau, en voor de gemiddelde Congolees onbetaalbaar. De taxirijders doen er alles aan om het verbruik te minimaliseren.

Het geaccidenteerde landschap in Zuid-Kivu is voor hen een vloek en een zegen. De berg op moet de motor extra loeien. Wat is dan logischer dan bergafwaarts de zwaartekracht het werk te laten doen? Daarom gaat op weg naar beneden zonder uitzondering de motor uit.

Dat heeft in het beste geval tot gevolg dat de rembekrachtiging minder goed functioneert. Menige taxi vliegt dan ook uit de bocht. Bij hondenweer is de combinatie nog fraaier, omdat de ruitenwissers en de ontwaseming het evenmin doen met uitgeschakelde motor. Het begrip 'slecht zicht' krijgt in zo'n taxi een heel nieuwe dimensie. Voeg daar de nacht aan toe en je hebt alle ingrediënten voor een dodenrit, want de koplampen gaan even onverbiddelijk uit als de ruitenwissers.

Dat alles is van toepassing op deze avondlijke afdaling vanuit de hooggelegen wijk Kadutu naar het stadscentrum waar Chouchou woont. Als een schrijvertje over het vijveroppervlak danst de auto in het pikkedonker van links naar rechts door de modderstroom. De chauffeur kent alle bochten in de weg en dat is maar goed ook, want zien kan hij ze nauwelijks. Ik keuvel wat met Moïse, de jongeman die heeft beloofd me thuis te brengen, en probeer niet na te denken over de angstaanjagend hoge statistieken van verkeersongelukken in Afrika.

Veilig aangekomen bij het kruispunt van waar een onverharde weg naar mijn logeeradres leidt, nodigt Moïse me uit in de *mzanga* van zijn vader. In deze smalle kroeg op de hoek van de splitsing hangen enkel Congolese mannen tegen elkaar, in vergevorderde staat van dronkenschap. Ik deel er samen met Moïse aan de bar een bier op de goede afloop. De lokale whisky, veertig procent gedistilleerd, verkocht in gesealde plastic zakjes voor zo weinig geld dat alleen water goedkoper is, laat ik links liggen.

Moïses vader regelt een neef die met ons meeloopt zodat zijn zoon niet in zijn eentje terug hoeft. De maansikkel staat hoog aan de zwarte hemel en op de krekels na is het doodstil op de weg. Die vredige toestand is bedrieglijk. In een fractie van een seconde kan dat veranderen. Gewapende struikrovers – soldaten van het leger, rebellen of bandieten, het verschil is niet zo heel groot – hebben een paar weken geleden nog een nachtelijke wandelaar tot en met zijn onderbroek van zijn spullen ontdaan op deze onverlichte weg.

De volgende dag sta ik om halftwee 's middags op de oever van het Kivumeer bij de aanmeerplaats van de boot naar Goma. Daar heb ik een afspraak met een netwerk van vrouwen die elkaar helpen in oorlogstijd. Tegen mijn gewoonte in koos ik deze keer bij het vervoer voor snelheid in plaats van authenticiteit. Voor nog geen kwartje had ik mee gekund met honderden andere passagiers in de trage duwbakken, soms twee aan elkaar, die aanmeren bij ieder kustdorpje onderweg. Ze kunnen tot twee weken doen over de overtocht. Dat had vast mooie verhalen opgeleverd, maar nu bespaar ik me de tijd liever en neem voor veertig dollar de speedboot die in twee uur het langgerekte Kivumeer oversteekt.

Als de snelle boot aanmeert en ik met mijn rugzak klaarsta om in te stappen, hoor ik mijn naam roepen. Het is de bekende hese stem van Jérôme. Hij snelt mijn kant op over de zanderige oever, met in zijn handen een tros minibanaantjes en een boterhammenzakje met gedopte pinda's. *Ma fille*, noemt hij me, mijn dochter, en hij stopt me de proviand toe. 'Je moet wel goed eten als je op reis bent,' zegt hij erbij. Ik glimlach, want ik vind mijn twee uur op het water nauwelijks een verre reis te noemen. Op het achterdek van de zich verwijderende boot zwaai ik naar het krimpende figuurtje aan wal en ik moet een brok wegslikken.

Aan komen varen bij Goma is een surrealistische ervaring. De nog altijd actieve Nyiragongovulkaan sombert hoog boven de stad uit. De namiddagzon schijnt vanuit de wolkeloze hemel boven het meer op de golfplaten daken van de stad, een verzameling schitterende rechthoekjes aan de voet van de berg. Alleen om de Nyiragongo hangen donkergrijze wolken. Samen met de zwarte rookpluim die uit de vulkaan komt, geven ze het tafereel de dreigende sfeer uit *Lord of the Rings*. Alsof je aankomt bij Mordor.

De recente geschiedenis van Goma heeft ook wel iets van de zwartste verhalen van Tolkien. Goma ligt aan de grens met Rwanda: aan de overzijde ligt het Rwandese Gisenyi, de stad waar ik eerder ben geweest voor mijn verhaal over vrouwelijke politici. Na de Rwandese genocide vluchtten hier tienduizenden Hutu's per uur de grens over. In korte tijd overspoelde ruim een miljoen vluchtelingen het gebied rond de vulkaanstad met normaliter 160.000 inwoners.

Westerse hulporganisaties ontfermden zich over de vluchtelingenkampen, maar de catastrofe was te omvangrijk. Er was gebrek aan voedsel, schoon water en onderdak: de mensen leefden onder dramatische hygiënische omstandigheden. Een uitbraak van cholera en dysenterie was slechts een kwestie van tijd. Verlaggevers beschreven de cholera-epidemie rondom Goma als een ramp van Bijbelse proporties, vele honderden Hutu's stierven dagelijks aan de gevolgen. Ze werden met grote aantallen tegelijk, bestoven met ongebluste kalk, in massagraven begraven.

Ook hier bevonden zich onder de vluchtelingen de massamoordenaars van de genocide. Hun werd nauwelijks een strobreed in de weg gelegd totdat het Rwandese Tutsi-regime ingreep. In de ogen van de Tutsi's waren dit geen vluchtelingen, maar voortvluchtige criminelen. Vanuit de vluchtelingenkampen werden aanvallen op het nieuwe Rwandese bewind georganiseerd.

Daarom bestormde het leger van Rwanda twee jaar na de volkerenmoord de vluchtelingenkampen. Het liet zich daarbij van zijn meest moorddadige kant zien. Vele duizenden Hutu's kwamen om bij deze slachtpartijen. De kampen stroomden leeg, een deel van de Hutu's keerde terug naar hun geboorteland, degenen die iets op hun kerfstok hadden, vluchtten verder de bergen van Noord-Kivu in. Die extremistische Hutu-milities, ondergedoken in de *brousse* en vooral overlevend met hun machinegeweren, blijven een ontregelende factor in het gebied. Milities van Congolese Tutsi's, de Banyamulenge, trekken geregeld ten strijde tegen deze Rwandese voortvluchtigen en zaaien daarbij zelf ook dood en verderf onder de bevolking. Dat leidt zelfs na de ondertekening van het Congolese vredesakkoord nog tot oprispingen van geweld en tot vluchtelingenstromen. De vrede is hier flinterdun.

Dan slaat ook nog eens het natuurgeweld toe. Op 17 januari 2002 barst de Nyiragongovulkaan uit. Een snelle lavastroom baant zich een weg door Goma, verwoest ruim een derde van de stad en brengt veel schade toe aan de rest ervan. 400.000 stadsbewoners moeten geëvacueerd worden, vijfenveertig mensen komen om. Goma was voor de uitbarsting een mooie stad, hoor ik overal, maar daar is niets meer van te zien. Overal herinnert het stedelijk landschap aan de vulkaanuitbarsting in 2002.

De donkerbruine stenen kraken droog onder mijn zolen terwijl we de lege lavavlakte vlak bij het stadscentrum oversteken. De bodem van Goma is deels bedekt met grove vulkanische kiezels van puimsteenstructuur, die zich regelrecht door je schoenzolen heen vreten.

Ik wandel met Germaine, een van de leden van de plaatselijke vrouwengroep Synergie des Femmes, naar haar kantoor. Voor ons lopen twee lange mannen in voddige kledij. Germaine grijpt mijn arm en trekt me naar zich toe. 'Dat zijn er twee,' fluistert ze. 'Dat zijn Tutsi-soldaten.' Ik kijk nog eens goed naar de slungelige types en kan me er weinig bij voorstellen, maar Germaine weet het zeker: 'Ze gaan nu op tussen de gewone mensen, maar hebben hun uniformen en wapens thuis klaarliggen. Als het moet zijn ze zó weer op oorlogspad.'

De drieënvijftigjarige Germaine wil me tonen hoe vrouwen in dit door geweld getroffen gebied elkaar helpen. Synergie des Femmes komt op voor de slachtoffers van seksueel geweld in Noord-Kivu. 'Een kwestie van solidariteit,' zegt de gezette vrouw met dikke hoornen Mugabe-bril voor op haar neus. Germaine heeft een dikbehaarde moedervlek links op haar kin – het soort mini-baardje waar ik altijd naar kijken moet, of ik wil of niet. Ik probeer het te negeren terwijl ik tegenover haar zit in het met posters tegen seksueel geweld behangen kantoor. Pas na een tijdje lukt me dat.

Germaine, geboren in Zuid-Kivu, benadrukt dat vrouwen het in Oost-Congo nooit makkelijk hebben gehad. 'Al voor de oorlog was de positie van vrouwen een ramp. Niks mochten ze: niet fluiten, geen kip of eieren eten, niet leren. Ze mochten zelfs niet bij de koeien, want dan zou de melk stoppen met stromen.' Haar vader was anders: 'Van hem mocht ik de koeien melken. Toen ik het goed deed op school, kon ik dankzij zijn geld verder studeren.'

Ze ging naar Bukavu voor een opleiding pedagogiek, maar stopte na twee jaar noodgedwongen toen een van haar leraren een oogje op haar kreeg: 'Na de les aardrijkskunde vroeg hij me in het lokaal te blijven. Als je met mij gaat, slaag je voor al je examens, zei hij. Toen ik weigerde, liet hij me aan het eind van het jaar zakken. Door hem heb ik mijn studie niet kunnen afmaken.'

Daarom reageerde de Congolese als een furie toen haar dochter vorig jaar vertelde dat een professor aan de universiteit in Bukavu haar had benaderd. Germaines ogen schieten vuur als ze hierover praat. Dit zou haar dochter niet overkomen. Ze zat te ver weg om persoonlijk verhaal te gaan halen – begin jaren negentig was ze met haar gezin naar Goma verhuisd – maar ze stuurde de man van een studiegenoot op de hoogleraar af met een niet mis te verstane boodschap. Zij zou er hoogstpersoonlijk voor zorgen dat hij zijn baan kwijtraakte als hij haar dochter met een vinger aan durfde te raken. 'Dat leraren hun leerlingen tot seks dwingen is tegen de wet, maar in Congo vindt iedereen het volkomen normaal.'

Alle vrouwen krijgen in hun leven te maken met problemen omdat ze vrouw zijn, wil Germaine maar zeggen. Dat is voor haar de reden om vrouwen te steunen die het minder goed hebben getroffen dan zij. In de hevigste oorlogsjaren was haar huis toevluchtsoord voor vele verkrachtingsslachtoffers, van hoogbejaarde vrouwen tot een meisje van drieënhalf en alles ertussenin. 'Vaak was er in de ziekenhuizen niet genoeg plaats, dan kwamen ze naar mij.'

De plastic linten in felle tinten groen, rood en geel liggen in een kluwen op de binnenplaats van het kleine Bamora-ziekenhuis. Vrouwen zitten er met gestrekte benen op de grond omheen en vlechten de linten tot vierkante boodschappentassen. Kinderen klauteren ertussendoor. Dit zijn vrouwen die na hun verkrachting zijn verstoten door hun echtgenoot, legt Germaine me uit. Synergie vangt deze vrouwen op en zorgt voor medische hulp. De organisatie leert hun daarnaast zelf in hun onderhoud te voorzien. 'Wie voor zichzelf kan zorgen, dwingt respect af,' zegt ze.

Germaine neemt me mee naar Bamora om me voor te stellen aan een vriendin. Sarah is schoonmaakster in het hospitaal. De zesentwintigjarige werd er zelf opgenomen in april 2004. Ze was net getrouwd toen op een avond gewapende mannen haar huis binnenvielen. Iedereen sleurden ze naar buiten, waarna Sarah voor het oog van haar schoonfamilie en haar echtgenoot werd verkracht. Toen zetten de overvallers haar echtgenoot tussen haar benen en hakten zijn hoofd eraf met een machete. Wetend dat haar hele familie was uitgemoord, werd zij mee het woud in gesleept om daar als seksslaaf te dienen. Toen bleek dat ze van onderen te zeer beschadigd was, lieten ze haar voor dood langs de weg achter. Een voorbijganger bracht haar naar het dichtstbijzijnde gezondheidscentrum.

We zitten met zijn drieën op een houten bankje ver weg van de anderen en Sarah kijkt tijdens het hele gesprek strak naar een punt voor zich. 'Ik was zo ziek toen ik uit de brousse kwam. Iemand van Synergie nam me in huis. Daar kon ik herstellen.' Ze had verschillende geslachtsziekten en had fistels waardoor ze haar urine niet kon ophouden. Het duurde maanden voordat ze gezond genoeg was voor de hersteloperatie.

'Toen ik genezen was en anderen nog zag lijden, wilde ik helpen. Door de steun van andere vrouwen vond ik de moed om door te zetten. Ik voelde me door hen geaccepteerd en gewaardeerd. Op mijn beurt wil ik dat gevoel doorgeven,' verklaart de jonge vrouw. Nu verschoont ze de bedden van de patiëntes die nog niet zijn geopereerd en wast ze de vrouwen als dat nodig is: 'Ik laat ze merken dat ik ze niet vies vind.'

Ze vraagt zich af of de oorlog ooit afgelopen zal zijn, omdat de vrouwen maar blijven komen. Toch constateert Germaine dat het relatief rustig is in Bamora: er komen maar zo'n vijf slachtoffers per week binnen, op het dieptepunt van de oorlog waren het er soms tientallen per dag.

Moeilijk blijft het iedere keer weer. 'Steeds als ik zo iemand met gescheurde kleren zie, stromen de tranen over mijn wangen. Dan denk ik aan wat mij is overkomen,' zegt Sarah. Ik vraag haar of ze af en toe niet verschrikkelijk kwaad wordt. Ze knikt: 'Heel kwaad. Maar mijn boosheid zet ik om in hulp aan andere vrouwen zoals ik. Ik laat me er niet onder krijgen, want dan hebben ze alsnog gewonnen.' Ze neemt afscheid en staat op om de slaapzalen te gaan dweilen.

In het gras voor ons bankje zit een meisje met een bolle toet in een rood jurkje te spelen. Als ze opstaat en op haar groene slippertjes wegklipklapt, knikt Germaine in haar richting. In telegramstijl zegt ze: 'Drie jaar oud. Twee weken geleden gebracht. Verkracht door de Interahamwe.' Mijn maag draait zich om. Dan klinkt er getoeter buiten op straat – de jeep die ik voor de dag huurde is gearriveerd. Ik schaam me ervoor dat ik opgelucht ben hier weg te kunnen. Germaine en ik gaan het platteland op.

Idyllische baaien, weelderig groen zover het oog reikt, een waterkant omzoomd met palmbomen: de natuur rondom het Kivumeer is schitterend. Onder andere omstandigheden zou het een trekpleister kunnen zijn voor westerse toeristen. De Belgen gingen in de koloniale tijd niet voor niets in Bukavu en omstreken op huwelijksreis. Na de ochtend in het Bamora-ziekenhuis geniet ik van de rust en de omgeving. We zijn onderweg naar Minova, een dorp op vijftig kilometer van Goma.

Plots springen twee soldaten voor de wagen, met hun armen in de lucht. Ah, een controlepost. Die had ik even gemist. Niet zo verwonderlijk: de enige aanduiding is een flodderig zakje, wapperend aan een kromme twijg. De chauffeur had het zielige vlaggetje ook niet gezien, en daar zijn de militairen razend over. Ze voeren een prachtig stukje melodrama op, met veel geschreeuw tegen de deemoedige bestuurder, die zijn rol in dit Congolese toneelstuk ook kent. Doel van dit alles blijkt zoals altijd een flink pak dollars. Ik zie de soldatenblikken begerig richting rijke blanke op de achterbank gaan.

Het probleem dat zich nu ontvouwt is een lastige kwestie. Als westerse journalist schrijf ik vaak genoeg over de verlammende werking van corruptie in Afrika. Als je vervolgens zelf overal smeergeld lapt, ben je onderdeel van dat probleem. Daarom probeer ik hoe dan ook te voorkomen dat ik meewerk aan corruptie. Ik heb nog nooit bewust steekpenningen betaald – ook niet om in Burundi uit de gevangenis te komen. Dat vergt wel enige handigheid en ik kan me ook niet aan de indruk onttrekken dat ik er als vrouw soms makkelijker onderuit kom dan mijn mannelijke collega's.

Soms is het afdoende om diepe teleurstelling te veinzen als wie dan ook om geld vraagt. Ik had nog zo willen schrijven over hoe modern Congo wel niet geworden is, hoe servicegericht de ambtenarij en hoe welkom de reiziger. Die hoop wil hij toch niet in één klap de grond in boren? Menige pennenlikker of militair toont zich echter ongevoelig voor zo'n aanspraak op het ambtelijk eergevoel, en dan moet ik met andere listen komen.

Zo kreeg ik mijn Congolese persaccreditatie, de vergunning om mijn journalistieke werk te mogen doen, op deze laatste reis pas na veel gedoe. Normaal gesproken kost het papiertje honderd dollar, maar toen ik het deze keer in Bukavu ging halen, rekende de ambtenaar ineens tweehonderd. Ik protesteerde natuurlijk dat ik in Kinshasa voor dezelfde accreditatie de helft moest afrekenen, maar de man was onverbiddelijk: 'Mevrouw, dat is de hoofdstad, wij doen hier de dingen op onze manier.' De klassieke argumentatie van een stuurloze overheid zonder enige centrale regie.

Ik was niet van plan me gewonnen te geven. Mijn budget is krap en honderd dollar extra uitgeven betekent een paar dagen niet kunnen reizen. Dus antwoordde ik dat ik de vergunning dan wel in Kinshasa zou gaan halen. Met de MONUC-vlucht, de vliegtuigen waar door de VN geaccrediteerde pers kosteloos mee mag vliegen, zou ik in een dag op en neer zijn. Ik blufte natuurlijk, want ik had helemaal geen trek in zo'n reis van duizenden kilometers alleen voor een stom briefje, maar hij draaide om als een blad aan de boom. Hij zag de hele buit al door zijn neus geboord als ik daadwerkelijk naar Kinshasa zou gaan.

Waar schreef ik ook weer over? Hij vroeg het poeslief. Ja, vrouwen, dat vond-ie wel een belangrijk onderwerp, ja. Daarom zou hij bij uitzondering voor mij een oogje dichtknijpen en genoegen nemen met honderd dollar. In ruil daarvoor krabbelde hij een formulier voor me vol en niette mijn meegebrachte pasfoto eraan vast. Dikke stempel erop en klaar. Een kopie maakte hij niet, ook niet van de factuur die hij voor me uitschreef. Ik ben ervan overtuigd dat dat honderddollarbiljet rechtstreeks zijn zak in is gegaan en nooit in de overheidskas is beland, en dat niemand in ambtelijk Congo weet heeft van deze accreditatie aan *Mademoiselle van Zeijl des Pays-Bas.*

Ik word in Congo weleens moe van dat eeuwige gemarchandeer. Op alle niveaus is gappen de regel: of je minister bent, baas van een onderneming, onderknuppel bij de politie of iets vaags officieels op een lokale markplaats. Vrijwel niemand die geld heeft, heeft dat op een eerlijke manier verkregen. Dus, redeneren de Congolezen, is al het geld van een ander ook een beetje van hen. Vooral in Kinshasa vragen wildvreemden me uit het niets om honderd dollar, alsof ik dat thuis aan een boom heb groeien. Ook zogenaamde veiligheidsfunctionarissen die geld eisen omdat ze 'ervoor zorgen dat ik mijn werk kan doen', verzoeken probleemloos om honderd dollar en kijken niet-begrijpend als ik probeer uit te leggen dat dat voor mij ook een flink bedrag is. Op een paradoxale manier is geld in dit straatarme land helemaal niets waard.

Tegenover de opgewonden militairen bij de wachtpost nabij Goma kies ik dit maal voor de aanpak van de domme Hollander. Ik doe alsof ik geen Frans versta en laat van achter de autoruit steeds maar mijn paspoort met visa en mijn accreditaties zien (geef ze die documenten nooit in handen, adviseerde een ervaren collega in Zuid-Afrika ooit, want dan moet je betalen om ze terug te krijgen). Op den duur krijgt een van de soldaten genoeg van de spraakverwarring en seint hij dat we door mogen rijden. In de achteruitkijkspiegel zien we hoe zijn collega, die het duidelijk niet met die beslissing eens is, tegen de soldaat tekeergaat.

Zonder verder oponthoud komen we aan in Minova. We stappen uit en Germaine gaat voor langs een slingerpaadje door de heuvels, geflankeerd door palmbomen en her en der een zonnebloem. Het landschap is uitbundig groen, zover het oog reikt. In Minova, op vijftig kilometer van de vulkaan, hoef je een zaadje maar op de grond te leggen en het komt tot bloei. Het kronkelpad leidt naar de hectaren grond die een groep vrouwen uit het dorp samen bewerkt.

Voor een vrouw alleen is het lastig om aan landbouwgrond te komen. Volgens de traditie mag een vrouw niet eens grond bezitten, en tradities zijn hardnekkiger dan wetten. Daarom kloppen vrouwen, verenigd in Synergie, samen aan bij het dorpshoofd voor een perceel in bruikleen. Op verschillende plaatsen in de regio verkregen ze op die manier het gebruiksrecht van een lap grond, zoals hier in Minova. Vorig jaar begon de vrouwengroep deze akkers te bewerken, de cassave steekt zijn stengels al uit de aarde. Waarderend loopt de Congolese langs de groene staken. Over een jaar zal de vrouwengroep de eerste oogst kunnen binnenhalen, schat ze.

Onder de vrouwen die dit land bewerken zijn veel slachtoffers van seksueel geweld. Germaines organisatie helpt hen hun leven weer oppakken, legt ze uit: 'Samen met andere vrouwen, zodat ze niet worden gebrandmerkt als verkrachtingsslachtoffers. Iemand zonder land heeft in Afrika geen inkomen en geen aanzien. Het gemeenschappelijke land brengt niet alleen geld op, het geeft vrouwen ook hun waardigheid terug.'

Na een lange wandeling over de heuvels komen we op het erf van een van de bewerksters van de grond. Mwamini is weduwe en woont in een strohut. Ze hoopt dat ze van de opbrengst van het cassaveveldje een huisje kan bouwen voor zichzelf en haar vier kinderen. Zij is een van de deelneemsters die geen verkrachtingsslachtoffer is. Ze merkt dat dat weinig uitmaakt, de vrouwen begrijpen elkaar toch wel. Allemaal hebben ze wel iets: 'Of je echtgenoot je nu slaat, of je verkracht bent, of helemaal niemand meer hebt. We praten erover als we op het veld aan het werk zijn. Dan huilen we samen. Maar we helpen elkaar er ook weer bovenop.'

Op de terugweg stoppen we bij de markt in Sake. Zodra Germaine uitstapt, begroeten vele vrouwen haar. Het zijn de mensen die door Synergie zijn geholpen aan wat geld om een handeltje te beginnen. De marktplaats wemelt ervan. Sommige pakken haar handen vast, andere omhelzen haar. Antoinette komt speciaal van de andere kant van de markt aanlopen. De veertigjarige vrouw verzorgt haar moeder, die op haar vijfenzestigste verkracht werd door milities. 'Ze ziet zo slecht dat ze haar verkrachters niet eens zou herkennen. Maar ze eet sindsdien bijna niet meer.' Doordat andere vrouwen bijspringen kan ze haar moeder blijven verzorgen, naast haar man en elf kinderen. Ze drukt haar vuist ritmisch op haar hart. *Sawa, sawa, sawa*, vindt ze het hoe vrouwen elkaar helpen. Sawa betekent oké in het Swahili. 'Als ze dit geld aan de mannen geven, komt er niets van terecht. Dan gaan ze er bier van drinken of nemen ze een tweede vrouw,' vervolgt Antoinette.

Op de markt van Sake is de rolverdeling duidelijk. De vrouwen verkopen en doen hun boodschappen, het gros van de mannen lanterfantert bij de drankkraampjes. Het is niet anders. Ook Germaine is uitgesproken in haar mening over het andere geslacht: sinds haar man ervandoor ging, hoeft ze beslist geen ander meer: 'Da's alleen nog een kind erbij, een extra mond om te voeden. Wie heeft mannen nodig?'

Germaine maakt van de gelegenheid gebruik om groot inkopen te doen en laat een tros bananen naar de auto slepen. Voor mijn gevoel staan we daarna uren te soebatten bij de bossen cassavetakjes. Germaine kan het met de verkoopster niet eens worden over de prijs. Het is niet voor het eerst dat mijn aanwezigheid een sterk opstuwende werking heeft op de kosten.

Met Ana in Mozambique had ik daar een trucje voor bedacht: als we de markt op gingen om een vis voor de barbecue te kopen, ging Ana eerst in haar eentje poolshoogte nemen bij de visstalletjes. Had ze een mooi exemplaar op het oog, dan vroeg ze de verkoper wat hij moest kosten. Pas daarna riep ze mij erbij en besloten we samen of de vis vers genoeg was naar onze zin. Uiterst effectief.

Tussen Germaine en de cassavedame komt het niet meer goed. Na minutenlang vruchteloos onderhandelen draait Germaine zich om en stevent mopperend weg, ik moet het op een drafje zetten om haar bij te houden. We hebben ineens haast, want het wordt zo donker.

Op mijn hotelkamer stort ik me op mijn onopgemaakte bed, dat vervaarlijk kraakt onder de plotselinge last – het meubilair ziet eruit alsof het nog uit de koloniale tijd stamt. Ik ben doodmoe van alle gesprekken, maar ook van de beelden die steeds weer opdoemen voor mijn geestesoog. Het meisje in het rode jurkje, de machete die het hoofd van Sarahs man in haar schoot deed belanden. De enige reden dat ik met zoveel leed om me heen om kan gaan, is mijn overtuiging dat ik er iets constructiefs mee doe. Door de mensen die zulke afschuwelijke dingen zijn overkomen een stem te geven, hoop ik dat er iets aan verandert. Dat is tenminste waar ik me aan vasthoud.

Een kwartiertje rust gun ik mezelf – op reis heb ik altijd het gevoel dat ik iets mis als ik uitrust. Dus sta ik weer op en loop naar de badkamer. Ik heb net het donkerbruine stof van mijn lijf gespoeld met water dat ook die kleur had, als mijn mobieltje gaat. In Afrika ben je nooit lang alleen. Het is Nino, een van de twee zoons van Papa Jérôme die in Goma wonen. Hij vraagt hoe laat hij me vanavond kan komen ophalen.

Jérôme bracht nog voordat ik die kant op ging zijn zoons in Goma op de hoogte van mijn komst. Nino stond me zelfs op te wachten toen de boot kwam aanvaren bij de vulkaanstad. Met twee motortaxi's bracht hij me naar mijn hotel, waarna hij me liet beloven dat hij en zijn vrouw me op mijn laatste avond mee uit zouden mogen nemen. Nu is het nachtleven van Goma legendarisch, dus daar had ik geen enkel bezwaar tegen. Bovendien geeft de hartelijke ontvangst van Jérômes familie me het heerlijke gevoel dat ik toch een beetje thuiskom in Goma, ook al ben ik er nog nooit geweest.

Nino trommelt een vriend op met een motor waar zijn vrouw en ik samen achterop kunnen. We rijden een halfuur over de onverlichte wegen naar hun woonwijk. Ik moet me goed aan haar vasthouden om niet te worden gekatapulteerd. Nino neemt me eerst mee naar zijn winkel, een voor Congolese begrippen luxe supermarkt. Achter een met petroleumlampjes verlichte toonbank van hout en glas liggen de delicatessen hoog opgestapeld op planken aan de muur: gedroogde worsten, blikjes tonijn en flessen wijn. Hij staat erop een fles wijn voor me mee te nemen, maar ik overtuig hem ervan dat ik liever bier drink.

Ik eet bij het pasgetrouwde stel thuis in een knusse huiskamer waar de plastic bloemen nog stofvrij zijn en de kleedjes over de bank keurig gestreken. We praten over de toekomst, onze plannen, onze ouders. Ik vertel Nino hoezeer zijn pa me aan de mijne doet denken, met zijn warme hart en strikte opvattingen. We komen erachter dat Papa Jérôme veel strenger was voor zijn kinderen dan de mijne. En met zijn vrouw ginnegap ik over Nino's beginnende buikje, en we waarschuwen hem dat hij al op zijn vader begint te lijken.

Na het eten gaat de tocht terug de stad in. Ik bereid me voor op nog meer slecht wegdek, maar we nemen een andere route door de chique wijk. Harder en harder gaan de motoren, ik kan bijna geen adem halen, zo snel razen we over het wegdek. Op deze manier blijft er niets van ons over als er een verdwaald stokje tussen de spaken terechtkomt, schiet het door mijn onbehelmde hoofd. Op zulke momenten kun je alleen maar boeddhistisch je leven in handen van het lot leggen, zoals een inmiddels overleden vriend placht te zeggen als hij bij iemand anders in de auto stapte. En hopen dat het goedkomt.

Als we eindelijk vaart minderen, wil ik toch weten waar dat laagvliegen goed voor was. We zijn dan gearriveerd op het centrale kruispunt waar de meeste uitgaanstenten in de buurt liggen. Kostenbesparing, is het simpele antwoord. De rijkeluisbewakers in de villawijk hebben er een handje van tol te heffen. Iedereen die langs hun post komt, houden ze tegen. De enige manier om dit te voorkomen is met meer dan honderd kilometer per uur door de verder uitgestorven lanen scheuren.

Congolezen houden niet van veel licht in hun uitgaansgelegenheden. De meeste clubs zijn aardedonker, op een paar spotjes bij de bar en wat blacklights na. Ook in Goma speelt het nachtleven zich af in de schemering, niet in de laatste plaats omdat lang niet iedereen zich met zijn wettelijke levenspartner op de dansvloer begeeft. De zware beat die diep onder in je bekken deint en zo kenmerkend is voor de Congolese hedendaagse muziek, vertraagt naarmate de avond vordert. Koppels schuiven dichter naar elkaar toe. De Congolese manier van dansen wordt dan zo'n intieme beweging, dat die probleemloos elders horizontaal kan worden voortgezet.

Nino was ooit voetbalprof en een handvol spelers uit zijn oude team zijn er deze avond ook, omringd door bewonderende fans. Een al te precieze weergave van deze nacht kan ik niet meer geven, daar vloeide het bier te rijkelijk voor. Ik kan wel bevestigen dat de vulkaanuitbarsting weinig heeft afgedaan aan het bruisende nachtleven in Goma. Ondanks de ellende weten ze nog steeds hoe ze een feestje moeten bouwen.

Nog geen week ben ik weg uit Goma als er weer gevechten uitbreken. Rebellen bezetten Sake, de marktplaats waar ik met Germaine tussen de kraampjes struinde. Duizenden bewoners slaan op de vlucht. Soldaten die loyaal zijn aan de dissidente generaal Nkunda, nemen een deel van de stad in, in reactie op een schietpartij waarbij een Tutsi is neergeschoten. De vredestroepen en het Congolese leger weten uiteindelijk de orde te herstellen, maar het rommelt nog steeds in de regio.

Terwijl ik dit hoofdstuk aan het schrijven ben, lees ik op de VN-website dat onlangs bij de Rwandese grens in Goma honderden huizen in brand gingen en ik vraag me af of het huis van Nino nog overeind staat. Wie reist laat overal een stukje van zijn hart achter. Met Congo ervaar ik dat sterker, omdat het nieuws me zo vaak confronteert met slechte berichten voor de mensen die ik er ontmoette. Daardoor kan ik wel uit Congo vertrekken, maar ben ik er nooit helemaal weg.

7

Oog in oog met de leeuw

Van alle plekken die ik in de Democratische Republiek Congo heb bezocht, is in Bunia de oorlog het meest zichtbaar. Deze volkomen gemilitariseerde hoofdstad van Ituri is na Goma mijn volgende bestemming.

Negentig procent van de rijdende voertuigen in Bunia draagt het zwart-op-witte MONUC-logo van de VN-missie in Congo. De kruispunten aan begin en eind van de hoofdweg met politiebureau en VN-hoofdkwartier worden dag en nacht bewaakt. Midden op de kruising staat een ronde bunker, geheel bepantserd met Hesco's, grote zakken van draadstaal gevuld met ruwe keien die kogels moeten afketsen. De kopjes van de vredesmachtsoldaten spieden boven de Hesco's uit. Met zeventienduizend soldaten de grootste vredesmacht die de Verenigde Naties ooit op touw hebben gezet, is MONUC in Bunia alomtegenwoordig.

Zelfs in mijn pension ontkom ik er niet aan. Voordat ik mijn gordijnen dichttrek en ga slapen, kijk ik altijd even naar de overkant. De wachttoren aan de overzijde van de weg steekt net boven het hek uit waarachter mijn pension zich verschuilt. Ik kan vanuit mijn slaapkamer de blauwe baret van de soldaat op wacht onderscheiden en sluit mijn ogen in de wetenschap dat hij en zijn collega-blauwhelmen de hele nacht over de stad waken.

Om halfacht 's ochtends, als de MONUC-soldaten van het Marokkaanse bataljon de vlag hijsen, trompettert het reveil mij ook wakker.

Mijn logeeradres draagt de littekens van de plunderingen van de afgelopen jaren, iedere keer als de stad werd ingenomen door weer een andere rebellenfactie. Op de allernoodzakelijkste meubels na is het huis echoënd leeg. Alleen de gapende sleuven in de badkamerwand herinneren aan de waterleidingen die hier ooit liepen, voordat plunderaars ze met geweld uit de muren rukten. Een bad nemen moet sindsdien met emmertjes. Drie rollen hoog ligt het prikkeldraad tegen de buitenmuur, klaar om met zijn scheermesjes de volgende op te vangen die hier op strooptocht wil. Mijn nachten in Ituri breng ik door in een ommuurde vesting.

Ituri ligt in het noordoosten van Congo, aan de grens met Oeganda. Ook hier woedde de eerste Afrikaanse Wereldoorlog. Het geweld in deze streek vormt echter een ander hoofdstuk van die oorlog. Dwarsverbanden zijn er genoeg tussen de ellende in Ituri en Kivu, de streek waar Bukavu en Goma liggen. Maar er zijn ook verschillen. Daarom wilde ik na mijn tijd rondom het Kivumeer naar Bunia, de stad een kleine vijfhonderd kilometer ten noorden van Bukavu.

De westerse media berichtten pas relatief laat over het etnische geweld in Ituri. Hoewel het al jaren rommelde tussen de Hema en de Lendu, de twee grootste bevolkingsgroepen in het gebied, kwam dat pas in 2003 het nieuws.

Ook hier speelt, zoals overal in Afrika, de tegenstelling tussen veehouders en landbouwers. De Hema, met 150.000 in de minderheid in Ituri, kwamen soms in conflict als ze voor hun koeien meer weidegrond opeisten dan de Lendu-boeren, zo'n 700.000, wilden afstaan. Bemiddeling van dorpshoofden was doorgaans afdoende om die geschillen over land op te lossen.

Toen het Oegandese leger zich met Ituri ging bemoeien, sloeg de vlam in de pan. De rebellen van de LRA, het Verzetsleger van de Heer, trokken zich af en toe terug in het Congolese grensgebied. De LRA hield het noorden van Oeganda jarenlang in de greep van willekeurig geweld. De strijders – merendeels ontvoerde, gedrogeerde kindsoldaten – zochten om bij te komen soms hun heil in het zuiden van Soedan, dan weer in het noordoosten van Congo.

De Oegandese president Museveni had er genoeg van dat Ituri een schuilplaats bood voor de LRA-strijders. Onder het mom van nationale veiligheid mengde zijn leger zich in de situatie bij de Congolese buren. Tenminste, dat is de officiële versie. Dat de bodemschatten van onder andere de goudmijnen in Ituri lonkten, zei Museveni er niet bij.

De Oegandese autoriteiten rekruteerden en trainden milities in Ituri. Daarbij steunden ze vooral de Hema, maar bij tijd en wijle ook de Lendu. Zo speelde Oeganda de etnische groepen, die dezelfde taal delen en zich steeds meer mengden, opeens tegen elkaar uit. Het hek was van de dam toen de bevolkingsgroepen zich ook nog eens begonnen te identificeren met de Tutsi's en de Hutu's – de Hema met de eerste groep, de Lendu met de tweede. Alle ingrediënten voor een genocide lagen klaar. De balans van het 'etnische' geweld in Ituri sinds 1999: tienduizenden doden, honderdduizenden ontheemden.

Het was overigens een vrouw die in Ituri olie op het vuur gooide. Toen de Oegandese troepen in 1999 Bunia innamen met de bedoeling van Ituri een aparte provincie te maken onder hun invloedssfeer, schoven zij een voormalige lerares naar voren als gouverneur. Adèle Lotsove Mugisa was een Hema-politica met een uitgesproken mening over de grondconflicten in het gebied. Haar bekendste uitspraak is 'Ituri voor de Ituri' en daarmee bedoelde ze de Hema. Op de lokale radio riep ze Hema-jongeren op zich te melden bij militaire trainingscentra in de stad, om te leren zich te 'verdedigen' tegen het Lendu-geweld. Niet veel later werd Lotsove door de Oegandezen vervangen door een andere stroman. Maar met haar opruiende praat en haatzaaierij draagt deze vrouw, bijgenaamd 'de Jeanne d'Arc van de Hema', mede de verantwoordelijkheid voor de ontsporing van het etnische geweld in de regio.

Geweld waarvoor de bevolking keer op keer hun huizen wordt uitgejaagd. Zo heeft Maman Jeanne al drie keer met al haar potten en pannen moeten verkassen. Haar restaurant La Pirogue herrees na iedere aanval weer op een andere plek in Bunia. De keuken van Maman Jeanne is beroemd in de stad. Congolezen, hulpverleners en MONUC-personeel weten haar restaurant te vinden. Ik hoorde van een Belgische collega over Jeanne en besloot haar in Bunia op te zoeken. De onderneemster die steeds als een feniks herrijst en ondanks het geweld een succesvolle onderneming blijft draaien, wil ik graag portretteren.

De nieuwste locatie van La Pirogue – zo heten de uit boomstam gehakte kano's waarmee de Congolezen hun rivieren bevaren – ligt op een steenworp afstand van het MONUC-hoofdkwartier. De nabijheid van de vredesmacht verzekert de restauranthoudster niet alleen van klandizie, ze hoopt ook dat het de veiligheid garandeert.

Als ik om halftwaalf 's ochtends voor het eerst het restaurant in kom stappen, zijn de voorbereidingen voor de middageters al in volle gang. Jeannes dochter Tete veegt de met gebloemd plastic beklede lage tafeltjes af en klopt de kussens uit die in de houten stoelen liggen. De grove vitrage die de eetzaal in tweeën splitst haalt ze tijdens het schoonmaakwerk even omhoog. Buiten sjouwen vrouwen water en houtskool naar de keuken, een kleiner lemen bouwwerk naast het restaurant. Een roodbruine kip die haar lot voelt aankomen, kakelt klaaglijk.

Maman Jeanne ontvangt me met open armen. Natuurlijk mag ik een paar dagen met haar meelopen, ik ben van harte welkom. Houd ik soms van avocado *à la vinaigrette*? Dat gerecht heeft ze leren maken van een westerse journalist en is het sindsdien een succesnummer onder haar blanke klanten. Ah, ik ben een foufou-met-sombefanaat. Laat zij nou de lekkerste sombe en foufou van Oost-Congo maken! Jeanne neemt meteen de bestelling op voor mijn lunch en avondmaal, en ik realiseer me dat ik in Bunia geen honger zal lijden – integendeel.

We houden twee motortaxi's aan om naar de markt te gaan. Dat is 's ochtends Jeannes eerste karwei. Vroeger maakte het niet uit welke etniciteit de kooplieden hadden: de markten in Bunia waren etnisch gemengd. Tegenwoordig is dat anders. Op de grote markt waar we nu heen gaan, bevolken alleen Hema de houten kramen met geërodeerde golfplaten dakjes. De Lendu hebben zich teruggetrokken naar een kleinere marktplaats dicht bij het MONUC-hoofdkwartier.

Hema of Lendu, Maman Jeanne kennen de marktkooplui allemaal. Ik loop achter de chef van La Pirogue de grote markt op Ze zet er behoorlijk de pas in. De looppaden tussen de kramen zijn uitgesleten van de vele voeten die ons voorgingen. De zware kruiwagens met houten wielen die koopwaar vervoeren, hollen de gangen nog eens extra uit. Af en toe moet ik wegspringen voor zo'n kruiwagen, de duwers ervan kijken niet op of om en nemen voorrang op al het overige marktverkeer. Omstanders leveren luidkeels commentaar als ik weer eens bijna een kraampje in moet springen om aan de wielen van zo'n aanstormend gevaarte te ontkomen.

Ik zie de ogen van de verkopers oplichten als ze de restaurateur in het oog krijgen. Jeanne koopt groot in en ze hopen allemaal dat ze bij hun koopwaar stopt. Sommigen prijzen hun groenten of vlees al van verre aan, maar Jeanne trekt haar eigen plan. Op haar gele slippers met hoge hakken snelt ze over de markt, ze weet precies waar ze wezen moet. Een grote witte kool, twee bollen knoflook, vier puntige groene paprika's slaat ze in. En een paar bossen cassaveblaadjes aan steeltjes. Voor de foufou koopt ze daarnaast nog warme staven cassavepasta gewikkeld in bananenblad, en voor de sombe donkerrode palmolie in een boterhamzakje dat bol staat, en gemalen pinda's. Alleen de vis op de grote markt is niet naar haar zin, daarvoor moeten we naar de Lendu.

Jeanne bindt de uitpuilende raffia boodschappentas op de bagagedrager van de motortaxi, ik draag twee plastic zakken met groenten. Volbeladen stappen we achter op de motoren en aanvaarden we de terugweg. Dat is tenminste de bedoeling.

Vlak bij de markt is een politiebureau. Als we erlangs rijden, spurten twee blauw-geel geüniformeerde agenten de weg op met hun armen omhoog. Jeannes motor rijdt voorop en ik zie hoe de chauffeur een scherpe uitwijkmanoeuvre naar rechts uithaalt, daarbij slippend en Jeanne bijna van de motor afwerpend. De agenten hebben de motor te pakken en beginnen te foeteren. Mijn motorrijder maakt van die commotie gebruik en tuft rustig om de twee dienders heen. We houden pas halt op veilige afstand om te kijken hoe de situatie zich ontwikkelt. Het heeft geen zin om allebei 'tol' te moeten betalen. De taxirijder wordt al snel afgevoerd naar het politiebureau. Tegen Jeanne zijn de agenten erg aardig. Ze helpen haar de tas van de bagagedrager te halen en een nieuwe motor aan te houden.

De langste agent slentert onze kant op. Nou zullen we het krijgen. Hij keuvelt wat met de motorrijder en spreekt mij dan aan in het Frans. Hij zegt dat Jeannes chauffeur ernstig in overtreding was. Ten eerste gehoorzaamde hij het stopteken van de politie niet. 'Dat zou bij u in Frankrijk toch ook niet kunnen, mevrouw?' vraagt hij. Bovendien bleek de berijder niet de juiste papieren te hebben. Voldoende redenen voor zijn arrestatie. Het ergste vindt de diender nog wel dat de chauffeur met zijn roekeloze rijgedrag 'onze geliefde Maman Jeanne' in gevaar heeft gebracht. Had ik niet gezien hoe ze bijna van het rijwiel aftuimelde?

Als de agent weer wegloopt, begint mijn taximan te mopperen. 'Politie.' Hij spuugt het woord uit. 'Ze zoeken gewoon iets om je op te pakken. Ze verzinnen altijd wel wat en je bent zo tien dollar aan ze kwijt. Dat kost je minstens een paar dagen werken.'

Later vraag ik aan Jeanne hoe het komt dat de politiemannen zo sympathiek tegen haar waren. Omdat ze weten dat in La Pirogue iedereen welkom is, legt ze uit. 'Ik ontvang ze allemaal, ook soldaten. Soms geef ik ze wat te eten als ze honger hebben, al hebben ze geen geld. Of ik stop ze wat geld toe. Ik ben niet bang voor ze. Ook al zitten er drie kolonels en een majoor bij me te eten, ze weten allemaal dat ze zich moeten gedragen. Ik heb nooit problemen.'

We komen zonder verder oponthoud op de andere markt aan, waar Jeanne de tilapia uitkiest met de meest donkerroze kieuwen. Die is het verst. Een rondborstige visvrouw met appelwangen hakt de grote vis in stukken. De schubben vliegen in het rond terwijl ze met een machete de tilapia vierendeelt. Het regent parelmoer op de dikke balk die ze gebruikt als snijplank. De stukken vis gaan in een plastic zak. Het is hoog tijd om te gaan koken, want de eerste gasten verwacht Jeanne over een klein uur.

Wanneer we met de boodschappen in La Pirogue aankomen, treedt een geoliede machine in werking. Twee keukenhulpen op houten krukjes plukken de handvormige cassaveblaadjes van hun steeltjes. Een secuur werkje dat veel tijd in beslag neemt, net als het stampen van de blaadjes in de vijzel. De vrouwen aanvaarden mijn hulp bij het plukwerk dan ook gretig. Op het houtskoolvuur pruttelt de witte pap van de foufou, ernaast borrelen grof gesneden frites in olie.

Af en toe gluurt een klant die net is binnengekomen over de met leem aangesmeerde lage wand om te informeren wat de pot schaft. Jeanne maakt de vis schoon en ontdoet daarna de kip die die ochtend nog rondstapte van haar veren. Naast haar op tafel ligt een vuistdikke stapel vuile Congolese francs – als iemand geld nodig heeft voor bijvoorbeeld houtskool of water, moeten ze bij Jeanne langs.

Tijdens het koken vertelt de kokkin en gastvrouw over haar leven. Jeanne is een van de vijfenzestig kinderen van een stamhoofd in Bas-Uele, in het noordoosten van Congo. Volgens de traditie nam de machtige man vele echtgenotes. Haar moeder was een van de laatste vrouwen uit de rij. De vader was al oud toen Jeanne werd geboren in 1967, hij overleed een jaar later. 'Ik heb altijd alleen vrouwen om me heen gezien die zichzelf moesten redden. Dat is voor mij vanzelfsprekend.'

Jeanne deed het goed op school, maar moest stoppen toen ze op haar vijftiende zwanger raakte van een dorpsgenoot. 'Dat was niet de bedoeling,' zegt ze droog. De man nam haar tot zijn vrouw, maar behandelde de jonge Jeanne beroerd en sloeg haar. Ze kreeg vijf kinderen met hem, van wie de laatste kort na de geboorte overleed. In 1991 had ze genoeg van het misbruik en verliet ze haar gewelddadige eega.

Met haar kinderen verhuisde ze naar Bunia. 'In de brousse is weinig te verdienen, daar circuleert het geld niet. Daarvoor moet je naar de stad.' Bunia ligt op de handelsroute van Kisangani, de grote stad in het binnenland aan de Congo-rivier, naar Oeganda. Daar zou ze wel een handeltje kunnen drijven, schatte ze in. Gebruikte kleding, sieraden, alles wat ze in grote partijen kon inkopen, verhandelde ze op de plaatselijke markt.

In 1997 ontmoette ze Marie, een tien jaar oudere zakenvrouw uit Kisangani, wier man juist was overleden. Marie wilde in Bunia een restaurant beginnen en vroeg zich af of Jeanne mee wilde doen. Die zag daar wel brood in: 'Een restaurant verdient beter dan de handel, en de inkomsten zijn stabieler. Eten moeten de mensen altijd.'

Langs de weg naar het vliegveld begonnen de twee vrouwen hun eerste etablissement: vijf tafels onder een dak op palen. Jeanne nam de keuken voor haar rekening, Marie verzorgde de drank. Als vanzelf nam Maman Jeanne het gastvrouwschap op zich. 'Ik hou ervan mensen te ontvangen, met ze te praten en het hun naar de zin te maken. Daardoor komen mijn klanten graag bij me.'

De zaak floreerde, ze hadden op den duur vier koelkasten en bouwden een eetzaal met dichte muren en een golfplaten dak. Op 12 mei 2003 raakten ze alles kwijt. Die dag gingen de Hema en de Lendu elkaar met geweren en machetes te lijf in de straten van Bunia. Het was twee uur 's middags toen het schieten begon, Jeanne grilde net de geitenbrochettes voor de lunchgasten. 'Iedereen vluchtte alle kanten op. Ik moest alles in de steek laten, kon niets meenemen.'

La Pirogue – de eerste versie – werd de uren daarna volkomen leeggeplunderd. Alle koelkasten, keukengerei en de kratten bier verdwenen, zelfs het dak van het restaurant werd geroofd. Jeanne hoorde later van anderen dat er onder de plunderaars klanten van haar waren. Ze heeft dat nooit kunnen bewijzen, maar is er nog steeds verbolgen over.

De chef-kok vluchtte naar het MONUC-hoofdkwartier, waar al duizenden stadsgenoten zich hadden verzameld. De VN evacueerde de toegestroomde ontheemden naar een kamp buiten de stad, nabij het vliegveld. Twee maanden bracht ze er door: 'We woonden in grote tenten met heel veel mensen. Als het regende was de vloer een modderpoel, scheen de zon dan was het snikheet.'

Noodhulporganisaties gaven de mensen in het kamp bonen en maïs. Maar Jeanne was nog nooit in haar volwassen leven van een ander afhankelijk geweest voor voedsel en was niet van plan dat nu te veranderen. Van een vriend leende ze tien dollar en daarvan schafte ze een krat frisdrank aan – als ze alle flesjes Fanta kon verkopen, maakte ze zes dollar winst. Dit herhaalde ze net zo lang tot ze genoeg geld had om een restaurantje te beginnen, midden in het VN-vluchtelingenkamp.

'Ik gaf geld aan een Hema om in de stad vlees te gaan kopen. Bunia was bezet door de Hema. Als ze iemand van een andere stam zagen, schoten ze die neer. Voor mij was het daar veel te gevaarlijk,' verklaart Jeanne, die behoort tot een kleinere bevolkingsgroep dan de Hema of de Lendu maar evengoed risico liep in die tijd. Van haar inkomsten van de drankverkoop schafte ze een paar ketels aan. Maman Jeanne was *back in business*.

Op den duur toog ze zelf voor sombe of bonen naar de grote markt in de stad. 'De marktkoopvrouwen kenden mijn gezicht en wisten dat ik niemand kwaad deed.' Later zal een hoge vn-functionaris me de rol beschrijven die vrouwen vaak spelen in het tot elkaar komen van strijdende partijen. Oorlog of niet, de dagelijkse activiteiten van vrouwen moeten doorgaan. Dus ontmoeten ze elkaar uiteindelijk weer op de wasplaats, op de markt en op de velden. Daar begon ook in Ituri de eerste dialoog tussen de Hema en de Lendu die elkaar naar het leven stonden.

Inmiddels heerst in Bunia een gewapende vrede en is La Pirogue weer gewoon gevestigd in de binnenstad, maar nu dichter bij de vn. Het eettentje beschikt slechts over één kleine koelkast – Jeanne droomt van een veel groter exemplaar. Zo'n zes vrouwen heeft ze in dienst, in de keuken, de schoonmaak en als gastvrouw als Jeanne er niet is. Op de bouwvakkers na die voor de rieten omheining van het restaurant op hun dooie akkertje een sleuf graven, een karwei waar ik het nut niet van inzie, zie ik er nooit één man aan het werk.

Waarom ze alleen met vrouwen werkt? 'Een man wil de zaak meteen van je overnemen. Mannen accepteren niet dat je de eigenaar bent. Of ze stelen van je.' Ze heeft het weleens geprobeerd met mannelijke employés, maar kwam immer bedrogen uit. Steeds als ze zo'n kerel met een pak geld naar de markt stuurde om boodschappen te doen, ging hij er met de poen vandoor en zag ze hem nooit meer terug.

Hoe zit dat nou met die vermaledijde Congolese mannen? Ik vraag het die avond aan Arcène, een Congolese historicus die voor de humanitaire afdeling van de vn in Bunia werkt. Via een advocaat in Bukavu ben ik met hem in contact gekomen. De jurist prees Arcène, een oude vriend, als iemand met historisch besef.

Dat is in Congo een rariteit. De Congolezen praten veel over vroeger, maar verdraaien de geschiedenis naar hartelust al naar gelang de luimen en belangen van de verteller. En altijd gaat de zwartepiet naar buitenlanders: alles wat misging in Congo heeft zijn oorzaak buiten de landsgrenzen.

Nu hebben de Congolezen ook reden daartoe. Vanaf de kolonisatie kapen buitenlandse partijen de rijkdommen voor hun neuzen weg, de bevolking vooral dood en verderf nalatend. Het rijtje plunderaars is lang. De Belgische koning Leopold beheerde de 'Kongo Vrijstaat' van 1884 tot 1908 als zijn persoonlijk wingewest en joeg daarbij miljoenen Congolezen de dood in. De Mobutistische kleptocraten – inclusief Mobutu zelf – staken de opbrengsten van de kopermijnen grotendeels in eigen zak. Westerse diamant- en mineraalbedrijven steunden de afgelopen decennia om het even welke partij, zolang deze hun maar concessies verleende voor het winnen van delfstoffen in het gebied. En tot slot bemoeiden de Afrikaanse buurlanden zich de afgelopen jaren ook met de Congolese oorlog om er zelf financieel beter van te worden.

'De koe die je akker vertrapt komt uit Rwanda,' luidt een Bembe-spreekwoord in Zuid-Kivu.

Vertaald: alle ellende komt van buiten – en in de Kivu's bedoelen ze dan Rwanda. Populaire zienswijze in die streek is dat de Congolezen eigenlijk heel aardig voor elkaar waren, totdat de kleine oosterbuur zich met hen ging bemoeien. Zelfs Congolese soldaten zouden 'fatsoenlijk' zijn geweest – ze hielden het bij jatten alleen – totdat de Rwandezen hun het moorden en verkrachten leerden.

Dit is een grove geschiedvervalsing, want ook het optreden van de (elite)troepen van Mobutu was bloederig en de politieke opstandelingen tegen het regime sinds de onafhankelijkheid gedroegen zich weinig beter. Maar dit zegt iets over het selectieve historische geheugen. Daadwerkelijk inzicht in historische verbanden en ontwikkelingen heb ik in Congo niet veel getroffen. Daarom ben ik blij dat Arcène ingaat op mijn uitnodiging om te gaan eten bij Maman Jeanne.

Ik schilder de historicus de karikaturen waarmee Congolese vrouwen hem en zijn seksegenoten uittekenen. Lui, nergens goed voor, uitsluitend bier slempen zonder iets in het laatje te brengen, maar aan het eind van de dag wel foufou op tafel verwachten. Hij knikt bedachtzaam, kiest zijn woorden zorgvuldig: 'Helaas is die beschrijving op waarheid gebaseerd. Maar er is ook een andere kant aan die waarheid.'

De wetenschapper schetst het ideale Congolese gezin in de koloniale tijd. Een model naar Europees voorbeeld. Moeder doet het huishouden en zet tussen de middag het eten op tafel, precies op tijd voor manlief die thuiskomt. Na zijn pauze keert deze terug naar zijn blanke baas op kantoor, op de plantage of in de fabriek. Hij brengt het geld binnen, zij verbouwt wat aardappels en bonen ter aanvulling van het dieet en kleedt en voedt de kinderen. 'Mevrouw was in die tijd echt *la madame*, haar echtgenoot kocht mooie jurken voor haar. Hij was degene die het geld beheerde.'

Hoe anders is nu de realiteit van het gemiddelde Congolese huishouden. Sinds meer dan twintig jaar krijgen de meeste werknemers – lees: mannen – nauwelijks meer salaris uitbetaald. Ze blijven hangen in inhoudsloze baantjes in de hoop dat hier verandering in komt. Waarom ze niet opstappen en iets anders zoeken? 'Ze vrezen dat dan een ander hun baan inpikt. Zul je zien dat de bazen dan opeens loon gaan uitkeren,' legt Arcène uit.

De Congolese man leidt liever een ambtenarenbestaan voor de eeuwigheid zonder loonstrookje dan een onzeker leven met ander werk. En zijn familie steunt hem daarin. De historicus noemt zichzelf als voorbeeld. Toen hij tien jaar geleden zijn baan als docent aan een onderwijsinstituut in Bukavu wilde inruilen voor een functie bij een Zwitserse hulporganisatie waar hij tien keer zoveel zou gaan verdienen, protesteerde zijn hele familie. 'Ze verkozen de zekerheid van mijn oude baan boven de onzekerheid van een nieuwe werkgever, ook al betaalde die veel beter.'

We onderbreken het gesprek als Jeanne komt aanlopen met een hoog opgetaste schaal met kip. Haar dochter zet de kommen foufou en sombe voor ons neer. De historicus en ik zitten buiten aan een tafeltje, niet ver van de lemen keuken. Arcène en Jeanne kennen elkaar en hij maakt grapjes met haar – pakt haar bij haar pezige polsen en stelt vast dat ze veel te mager is. De slanke kokkin is inderdaad geen prototypische weldoorvoede chef. 'Als ik de hele dag eten heb klaargemaakt, heb ik er zelf geen zin meer in,' verklaart ze lachend.

Mijn disgenoot ontfermt zich over de schotel kippenpootjes, kiest een goudgebakken exemplaar uit en scheurt met zijn tanden een stuk vlees van de bout. Al kluivend gaat hij verder waar hij gebleven was.

In de postkoloniale tijd onder Mobutu loonde het ambtenaarschap. Met een beetje mazzel kon je meedelen in die heerlijke taart van Congo's rijkdommen. 'Steel met mate,' hield de dictator zijn volk voor, en dat hebben de Congolezen zich in de oren geknoopt. Wie creatief omgaat met vergunningen, voorschriften en andere bureaucratische fetisjen, kan als ambtenaar ook nu nog weleens wat opstrijken. Maar de meeste andere werknemers brengen weinig meer in.

Dat leidde tot een rigoureuze ommekeer in de sociaal-economische verhoudingen tussen de seksen, doceert Arcène. Terwijl de mannen bijna niets meer verdienen, scharrelt hun vrouw het hoofdinkomen bij elkaar. Zij heeft het nu budgettair voor het zeggen.

Als een vriend van haar echtgenoot op bezoek komt en hij wil hem iets te drinken geven, moet hij zijn vrouw om geld vragen voor een Primus, beschrijft de historicus de nieuwe situatie: 'En zij zou weleens kunnen beslissen dat het avondeten belangrijker is en hem dat biertje kunnen weigeren. Kun je je voorstellen hoe vernederend dat is voor een man?'

Arcène reageert terstond op mijn cynische grinnik. Natuurlijk wil hij Congolese mannen niet afschilderen als slachtoffers, haast hij zich te zeggen. Maar er is volgens hem wel degelijk sprake van een crisis van de mannelijkheid in Congo. 'De meeste Congolese vrouwen spreken minachtend over mannen, ze hebben nauwelijks meer respect voor hen. En mannen kunnen daar niets mee.'

In de kroeg praten ze er niet over. 'Denk je dat die kerels tegen elkaar zeggen: mijn vrouw respecteert me niet meer, wat moet ik daaraan doen? Welnee, in het café zijn we allemaal kampioenen, ikzelf incluis. Als het gesprek al te persoonlijk wordt, sturen we het meteen weer richting voetbal of politiek.'

De meesten verdrinken hun minderwaardigheidscomplex. Ze hebben geen idee wat ze kunnen doen om uit hun uitzichtloze situatie te komen, dus berusten ze in de georganiseerde ledigheid. In alle Congolese steden zie je 's ochtends een leger keurig geklede heren vanuit de krottenwijken de stad in trekken, onder hun arm een aktentas met daarin veelal het document waarop hun aanstelling staat vermeld. Verder niets. En iedere avond gaat deze pakkenoptocht weer op huis aan zonder een cent te hebben verdiend en zonder iets zinnigs te hebben ondernomen.

Mannen zonder baan ontvluchten eveneens het huis en 'vergaderen' van de vroege ochtend tot de late avond op dorps- en stadspleinen. In deze *parlements debouts*, staande parlementen, gelden decibellen als het sterkste argument. In opgewonden groepjes bespreken ze de hele wereld, maar 's avonds als ze thuiskomen, staan ze nog even machteloos.

Arcène verdedigt terecht zijn sekse door aan te tekenen dat er genoeg Congolese vaders zijn die zich de vellen voor de ogen werken om hun gezin te verzorgen. Die drie banen hebben, geiten houden in de achtertuin en er een handeltje in tweedehands rommel op na houden om rond te komen. Ik knik en denk aan Papa Jérôme in Bukavu, die al zijn kinderen liet studeren en nu nog iedere dag aan het werk is.

Het overgrote deel van de Congolese mannen is echter officieel of officieus werkloos en heeft nauwelijks een levensdoel, besluit Arcène. Daarom is de verleiding zo groot als iemand langskomt met een zak geld of een machinegeweer en de belofte dat ze iets kunnen betekenen voor hun land, hun familie of hun stam. De gewapende strijd geeft hun eindelijk een doel in hun nutteloze bestaan.

Aan zijn onheilspellende woorden word ik de volgende middag herinnerd als ik met Richard, een Congolese journalist, en een Duitse collega het platteland op ga. Richard leidt ons rond door het gebied rondom Bunia. We willen het land weleens zien waar de Hema en de Lendu om vechten. Tot mijn verbazing rijden we door vele hectaren onbewerkte groene velden, zover het oog reikt. Landbouw noch vee te bekennen. Ik vraag Richard wat nou precies het probleem is. Er lijkt immers land genoeg dat nog niet wordt gebruikt. Hij antwoordt dat landconflicten misschien ooit het begin zijn geweest van de animositeit tussen Hema en Lendu, maar dat dat allang naar de achtergrond is verdrongen. Wederzijdse haatcampagnes en propaganda hebben het conflict sindsdien tot een veel moeilijker op te lossen vijandschap gemaakt.

De tocht voert voornamelijk over karrenpaden van krap een wagen breed, met af en toe een gapende kloof in de weg waar de auto diep met de neus in duikt. Het ligt helemaal aan de kwaliteit van de chauffeur of het ding heelhuids aan de andere kant weer naar boven komt.

Soms kruisen de paden elkaar in het glooiende landschap. Op zo'n kruising houdt een norse jongeman met een AK-47 onze wagen tegen. Beter gezegd: hij staat langs de weg en kijkt Richard die achter het stuur zit alleen maar strak aan. Onze collega weet genoeg en remt af. Ook al lijkt de jongen in zijn glimmende shorts en gaatjeshemd op een straatvoetballertje, we hebben hier te maken met een regeringssoldaat. Zijn kompaan, al even informeel gekleed, houdt de meneer met kar aan die van de andere kant komt. Honderd tot vijfhonderd Congolese francs tolgeld willen de twee zien. Onze voetballer staat bij Richards raam. Ik zie niet eens of en wanneer de vuile frommelbriefjes van hand wisselen, maar we mogen verder rijden.

De twee niet van gewone schoffies te onderscheiden jonge kerels waren zogenaamde *soldats brassés*, licht Richard toe als we doorhobbelen. Dat zijn voormalige militiestrijders die nu geïntegreerd heten te zijn in het nationale Congolese leger. Hun training voor de nieuwe taak laat echter te wensen over, als ze überhaupt al enige omscholing hebben genoten. Maar al te vaak krijgen ze enkel het officiële uniform en een wapen – en in sommige gevallen alleen het laatste. Dus gaan veel 'nieuwe' soldaten op de oude voet verder. Afpersen is nog steeds hun handelsmerk. Het nationale leger, zo waarschuwen mensenrechtenorganisaties, is zo langzamerhand de grootste bedreiging geworden voor de Congolese bevolking.

Het is een van de grootste problemen waar het oosten van Congo zich na vele jaren oorlog voor gesteld ziet. Wat moet het land met die tienduizenden mannen die gewend zijn hun eten, vrouwen of akkers op te eisen met de vinger aan de trekker? Die nooit hebben geleerd de kost op een andere manier te verdienen en alleen de taal van geweld kennen? Het beeld van de gewone Congolese man dat Arcène me de avond ervoor beschreef, was al niet rooskleurig. Het is echter nog heilig bij de afgestompte staat waarin de gemiddelde Congolese strijder zich na jaren geweld moet bevinden. Achterom kijkend naar de militair in zijn gaatjeshemd realiseer ik me dat mijn voornemen tot een goed gesprek met een Congolese soldaat hoognodig aan uitvoering toe is.

Ruffin was twaalf toen hij voor het eerst een soldaat van de tegenpartij doodschoot. Op zijn elfde had hij alleen nog maar voetbal aan zijn hoofd gehad. In de grote vakantie van 1995 speelde hij dagelijks met zijn vriendjes op het trapveldje bij de kerk.

De buurtjongens vonden het machtig toen een man in een fonkelnieuwe Daihatsu-jeep parkeerde bij hun voetbalveld. Toen hij voor alle spelers een stuk suikerriet tevoorschijn haalde, was hun aandacht gegarandeerd. De man in de Daihatsu beloofde de voetballertjes gouden bergen als ze de wedstrijd tegen andere wijken zouden winnen. Echte noppenschoenen, een teamshirt voor iedereen en een training die een toekomst als voetbalprof zo goed als garandeerde. Verblind door de mooie beloften stapten de vrienden in de grote jeep om alvast een kijkje te nemen in dat trainingscentrum.

De chauffeur reed echter regelrecht de Rwandese grens over. Niet dat de jongens dat meteen beseften, de meeste waren hun eigen wijk nog nooit uit geweest. Toen ze na een klein uur uitstapten, troffen ze geen voetbaltrainers, maar militairen. 'Ik zag overal soldaten met grote regenlaarzen in uniformen die niet Congolees waren. Toen wisten we: dit is Rwanda. We begonnen allemaal heel hard te huilen,' herinnert de nu tweeëntwintigjarige Ruffin zich.

'Huil niet, jullie gaan je land bevrijden,' sprak een militair hen vermanend toe. De ontvoerde jongens, de oudste was veertien, werden in een vrachtwagen geladen en naar een militair trainingskamp gebracht met honderden Congolese jongetjes zoals zij. Het was het begin van een half jaar training en hersenspoeling door het Rwandese leger. De kindsoldaten of *kadogo's* werden klaargestoomd voor de invasie die Mobutu ten val moest brengen.

Ruffin woonde tot zijn ontvoering in Bukavu. Jongens met zijn verhaal vind je overal in Oost-Congo. Menige partij in de Congolese oorlog maakte gebruik van kindsoldaten. Gewillig, volgzaam en levensgevaarlijk zijn de jonge soldaatjes als ze eenmaal zijn gebroken. In Ituri riep militieleider Thomas Lubanga alle families op geld, een koe of een kind bij te dragen aan de strijd. Lubanga is de eerste verdachte die voor het Internationaal Strafhof in Den Haag staat. Het ronselen van kindsoldaten is een van de vele misdaden waarvan hij wordt beschuldigd.

Met Ruffin zit ik een middag lang op een drukbezocht terras. Hij gaat naast me zitten, maar zó dat hij de ingang in de gaten kan houden. Zelfs nu hij al jaren soldaat af is, zal hij nooit zijn rug naar de ingang toe keren – hij moet kunnen zien wie er op hem afkomt. Ik kan me moeilijk voorstellen dat deze rustige jongen met zijn gleufhoed en vriendelijke ogen ooit schietend door het land ging. Maar ik heb de foto's gezien van de puber met het vervaarlijke machinegeweer in handen en herken hetzelfde gezicht.

Ik wil met Ruffin praten over vrouwen en het soldatenleven. Ik leg hem uit dat ik niet snap hoe die massale verkrachtingen kunnen gebeuren. Hij knikt serieus en begint te vertellen. De Rwandese drillcommandanten prentten de jongens zes maanden lang in dat ze niets meer te verliezen hadden. Familie moesten ze vergeten, voortaan was hun wapen hun moeder, hun vader en hun vriendin.

Niet alle jongens overleefden de militaire opleiding. Ruffins schoolvriendje Lucien is gestorven aan diarree: 'Om vier uur 's nachts ging hij dood. Het was de eerste keer dat ik een lijk zag. We hebben hem begraven in alleen een laken. De Rwandezen trokken zich er niets van aan dat er jongens overleden. Dan geef je op een gegeven moment de hoop op dat het ooit nog goed zal komen met je leven.'

Ondertussen moesten de soldaatjes in spe moordmachines worden. 'Hij of ik, hij of ik', de kadogo's kregen het als een mantra te horen, beschrijft Ruffin: 'Iedere vijand moet je doden, want als je dat niet doet, dan doodt hij jou. Dat hielden ze ons hele tijd voor.' In die staat van angst, wanhoop en vervreemding werden de kindsoldaten in het rebellenleger opgenomen. Het was oktober 1996 en Laurent Kabila trok met zijn strijders Zaïre binnen om Mobutu van zijn plek te stoten. Vanaf dat moment was Ruffin, in zijn vorige leven nog misdienaar, soldaat.

De eerste keer in zijn leven dat hij een naakte vrouw zag, was toen zijn volwassen medestrijders voor zijn ogen de vrouwen van Zaïrese regeringssoldaten verkrachtten. Ze waren in de opmars naar Kinshasa aangekomen in Kalemie, in het oosten van Congo. Ruffin was dertien en nog maagd. Hij besloot ter plekke dat hij nooit iets met seks te maken wilde hebben.

Niet al zijn jonge collega's reageerden zo. 'Ook sommige kadogo's draaiden door. Gingen met vrouwen die hun moeder hadden kunnen zijn. Vooral die uit de dorpen die nog nooit een vriendinnetje hadden gehad, dachten plotseling dat ze alles konden maken. Zij gingen bij iedere aanval als beesten tekeer. Ze konden straffeloos aan het verkrachten slaan.'

Maar Ruffin moest almaar aan zijn twee jongere zusjes denken. Hij was trouwens niet de enige die niet tuk was op de verkrachtingen. 'Er waren er altijd bij die eigenlijk niet wilden. Als het er genoeg waren, wisten we het soms te voorkomen.' Dan overtuigden ze hun medestrijders dat ze verder moesten, of dat er elders misschien een grote buit te halen viel. Maar meestal lag de overmacht aan de andere kant en durfden de weifelaars niet achter te blijven. De misstanden melden bij de commandant was geen optie, die deed soms net zo hard mee. Verkrachten hoorde nu eenmaal bij de oorlog. 'Ik heb weleens aan de andere soldaten gevraagd waarom ze het deden. Ze voelden zich sterk als ze vrouwen verkrachtten, zeiden ze. Ik was nog maar een jongen, ik zou het wel begrijpen als ik ouder was.'

Een keer kon Ruffin voorkomen dat een vrouw slachtoffer werd. In mei 1997 marcheerden de soldaten van Kabila de hoofdstad Kinshasa binnen. Ook daar moest de bevolking het ontgelden. Op een middag trof Ruffin een medestrijder die een jonge vrouw onder schot hield. De soldaat schreeuwde tegen de vrouw dat ze op de grond moest gaan liggen, hij had zijn broek al open. De kadogo overzag het tafereel en werd verschrikkelijk kwaad: 'Ik schoot in de lucht en riep dat hij op moest houden.' De soldaat droop af toen hij zag dat het Ruffin ernst was.

Twee jaar later liep hij de vrouw die hij toen had gered, weer tegen het lijf. Ze herkende hem, maar wist niet waarvan. Uit Parijs misschien? Of uit Lille? 'Nee mevrouw,' had Ruffin beleefd geantwoord, 'ik ben soldaat.' Haar vriendelijke houding sloeg direct om in pure vijandigheid. Totdat de jongen haar herinnerde aan die gebeurtenis in Kinshasa. 'Ze begon te huilen en pakte mijn handen vast. Ik moest haar echtgenoot ontmoeten, zei ze. Ze had hem zo vaak over me verteld.' Aan haar dankbaarheid houdt Ruffin zich vast wanneer hij 's nachts wakker schrikt van de nachtmerries, als de doden die hij op zijn geweten heeft hem achtervolgen.

Over het terras klinkt een jengelige accordeonversie van Malaika, het zoete Swahili-nummer dat onder andere Harry Belafonte ooit zong. De muzikant komt met zijn trekzak steeds dichter bij ons tafeltje, de muziek maakt een gesprek haast onmogelijk. Ruffin kijkt verstoord op uit zijn relaas en verzoekt de accordeonist om op te krassen. Hij hoeft niet eens zijn stem te verheffen, de vanzelfsprekende autoriteit die hij uitstraalt is niet te missen. Ondanks zijn tweeëntwintig jaar spreekt hier iemand die gewend is gehoorzaamd te worden. Dat voelt ook de muzikant feilloos aan. Hij maakt op zijn hielen rechtsomkeert en neemt Malaika mee naar de verre overzijde van het grote terras.

Bijna alle tuinstoelen zijn inmiddels bezet door jonge mensen. Ik zie een paar keer meiden naar de jongeman naast me lonken en maak er een grapje over. Veronderstel dat Ruffin inmiddels toch wel een vriendinnetje zal hebben. Hij knikt bevestigend. 'Meisjes komen altijd naar me toe. Ze vinden me leuk. Ik heb het daar moeilijk mee. Wat zullen ze van me denken als ze weten wat ik vroeger heb gedaan?'

Ruffin vindt het nog steeds lastig om met vrouwen om te gaan. Aan het begin van de oorlog bleef zijn bataljon een tijdje in Kalemie aan het Tanganyikameer. Daar had een oudere vrouw een oogje op hem. Dat had hij zelf niet in de gaten, zijn collega's wezen hem erop. 'Ze dronk Tembo-bier, en ze zeggen dat vrouwen daar zin van krijgen,' vertelt de ex-soldaat.

De vrouwen noemden de rebellen hun bevrijders en dat streelde zijn ego. Maar verder zag hij hen als zijn zusjes, met seks was hij nog helemaal niet bezig. Zijn kameraden drongen er echter op aan dat hij met haar meeging, ook al had hij geen idee wat hij met haar moest aanvangen. 'We waren in haar kamer en ze ging even weg. Toen ze terugkwam was ze naakt en begon ze me overal aan te raken.'

Ze ontkleedde de dertienjarige jongen en ging op hem zitten, hem commanderend dat hij zijn heupen moest bewegen. 'Ik wilde niet, maar kon me niet verzetten. Daarna voelde ik me zwak als een meisje. Ik vond het helemaal niet leuk.' Ruffin weet wat het is om tot seks te worden gedwongen.

In 2000 kreeg hij de kans uit het soldatenleven te stappen. De kadogo was op dat moment lijfwacht van de gouverneur van Bukavu en er waren vredesonderhandelingen aan de gang. De Unicef-medewerker die kwam praten over de demobilisatie van kindsoldaten, wees naar de gewapende Ruffin die zijn baas bewaakte en zei: 'Waarom beginnen we niet met die jongen achter u?'

Hij wilde eerst niet eens. Wat had hij om naar terug te keren? Hij wilde bij Mzee Kabila blijven, het leger was zijn familie. Maar de gouverneur, die tegenover de Unicef-man geen modderfiguur kon slaan, droeg zijn lijfwacht op zijn soldatenpak te verruilen voor het blauw-witte schooluniform. Ineens zat Ruffin weer in de schoolbanken. Op zestienjarige leeftijd in de zesde van de basisschool was hij de oudste van zijn klas.

De intelligente jongen – hij is welbespraakt en spreekt vloei-end Frans – kreeg al gauw een rol in het demobilisatieprogramma van Unicef. 'De oorlog is geen plaats voor kinderen, dat hebben ze me geleerd. Ze hielpen me de ergste beelden te vergeten. Ik probeer andere kadogo's ervan te overtuigen de wapens neer te leggen. Dat ze beter een opleiding kunnen volgen dan in de *brousse* creperen tussen de regen en de muggen.'

Sinds een paar maanden heeft hij een nieuw vriendinnetje. Zij moest huilen toen hij haar eindelijk over zijn verleden durfde te vertellen, maar ze stuurde hem niet weg. 'We moeten weer met el-kaar verder leven,' zei ze. Als Ruffin afscheid van me neemt, her-haalt hij die woorden nog een keer en ik vraag me af of hij ze voor mij bedoelt of voor zichzelf.

Mijn laatste ontbijt in stoffig Bunia. Nog eenmaal verbaas ik me over het stilleven op de ontbijttafel in mijn pension. De pro-ducten vormen wat je noemt een internationaal gezelschap. De frambozenjam komt uit België, de borden zijn *made in China*, op de theezakjes staan Arabische letters en de poedermelk is Ne-derlands. Een Baltische exporteur verhandelde de oploskoffie naar deze uithoek, net als de Spaanse chocopasta. En de ther-moskan draagt een Brits merk. Alleen de versuikerde honing komt uit Ituri, verder staat er niets van Congolese makelij op het tafelblad.

Het zijn de symptomen van een volledig geïmplodeerde loka-le economie. Alles wat in Congo te koop is, moet van over de grens komen, omdat er bijna niets wordt geproduceerd in het land zelf. De schaarse Congolese producten die er zijn, worden met gemak door buitenlandse concurrentie van de markt gesto-ten. Zo kunnen de Congolese zeepmaaksters wel inpakken als Oeganda een lading goedkoop machinaal gefabriceerde zeepjes op de markt dumpt. Dan raken de lokale vrouwen hun handge-maakte spul maandenlang aan de straatstenen niet kwijt. Zelfs het bier dat het meest wordt geschonken in Ituri, is niet het Congolese merk Primus, maar het Oegandese Nile.

In Congo is het grootste deel van wat er wel wordt verbouwd of geproduceerd bestemd voor eigen gebruik. Dat is de reden waarom het leven in de allerarmste landen zo verschrikkelijk duur is: bijna niets schiet er over voor de verkoop. In een supermarkt in Bukavu moest ik omgerekend eens vijftig eurocent per stuk afrekenen voor eieren. Vijftig cent! De Libanese eigenaar begreep mijn verontwaardiging, maar legde uit dat het grootste deel van de prijs bestond uit transportkosten. Mijn eieren kwamen uit Rwanda, Congolese eieren waren al weken in heel Bukavu niet te krijgen. En dat in een stad waar je bij iedere stap struikelt over een kip.

Veel tijd om te piekeren over de deplorabele staat van de Congolese economie geef ik mezelf deze ochtend niet, want mijn laatste klus is nog niet geklaard. Al weken probeer ik met haar in contact te komen. Heel af en toe bereikte ik haar op een van haar mobiele nummers. Dan zat ze weer ergens in het oerwoud om te onderhandelen met een of andere rebellenfractie en was de telefonische ontvangst allerberoerdst. Maar ze beloofde me een interview als ik naar Ituri zou komen.

Petronille Vaweka is een lokale mythe en een van de redenen dat ik naar Bunia wilde. De commissaris van het district Ituri is de verpersoonlijking van de invloed van Congolese vrouwen op het vredesproces. Ze is ook stronteigenwijs, onvoorspelbaar en pijnlijk eerlijk, als ik de mensen die haar kennen mag geloven.

Ik lees voor het eerst over haar in juli 2005 wanneer ze, enkel vergezeld door haar echtgenoot en een paar assistenten, de bush ingaat voor onderhandelingen met een gevreesde rebellengroep. De strijders staan bekend als gewelddadig en meedogenloos, en waren een paar maanden ervoor betrokken bij de moord op negen blauwhelmen uit Bangladesh. Toch twijfelt Petronille geen seconde als deze rebellen twee van haar medewerkers ontvoeren en alleen met haar willen praten indien ze zonder lijfwachten of vredessoldaten naar hen toekomt. Ze gaat er op hun voorwaarden heen.

In plaats van deemoedig en voorzichtig de onderhandelingen te beginnen, veegt de districtscommissaris de militiestrijders meteen de mantel uit. Hoe ze het in hun hoofd halen publieke functionarissen te ontvoeren? Die mensen werken immers ook voor hen. De aanwezige dorpelingen krijgen ook een sneer. Hoe kunnen ze ooit vrij zijn als ze zich steeds door de wapens laten regeren? Haar directe aanpak werkt: de delegatie kan veilig terugkeren naar Bunia en de gijzelaars komen een paar dagen later vrij.

Aan journalisten vertelt Petronille vaak het verhaal van haar grootmoeder, die ooit op weg naar haar akker oog in oog kwam te staan met een leeuw. Ze bleef het dier aankijken en legde hem rustig uit dat ze niet zijn vijand was, dat ze alleen haar land wilde bewerken. Na een angstig moment verloor het dier zijn interesse en verdween tussen de bomen. Als je tegenover geweld komt te staan, is geweld niet altijd het beste antwoord, wil de districtscommissaris ermee zeggen.

Nadat de door Oeganda gesteunde milities uit Bunia zijn verdreven, is het politieke landschap van Ituri aan herinrichting toe. In 2004 moet de bevolking beslissen wie de hoogste baas in Ituri gaat worden. Dat is bij voorbaat een probleem, want de Hema zouden op die positie nooit een Lendu accepteren en andersom. Petronille behoort niet tot een van deze bevolkingsgroepen, ze staat boven de partijen. Unaniem kiezen de Ituriërs deze vrouw als commissaris van hun district.

Ze was ook de eerste coördinator van het Forum des Mamans de l'Ituri (FOMI). Deze moeders van Ituri zetten de eerste stap naar vrede en verzoening, in een tijd dat de streek nog in de ban was van geweld en haat. Volgens een hoge VN-functionaris die destijds in het gebied werkte, zou het zonder de vrouwen van FOMI nog veel moeilijker zijn geweest om de streek ooit weer tot rust te krijgen. Wat hem betreft is Petronille Vaweka 'een meervoudige heldin'.

Mijn laatste dag in Bunia ga ik nog eenmaal achter haar aan. Petronille is weggeroepen voor een noodgeval vlak voordat ik in de stad arriveerde. Er waren gevechten uitgebroken in het noorden van Ituri. De rebellen van Peter Karim, de laatste militieleider van Ituri, hadden de wapens weer getrokken, ondanks dat ook deze bandiet de demobilisatieovereenkomst had ondertekend. De districtscommissaris moest halsoverkop het veld in om Karim weer in het gareel te krijgen.

Ze belt me de dagen erna verschillende keren om te melden dat de missie met nog een dag is verlengd, maar gistermiddag was ze optimistisch. Misschien zou ze morgen wel terugkeren naar Bunia. Vandaag is de telefoonverbinding echter weer pet en kan ik haar niet bereiken, dus ik ga naar haar huis om meer te weten te komen. Een bezoek aan haar kantoor in het districtsbureau leverde niets op: zelfs de secretaresses weten vaak niet welk plan Petronille trekt.

De twee soldaten aan de poort bij haar vrijstaande huis trekken hun wenkbrauwen op als ik mijn verhaal doe. Madame is niet thuis. Nee, haar echtgenoot ook niet. Die heeft trouwens het grootste deel van de tijd ook geen idee van haar agenda. De bewakers weten niet wanneer ze terugkomen. Een van hen slaat koortsachtig aan het bellen met zijn mobiel en krijgt uiteindelijk via via uitsluitsel. De commissaris van Ituri blijft toch nog een dagje in de brousse en komt op zijn vroegst morgen naar huis, als ik al in het vliegtuig naar Kinshasa zit. Het zal me niet lukken Petronille Vaweka in Congo in levenden lijve te spreken te krijgen.

Gelukkig heb ik rekening gehouden met dit scenario. Die middag heb ik een afspraak met Jaqcueline Budza. Zij is inmiddels voorzitter van de vrouwen van FOMI en als zodanig opvolgster van Petronille. Ook zij kan me alles vertellen over de betrokkenheid van vrouwen bij de verzoening tussen Hema en Lendu.

Ik voel me een beetje schuldig, want we treffen elkaar in Hellenique. Dit ooit Griekse restaurant deed tijdens de oorlog dienst als onderhandelingsplek – een Congolese versie van ons Hotel de Wereld. Nu is de uitspanning, naast de vn-kantine, een van de weinige 'westerse' eetgelegenheden in de stad. Het eten bij Hellenique haalt het niet bij de keuken van Maman Jeanne en de bediening is op zijn best ongeïnteresseerd. Maar Jacqueline stelde deze plek voor en het lijkt me verstandig een middag eten in La Pirogue over te slaan. Helemaal omdat ik weet dat Jeanne voor mijn afscheidsdiner vanavond alle registers zal opentrekken. Twee copieuze maaltijden per dag in de hitte is meer dan ik aankan. Ik voel me wel bezwaard – ik ben al een dag niet in het kleine restaurantje geweest – en hoop dat Jeanne me in het voorbijgaan niet op de veranda van Hellenique ziet zitten.

Jacqueline is net als alle Ituriërs die ik sprak trots op 'hun Petronille'. 'Toen zij commissaris werd, waren er mannen bij die haar uitlachten. "Hoe kunnen we nu een vrouw aanvallen?" zeiden ze. Ze begrepen niet dat dat al een kleine overwinning was.' Het kon alleen een vrouw zijn die de strijdende partijen in de regio weer tot elkaar bracht, meent ze. 'Hoe ver de rebellen ook heen zijn, een moeder hebben ze allemaal. Dat is waar we gebruik van maken als we met de milities praten. We zeggen: je moeder was een vrouw zoals ik, de melk waarmee je bent gevoed had de mijne kunnen zijn.' Volgens de fomi-voorzitter maakt dat de mannen veel kneedbaarder in de onderhandelingen.

Niet dat ze vrouwen als engelen wil afschilderen. De vrouwen van Ituri namen deel aan de vredesbesprekingen, maar ze maakten net zo goed onderdeel uit van de etnische oorlog. 'Als je kookt voor je echtgenoot en zijn kompanen die vergaderen over de volgende aanval, ben je ook schuldig. Sommige vrouwen verbraken hun gemengde huwelijk en gaven hun man aan bij de rebellen omdat hij van de andere stam was. Er waren moeders die niets meer van hun kinderen wilden weten omdat ze gemengd bloed hadden. En vrouwen die geen bezwaar maakten als hun mannen geplunderde waar hun huizen insleepten. Allemaal droegen ze bij aan het geweld.'

In 2001 vielen voor het eerst Lendustrijders Bunia binnen. 'Men zei dat ze alle Hema gingen uitmoorden.' In reactie daarop werden vele onschuldige Lendu in de stad vermoord, ook de overbuurvrouw van Jacqueline. 'Ik kende haar goed, dus dat deed pijn. Maar nog erger vond ik dat andere Hemavrouwen bij me langskwamen om me mee te nemen. Maman Jacqui, kom mee kijken naar de lijken, zeiden ze.' Jacqueline, zelf ook Hema, weigerde. Het waren haar vriendinnen die waren afgeslacht.

Het duurde een tijd voordat vrouwen aan beide zijden ontdekten dat ze hetzelfde oorlogsleed ondergingen. Bunia was in het heetst van de strijd verdeeld geraakt in twee etnische kampen – een beetje zoals de Burundese hoofdstad Bujumbura eind jaren negentig. Aan de ene kant woonden de Hema, aan de andere kant de Lendu, en de grenzen van je wijk overschrijden was levensgevaarlijk. Tenminste, mannen konden zich nauwelijks van de ene kant van de stad naar de andere verplaatsen. Voor vrouwen lag dat anders: 'De milities letten niet zo op ons. Jongens die van de verkeerde afkomst waren, werden meteen doodgeschoten. Maar vrouwen zagen er niet uit als de vijand.'

Zo treffen Hema- en Lenduvrouwen elkaar weer, op de markt. Jacqueline: 'Dat was de doorbraak. Daar werd de sfeer van wantrouwen, haat en uitsluiting overwonnen.' Vrouwen uit alle groepen ontmoetten elkaar in Bunia in oktober 2001 in een kantoor van de Verenigde Naties. Militaire bedoelingen hadden ze niet. Het ging niet om vredesbesprekingen, maar om samenwerking.

FOMI werd opgericht door vrouwen die elkaar op praktische wijze wilden helpen. Door elkaar vaardigheden aan te leren om geld mee te verdienen, door geld bij elkaar leggen om samen een bedrijfje te beginnen of door microkrediet te verstrekken. Belangrijkste eis was dat er altijd vrouwen uit alle bevolkingsgroepen deelnamen.

Aanvankelijk wekte het initiatief veel argwaan, memoreert de huidige voorzitter: 'Alle vrouwen die op die vergadering aanwezig waren, kregen negatieve reacties. We zouden onze gemeenschap verraden hebben. We werden zelfs met de dood bedreigd.' Maar de vrouwen zetten door. Het verstrekken van noodrantsoenen aan vrouwen, ongeacht hun afkomst, leverde veel waardering op. Hun constructieve samenwerking werd een voorbeeld voor de andere partijen in het conflict. FOMI zat sindsdien aan de onderhandelingstafel als er over vrede werd gesproken.

Ondertussen spraken de FOMI-leden hun seksegenotes aan op hun verantwoordelijkheid.

'Een vrouw heeft wel degelijk invloed op haar man. Als zij nee zegt, luistert hij. Maar daar zijn Congolese vrouwen nog niet allemaal van overtuigd,' constateert Jacqueline. Voorbeelden van vrouwen die met succes hun poot stijf hielden, kent Jacqueline genoeg. Toen regeringstroepen de bevolking in Mandro bedreigden, een dorpje ten oosten van Bunia, stonden de mannelijke dorpelingen meteen paraat voor de strijd. De gedemobiliseerde strijders verkondigden luidkeels dat ze hun wapens zó weer wisten te vinden. De vrouwen zagen dat niet zitten en stapten naar het dorpshoofd, zegt Jacqueline: 'Zij wilden niet meer terug naar de oorlogstijd, hadden genoeg van de moorden en plunderingen. Ze vroegen de dorpsoudste dat in te brengen op de dorpsvergadering.' Het had effect. Niemand van de mannen waagde het zich weer in het strijdgewoel te storten. In een ander dorp weigerden de vrouwen nog langer te vrijen met hun echtgenoten als nog één zoon zich bij de rebellen zou aansluiten. Het dreigement schijnt enorm te hebben bijgedragen aan de vrede.

De Congolese vrouw speelt een grote rol in de maatschappij,

resumeert Jacqueline. Daarom zou de vrouw ook politiek veel beter vertegenwoordigd moeten zijn. De FOMI-voorzitter gelooft vast dat vrouwen er niet zo'n potje van zouden maken als de mannen de afgelopen decennia hebben gedaan. Daarom is ze teleurgesteld in de verkiezingsuitslagen van het afgelopen jaar.

Na de eerste verkiezingen in ruim veertig jaar in de Democratische Republiek Congo in 2006 is slechts een handjevol vrouwen in het parlement beland. Op de andere bestuursniveaus delfden vrouwelijke kandidaten eveneens het onderspit. De vrouwen beschikten in tegenstelling tot hun mannelijke concurrenten zelden over veel geld om campagne mee te voeren, of beter gezegd, om uit te delen aan potentiële kiezers. Ook Vénantie, mijn zelfverdediginginstructeur uit Bukavu, lukte het niet een plekje te veroveren in de Provinciale Staten.

De nieuwe Congolese grondwet verkondigt voorbeeldig de gelijkwaardigheid van vrouwen en mannen, maar in de praktijk komt daar weinig van terecht. De politieke partijen weigerden een quotum voor het aantal zetels voor vrouwen in te stellen, zoals buurlanden als Rwanda wel deden. Gevolg is een parlement met slechts acht procent vrouwen, nog minder dan in de overgangsregering die aantrad na het vredesakkoord van Sun City.

Zelfs dat schamele aandeel vrouwen brengt de mannen het hoofd op hol. De mannelijke volksvertegenwoordigers namen onlangs een wet aan die het hun tweeënveertig vrouwelijke collega's verbiedt met een broek aan in het parlement te verschijnen. Vrouwenbillen gestoken in pantalons zouden de heren maar afleiden.

Na hun constructieve bijdrage aan het vredesproces hadden vrouwen een grotere rol in de naoorlogse politiek verdiend, vervolgt Jacqueline van FOMI: 'Nu moeten we weer vijf jaar wachten op de volgende verkiezingen.' Niet dat ze zich daardoor uit het veld laten slaan, want ooit zal de Congolese kiezer zich realiseren dat alleen vrouwen nog niet besmet zijn door corruptie en vriendjespolitiek. Vastberaden zegt ze: 'Onze tijd komt nog wel.'

Die avond maak ik me op voor het laatste diner bij Maman Jeanne. Ik trek voor de gelegenheid de enige jurk aan die ik op reis altijd meeneem – een wikkelgeval dat niet kreukt – en wandel met de Duitse journaliste die ook in het pension logeert naar La Pirogue. Het eettentje ligt op vijf minuten van ons slaapadres. We slaan de hoek om richting Maman Jeanne, maar lopen in eerste instantie het restaurant straal voorbij. Ik herken het niet eens.

Voor La Pirogue is ineens een manshoge muur verrezen ter vervanging van de gammele rieten omheining. Eindelijk begrijp ik waar die bouwvakkers de afgelopen dagen goed voor waren. Het restaurant is door de simpele muur onherkenbaar veranderd. De ingang is met uithangbord en al naar rechts verschoven. Nu kom je Maman Jeannes terrein op aan de korte kant van de eetzaal en stap je niet meer bij de rommelige keuken naar binnen. Die ligt aan de andere kant, uit het zicht. Voor de eetzaal is een terras ingericht met drie tafeltjes waaraan gasten dineren in roze plastic kuipstoeltjes. Het etablissement krijgt er een veel professioneler uitstraling door. Jeanne is apetrots, ze hoopte al dat ik de verbouwing nog zou kunnen aanschouwen.

Mijn vermoeden over het afscheidsmaal in La Pirogue blijkt terecht. Als alle schalen op tafel staan, kan ik het tafelkleed niet eens meer zien, zo vol staat het met eten. Een karrenvracht gebakken banaan, vis in tomatensaus en hagelwitte bollen foufou krijgen we voorgeschoteld. Bovendien extra sombe omdat ik daar zo van hou. Mijn collega en ik eten tot we niet meer kunnen. Als we met volle buiken 's avonds laat naar het pension teruglopen, kijk ik nog een laatste keer om naar de keurige buitenmuur van het restaurant.

Ik herinner me het schoolbord met lijntjes dat ik bij Jeanne thuis tegen de muur zag staan. Toen ik vroeg waar het voor diende, legde ze uit dat ze beter Frans wilde leren en dat iemand af en toe bij haar langskwam om les te geven. Omkijkend naar die nieuwe muur bewonder ik weer Jeannes ondernemingslust en doorzettingsvermogen in een schijnbaar uitzichtloze situatie.

Er broeit iets onder Congolese vrouwen. Wanneer dit vuur openlijk gaat branden, zou ik niet durven voorspellen. Hun informele macht is veel groter dan de formele situatie doet vermoeden, daarvan worden ze zich steeds meer bewust. De ondernemende chef-kok van La Pirogue is daarvan maar één voorbeeld.

Het bezoek aan Bunia, het afvoerputje van een land dat toch al de meest hopeloze plek ter wereld heet te zijn, had niet hoopvoller kunnen eindigen. De economische statistieken zijn misschien belabberd en de recente Congolese geschiedenis is bloederig, maar wie Congo op die gronden afschrijft, heeft nog nooit met de Congolezen te maken gehad. En zeker niet met vrouwen zoals Maman Jeanne, die na iedere terugslag alles weer oppakken en opnieuw beginnen.

Dankwoord

Op een zomerse dag een klein jaar geleden, ik zou bijna vertrekken naar Congo, kreeg ik uit het niets een mailtje van Ingrid Meurs van uitgeverij Artemis & co. Of ik niet een boek wilde schrijven. Voor die vraag en de prettige begeleiding sindsdien wil ik haar en de rest van Artemis bedanken.

Maar ik ben aan meer mensen dank verschuldigd voor hun hulp bij het wordingsproces van *Een nacht in een vijzel*. Mijn lievelingsjuf en inmiddels collega en vriendin Ingrid Cramer las niet alleen mee, ze dacht ook actief mee over structuur en kwam soms met praktische oplossingen als ik er niet uitkwam. Voor eerste hulp bij journalistieke dilemma's en sloten koffie kon ik altijd aankloppen bij mijn overbuurvrouw en collega Charlotte Huisman van *de Volkskrant*. Ook mocht ik mij laven aan de enthousiaste reacties van Dick Wittenberg van *NRC Handelsblad* op mijn boek in wording. Het is geweldig een tegenlezer te hebben met zoveel Afrikakennis.

Daarnaast hebben mijn broer Huib en zijn vriendin Daniëlle Segers hun grafische talent voor dit boek ingezet. Door de kaartjes die zij tekenden, hoeft de lezer niet te verdwalen op het Afrikaanse continent. Mijn moeder Joke gelooft onvoorwaardelijk in me, en dat is het mooiste wat je een kind kan schenken. Dat mijn vader Hub. dit boek niet meer zal lezen, betekent niet dat hij er niet aan heeft bijgedragen. Mede dankzij zijn kritische geest werd ik de journalist die ik vandaag de dag ben.

En natuurlijk dank ik mijn lief, die me een halfjaar in blauwflanellen herenpyjama achter de laptop heeft zien zitten en die alle pieken en dalen van het schrijfproces heeft meebeleefd.

Zijn vanzelfsprekende steun voor mijn gereis geeft me niet alleen de vrijheid om op pad te gaan, het geeft me ook iets om weer graag voor naar huis te komen.

Mijn laatste dankwoorden zijn voor vrouwen in Afrika:

Ana in Mozambique

Eva in Soedan

Een lieve vriendin in Rwanda

Mariam in Burundi

Stella in Oeganda

Chouchou in Congo

Zonder deze sleutelvrouwen zou ik dit boek niet hebben kunnen schrijven.

Utrecht, mei 2007

E